MISTERI DELLA STORIA

1

Design di Alessandro Conti

Quinta edizione: giugno 2001
© 1980, 1998 Newton & Compton editori s.r.l.
Roma, Casella postale 6214

ISBN 88-8183-822-2

www.newtoncompton.com

Romolo Augusto Staccioli

Gli Etruschi
Un popolo tra mito e realtà

Nuova edizione riveduta e ampliata

Newton & Compton editori

Premessa

Questa nuova edizione, rispetto alla precedente, del 1990, che è stata indicata come quarta ma che, in realtà, era la seconda ristampa della seconda edizione, del 1984, non ha subìto «rifacimenti». Anche in considerazione del fatto che le pur numerose novità emerse – soprattutto dalla terra – nel corso dell'ultimo quindicennio non hanno modificato il quadro generale delle nostre conoscenze sul mondo etrusco, s'è preferito provvedere unicamente a una necessaria – e doverosa – opera di aggiornamento.

Numerosi interventi ci sono dunque stati nella Nota bibliografica *e nell'elenco delle* Località *con musei, monumenti e zone archeologiche d'interesse etrusco: due settori in cui le «innovazioni» si segnalano come risultato di un immutato fervore di studi, di ricerche, di esplorazioni, di scavi, da una parte; e, dall'altra, di iniziative museografiche, di restauri, di sistemazioni. Poi – dopo l'*Epilogo *– è stato aggiunto un intero capitolo (*Gli ultimi quindici anni*) nel quale, sinteticamente, s'è dato conto delle novità più importanti venute soprattutto dalle scoperte archeologiche che, in ogni caso, hanno continuato ad arricchire, allargare e approfondire le nostre possibilità di ricostruire la realtà storica della civiltà etrusca.*

L'augurio è che il successo arriso alle precedenti edizioni accompagni anche questa che vede la luce quando da quasi tre anni è venuto a mancare il «fondatore» dell'etruscologia contemporanea – Massimo Pallottino – del cui insegnamento le pagine che seguono sono largamente debitrici e alla cui memoria esse sono devotamente dedicate.

Roma, dicembre 1997

ROMOLO A. STACCIOLI

Prefazione

Nella prefazione alla prima edizione di questo volume (uscita nella collana «Paperbacks Civiltà scomparse») confessavo d'essermi accinto, non senza qualche esitazione, a scrivere un libro sugli Etruschi pensando di rivolgermi a coloro che desideravano attingere a fonti serie e attendibili la conoscenza di un argomento solitamente tanto «maltrattato» e con l'illusione di poter contribuire a dare su di esso, prima di tutto, idee chiare e obiettive. Precisavo quindi che il mio voleva essere non già un «manuale» di etruscologia ma uno strumento d'approccio e d'introduzione a una realtà che, una volta sgomberato il campo dalle fantasie, non poteva essere delineata che in una sorta di panorama, necessariamente sintetico ma strettamente aderente ai risultati conseguiti dalle ricerche degli studiosi.

Data questa impostazione, aggiungevo che l'economia generale dell'opera (anche in ordine alle caratteristiche della collana nella quale essa era inserita) e le esigenze di spazio non m'avevano consentito di scendere in particolari e di dare, volta a volta, ragione e giustificazione delle enunciazioni, delle affermazioni (e magari dei dubbi e delle ipotesi), a meno che ciò non fosse veramente indispensabile oppure esemplificativo o anche particolarmente interessante. Avvertivo pertanto che quando qualche notizia fosse potuta apparire troppo sicura o anche singolare e sorprendente e perfino troppo... semplice e schematica, si doveva ricordare che essa era soltanto un'indicazione essenziale, la sostanza di un lungo ragionamento, il succo di tutto un lavoro d'indagine compiuto da generazioni di ricercatori mettendo a frutto ogni possibile fonte d'informazione dalle opere degli scrittori antichi alle testimonianze materiali sopravvissute e recuperate dall'archeologia e fino al confronto e all'analogia con quanto conosciuto di altre popolazioni e di altre civiltà del mondo antico.

Facevo poi osservare che se qualche sfumatura di diversità si fosse potuta cogliere qua e là con altre pubblicazioni di autori seri, naturalmente, essa non sarebbe mai stata sostanziale, non avrebbe cioè toccato le linee fondamentali del discorso: si sarebbe trattato di piccole divergenze d'opinione, di un punto di vista piuttosto che di un altro, di un'accentuazione al posto di un'attenuazione. Particolari che potevano dimostrare, seppure ce ne fosse stato bisogno, che quel discorso è ancora aperto, che esso si va tessendo giorno per giorno, pazientemente e con prudenza, tenendo conto delle novità e di quello che è stato già detto, verificandolo di continuo, se necessario contestandolo e correggendolo, arricchendolo in ogni caso in quell'incessante processo di «ricostruzione storica» che è, al tempo stesso, il fine e l'aspetto più affascinante della ricerca scientifica. Sicché concludevo, quello che si ritrovava nelle pagine del mio libro era solo l'ultimo esito (talvolta incompleto, spesso provvisorio) di quella ricerca tuttora in atto, l'ipotesi più probabile, l'interpretazione più verosimile, la linea di tendenza degli studi: il «punto» della situazione sulle nostre conoscenze del mondo degli Etruschi.

Tutto questo mi sembra opportuno ribadire oggi. Visto che c'è stato qualcuno che ha creduto fosse mio proposito discutere e polemizzare, prendere posizione nelle controversie, dimostrare nuovi assunti, avanzare proposte: proprio il contrario di quanto promesso con un'esplicita dichiarazione di obiettività che escludeva in partenza particolari posizioni personali al di là di quella derivante dal consenso e dall'adesione al «quadro» esposto nel suo complesso (altrimenti si sarebbe trattato di un'opera «diversa»).

Nessun pericolo quindi che il mio libro abbia potuto «rinfocolare polemiche», come è stato scritto da qualche frettoloso recensore; certamente non tra gli studiosi i quali, su quello che ho scritto, sono sostanzialmente tutti d'accordo. Ci sarà stato, se mai, il disappunto dei dilettanti e degli improvvisatori, e magari la sorpresa di chi, in buona fede, aveva creduto nelle loro «favole». Ma c'è stata soprattutto, ed è quel che conta, la soddisfazione di tutti coloro che nel libro hanno trovato (e riconosciuto) proprio quello che mi ero proposto di scrivere. A cominciare dai «perché» di tanta e così strabiliante disinformazione: «tra le molte cose che l'A. ci spiega una volta per tutte, provvedendo, al tempo stesso, a metterci, con metodo e chiarezza esemplari, sul giusto binario».[1]

Detto ciò (e a maggior ragione per quello cui ho appena finito di accennare) restano sempre valide le considerazioni con le quali aprivo la prefazione alla prima edizione.

«Un discorso serio sugli Etruschi, da offrire all'attenzione di un pubblico di "non iniziati", non è facile da fare: non tanto e non solo, per ragioni intrinseche (legate alla varietà e alla complessità dei problemi, alle deficienze e alle lacunosità delle fonti d'informazione, alla parzialità e, talvolta, alla provvisorietà delle ricostruzioni) quanto per l'assurda esistenza di una "comune opinione", in proposito, distorta e preconcetta, assurda e pervicace. Continuamente alimentata da "falsi profeti" (siano essi presuntuosi pseudoscienziati o divulgatori sprovveduti) e da "cattive novelle" (pubbli-

[1] M. BARBERITO, in «L'Urbe», 1982, nn. 3-4, pp. 163-65.

cazioni e interventi d'ogni genere sulla stampa quotidiana e perio-
dica, alla radio e alla televisione), tale "opinione" è intessuta di
fantasie e di luoghi comuni, di pregiudizi e di dogmi. Ad essa, nel-
l'ambito di quel più generale interesse, che non sembra diminuire,
per l'archeologia, gli antichi popoli e le civiltà del passato, si accompagna una curiosità forse esagerata (in certi casi si direbbe addirittura morbosa) aggravata dalla convinzione di trovarsi di fronte
a un "mistero" alla cui attrattiva sembra impossibile sottrarsi. Salvo rifugiarsi, sbrigativamente, nel fascino dell'ignoto per cui si finisce con usare la parola etrusco, come è stato giustamente rilevato,
per tutto ciò che non si capisce o si capisce poco.

Sugli Etruschi si è insomma creato un vero e proprio "mito" che
per un singolare processo di assuefazione collettiva, suscettibile
d'interessare la storia della cultura contemporanea, e del quale si
ritrovano gli echi persino nella manualistica e nei testi scolastici di
storia antica, appare diffuso e radicato anche tra le persone colte.
Al punto da far disperare che si possa mai riuscire ad estirparlo
con le ragioni della scienza, per non dire di quelle del semplice
buon senso. I tentativi fatti in proposito, anche con buoni libri che
non sono mancati, specie in questi ultimi tempi (fra i tanti di pura
fantascienza che purtroppo continuano ad uscire) sembrano passare senza lasciar traccia.
Mai come in questo caso c'è stato divorzio più clamoroso tra la
scienza, da una parte, e, dall'altra, il dilettantismo e la pubblica
opinione. E non vale, o serve fino ad un certo punto, per giustifi-
carlo "storicamente", richiamarsi a quelle che, a ragione, possono
essere considerate le origini del fenomeno. Le quali risalgono indubbiamente al passato (per certi versi addirittura a quello, remoto, della stessa antichità) e che, già riconoscibili fin nel tempo della
prima scoperta dell'Etruria, dopo oltre un millennio d'oblio, nel
tardo Quattrocento, ebbero modo di concretizzarsi e di consoli-
darsi nell'etruscomania del Settecento e dell'Ottocento.
Oggi, tuttavia, non è più possibile rimanere in un atteggiamento
divenuto anacronistico e ignorare che, al di là delle suggestioni
romantiche e delle fantasie letterarie, duecento anni di ricerche e
di studi seri consentono di accostarsi al mondo degli Etruschi con
ben altre possibilità e prospettive, nelle dimensioni della realtà
storica. Eppure, si continua a rifiutare la "mediazione" degli
studiosi e a credere piuttosto nei miracolistici annunci degli pseu-
do-scienziati i quali, senza preoccuparsi di smentirsi a vicenda e
mettendo da parte le conquiste della scienza, sono ancora all'inge-
nua ricerca di quel "lampo di genio" che risolva d'un sol colpo
ogni questione. Si continua, di fatto, a preferire il "mistero" re-
spingendo paradossalmente proprio quella verità che, apparentemente, si ricerca e si vorrebbe conoscere».

Di fronte a questa situazione che non incoraggia certo chi pensi, o sia richiesto, di scrivere un ennesimo libro sugli Etruschi, rimane solo la speranza che, insistendo, le ragioni della scienza riescano finalmente ad avere la meglio. E ne potrebbe essere conforto (e riprova) la nuova edizione di questo libro il quale si presenta diviso in due parti (rispecchiate nel titolo) non tanto per distinguersi dagli altri con una formula diversa, che, comunque, è nuova nel panorama editoriale anche più recente, quanto per rispondere a una precisa esigenza e proprio in ordine alle considerazioni sopra accennate: quella di separare nettamente le fantasie dalla verità, il «mito» dalla realtà. Trattare, prima, del «mito» significa, infatti, sgomberare il campo dai luoghi comuni, dai preconcetti, dalle opinioni sbagliate: quindi chiarire i termini delle questioni e rispondere a certi quesiti. Dopo di che, passare alla «realtà» significa sostituire ai misteri i problemi, mettere ordine nella complessa materia, dare conto dei risultati raggiunti dalla ricerca scientifica, indicare certezze, dubbi e lacune, magari far conoscere ipotesi e delineare prospettive e linee di sviluppo.

Rispetto alla precedente, questa seconda edizione presenta la prima parte in più punti parzialmente rifatta e ampliata, a cominciare dall'introduzione, riscritta, spostata e suddivisa all'inizio di ciascuna delle due parti delle quali il libro si compone. È stato inoltre aggiunto alla fine un nuovo capitolo, a mo' di epilogo, dedicato a riassumere le caratteristiche essenziali e qualificanti della civiltà etrusca, a indicarne sommariamente i significati e le eredità; quindi a far presenti gli interessi più specifici e le linee di tendenza degli studi etruscologici del momento. Pure aggiunta, come «Appendice», è stata un'ultima parte nella quale, oltre alla «Nota bibliografica» aggiornata con l'indicazione delle novità editoriali, sono stati introdotti un dettagliato «prospetto cronologico» dei principali avvenimenti della storia etrusca e di quella del resto d'Italia ad essa più o meno direttamente collegata; un elenco completo delle località sedi di musei, monumenti e scavi archeologici d'interesse etrusco; un ampio «glossario» dei termini tecnici propri dell'etruscologia o comunque frequentemente usati nella letteratura etruscologica anche se comuni ad altre discipline relative al mondo antico. Infine, insieme a qualche nuovo grafico nell'ultima parte del testo, è stato inserito, fuori testo, un altro «trentaduesimo» di illustrazioni fotografiche che, non potendosi scompaginare per ragioni tecniche quello già contenuto nella prima edizione, è stato, come quello, sistemato con un ordine interno, logico e cronologico, in linea di massima parallelo al testo.

Roma, marzo 1984

ROMOLO A. STACCIOLI

PARTE PRIMA
IL MITO

Vasi decorati.

Introduzione

La parola che più frequentemente ritorna come un vero e proprio leitmotiv, quando comunemente si parla e si scrive degli Etruschi è, come tutti sanno, «mistero». Forse per nessun altro popolo dell'antichità – almeno tra quelli che in qualche modo hanno richiamato su di sé l'attenzione dei moderni – la qualifica di «misterioso» è stata mai elargita con tanta convinta disinvoltura e insistenza. Certamente, fra tutte le genti dell'Italia antica (peraltro pressoché ignorate dai più), soltanto gli Etruschi, il «popolo misterioso di casa», sono stati e vengono considerati poco meno che marziani, vissuti fuori del tempo e della storia, scomparsi lasciando dietro di sé enigmatiche testimonianze di una civiltà senza confronti. Misteriose sono ritenute le loro origini, misteriosa (almeno per taluni) persino la loro fine; vera e propria «sfinge», refrattaria ad ogni tentativo di penetrare il suo recondito messaggio, la loro lingua.

Questo è però soltanto un aspetto, il più appariscente e più irrazionalmente affascinante, di quello che, mettendo tutto insieme, mistero, fantasie, leggende, false interpretazioni e mezze verità, preconcetti e luoghi comuni, curiosità, banalizzazioni ecc. ecc., abbiamo già indicato come il «mito degli Etruschi». Un'idea profondamente falsa e aberrante, antistorica e antiscientifica, che un singolare e vario complesso di circostanze, di dati di fatto, di vicende, di atteggiamenti ha contribuito a creare senza che ne fosse risparmiato alcuno dei tanti aspetti dei quali la civiltà e il mondo degli Etruschi si compongono: nonché le origini e la lingua, di cui s'è detto, anche la storia e le istituzioni, i culti, le manifestazioni artistiche, la società, i costumi e la vita quotidiana ecc.

I precedenti di tutto ciò risalgono, come s'è accennato, alla stessa antichità dalla quale l'Etruria era già stata considerata, per molti versi (e specialmente dopo il suo tramonto), press'a poco alla stregua di un relitto isolato e sopravvissuto di un mondo lontano e perduto, esotico e strano, ormai incomprensibile e alieno anche alla mente di pensatori e di scrittori certo non sprovveduti. Ai quali il mondo etrusco appariva quanto meno diverso, «né simile per lingua né simile per costumi» (come scriveva Dionigi d'Alicarnasso al tempo d'Augusto) agli altri popoli del mondo classico e, se mai, più vicino alle popolazioni «barbariche» e a quelle dell'Oriente anellenico che ai Greci e ai Romani.

Il fenomeno si spiega (alla luce della mentalità razionale dei Greci e dello spirito pratico dei Romani) per certe indubbie peculiarità del mondo etrusco «da attribuire essenzialmente – come con efficacia sintetizza Massimo Pallottino – al fatto che i caratteri fondamentali della sua struttura di civiltà si formarono e si fissarono definitivamente in un'epoca arcaica ancora dominata dall'impronta delle più remote tradizioni mediterranee, come attestano alcuni aspetti singolari: per esempio il culto dei morti nei sepolcri grandiosi costruiti o scavati ad imitazione della casa dipinti con figurazioni realistiche pregne di forza magica, ricchi di corredi preziosi, di suppellettili, armi, vesti, cibi destinati ad una "seconda vita", con il bisogno di perpetuare l'individualità del defunto nel ritratto funerario come nell'antico Egitto; o la particolare importanza della donna nella società che ha fatto pensare a reminiscenze di matriarcato; o il gusto per la musica passionale e orgiastica degli strumenti a fiato, flauti asiatici e trombe, preferita ai severi modi ellenici degli strumenti a corda, che accompagnava ogni atto dell'esistenza, dalle feste ai funerali, alla caccia, alla cucina, perfino alle esecuzioni; o anche, e soprattutto, nel campo della religione, la visione animistica del soprannaturale con un mondo popolato di geni e di demoni, il puntiglioso formalismo dei riti, la diffusione delle pratiche divinatorie in parte simili a quelle orientali come l'aruspicina e l'epatoscopia, cioè la lettura dei visceri, specialmente il fegato, degli animali sacrificati, in parte originali come la dottrina dei fulmini».

Ce n'era a sufficienza per ingenerare sconcerto e incomprensione, nonostante la lunga consuetudine di contatti, di rapporti e di scambi (della quale forse s'andò perdendo a poco a poco il ricordo) e la disponibilità di quelle fonti di conoscenza che permisero, ad esempio, al dotto imperatore Claudio di scrivere un'opera in venti libri sugli Etruschi purtroppo andata perduta. E proprio alla perdita di quelle fonti, soprattutto le fonti letterarie, e alla necessità di ricorrere alla mediazione degli autori greci e romani, già viziata dall'incomprensione e «deformata», per noi, dalla frammentarietà e dalla casualità delle citazioni, dei giudizi, dei racconti, si deve il perpetuarsi, nell'età moderna, di una situazione di fondo sostanzialmente falsa e deviante. Con l'aggravante di altri fattori negativi che attengono alle condizioni e alle circostanze, cioè ai modi (e ai tempi) della «riscoperta» dell'Etruria dopo secoli e secoli d'oblio. Sicché alle distorsioni degli antichi s'aggiunsero illazioni, fantasie, romanticherie che, tutte insieme, hanno finito col dare corso e alimentare quel «mito» (talvolta anche con parvenze scientifiche) che è arrivato intatto fino ai nostri giorni e che ancora oggi è così duro a morire.

Per non dire delle puerili aberrazioni e dei lunghi vaniloqui in cui si persero i primi pur entusiasti e solerti indagatori, basterà ricordare quando nel Settecento, nelle conventicole accademiche degli eruditi toscani si favoleggiava sulle antichità etrusche esaltate come «memorie patrie» per servire a una sorta di nazionalismo regionale nell'ambito di un più generale risveglio delle tendenze anticlassiche da contrapporre al fenomeno greco e, più ancora, a quello di Roma, fino a quel momento protagonista assoluta della «rinascita» dell'antico. E quando nell'Ottocento, con l'atmosfera romantica che alimentava lo spirito d'avventura e la passione per le ricerche sul terreno, scavi suggestivi e scoperte affascinanti nei paesaggi ancora vergini e naturalmente attraenti della Maremma tosco-laziale diffusero la convinzione che chiunque potesse accostarsi al mondo etrusco, con un contatto diretto, secondo la propria sensibilità e senza bisogno d'intermediari.

Considerate queste premesse, si può capire in che dimensione si sia svolta la «ricostruzione» di una difficile e complessa realtà storica e come si sia finito fatalmente col fantasticare di una civiltà etrusca spontanea e «naturale», vivace, colorita, festosa; del tutto opposta a quella greco-romana considerata, secondo un'immagine accademica (e ugualmente falsa), composta, fredda e razionale. E come ancora negli anni Trenta del nostro secolo dalle pagine degli *Etruscan Places* di David H. Lawrence e di *Those Barren Leaves* di Aldous Huxley e, dunque, di quella letteratura inglese che già nella seconda metà dell'Ottocento aveva avuto in Georges Dennis e nella sua celebre opera *The Cities and Cemeteries of Etruria* il vate e la bibbia dell'etruscologia romantica, emerga una ricostruzione del mondo etrusco concepito come una sorta di «paradiso perduto», dalla vita libera e senza complessi, in diretto rapporto con la natura e le sue piacevolezze; e di una civiltà che, per citare una sola frase del Lawrence, «non costruì edifici permanenti ma si contentò di case che avevano la vita breve dei fiori».

Alla luce di queste «ricostruzioni», tutte soffuse di irrazionalità e di mistero, si può anche capire come le fantasie, per la loro stessa natura e per la forza incontestabile di suggestione e di attrazione esercitata nei confronti dell'opinione pubblica, si siano alla fine trasformate in concetti reali, pseudo-verità, veri e propri luoghi comuni, universalmente quanto superficialmente e semplicisticamente accettati e indiscussi. Ma, d'altra parte, non si può non convenire che la verità non si raggiunge con le fantasie e che la storia non è fatta di luoghi comuni. Ed è proprio di questi luoghi comuni che occorre finalmente liberarsi, in via preliminare, prima di affrontare il discorso serio sugli Etruschi. Quel discorso che oppone alle favole del «mito» le conquiste della scienza la quale, sostituendo all'irrazionale passione per i misteri la seria investigazione dei problemi e superando la frammentarietà e la casualità dell'approccio per trasformarsi in ricerca storica, organica e compiuta, ci consente innanzi tutto di ristabilire la visione unitaria, e realistica, del mondo mediterraneo e dell'Italia prima dell'unificazione romana:

il mondo del quale gli Etruschi fecero parte contribuendo a formarlo e a svilupparlo.

Non sarà allora difficile superare il preconcetto che è forse alla base del «mito»: quello per cui ci si ostina a considerare gli Etruschi e la loro civiltà come qualcosa non soltanto di diverso (il che, entro certi limiti, è persino ovvio e scontato) ma addirittura di estraneo, di avulso e di contrapposto al resto del mondo loro contemporaneo. Dopo di che, ricondotta la realtà etrusca nel suo contesto naturale, ci si accorgerà che la situazione è assai diversa da quanto comunemente si crede e che le nostre conoscenze vanno ben al di là delle nebbie e del favoleggiato mistero (e delle stesse perplessità degli antichi).

Le pagine che seguono serviranno a renderne conto.

I. Venuti da fuori

Il primo e più diffuso tra i luoghi comuni del «mito» etrusco, che peraltro, a parte le illazioni di tipo dilettantistico, è di quelli che traggono spunto da un fondamento di «serietà», è senza dubbio quello dell'origine «esterna» e, più precisamente, orientale degli Etruschi. Esso è nato, in verità, da una tradizione già largamente accreditata presso gli antichi i quali parlavano concordemente (seppure con qualche variante) di una provenienza degli Etruschi in Italia per via di mare attraverso una migrazione dalla Lidia in Asia Minore. E talmente scontata era questa convinzione che i nomi o gli appellativi di «etrusco» e di «lidio» appaiono nelle loro opere usati indifferentemente, senza alcuna diversità di significato.

L'attestazione più completa e antica dell'idea della migrazione si ritrova in un racconto delle *Storie* di Erodoto (I, 94) che il grande storico greco del V secolo a.C. riferisce, pur senza prendere posizione, dichiarando di averlo ascoltato nella Ionia, la regione costiera grecizzata dell'antico regno di Lidia. Secondo quel racconto, in un periodo che si deve collocare nel corso del XIII secolo a.C., a seguito di una grave carestia, metà del popolo dei Lidi, sotto la guida del figlio del re Atys, di nome Tirreno (*Tyrsenòs*) avrebbe abbandonato la patria con una flotta in cerca di nuove terre e, «dopo aver oltrepassato molti popoli», sarebbe approdato sulle coste occidentali dell'Italia, abitate dagli Umbri, dove si sarebbe stabilito cambiando nome e assumendo quello nuovo di Tirreni (*Tyrsenòi* o *Thyrrenòi*) dal nome del loro condottiero.

Al racconto erodoteo, tuttavia, si affiancava, come una variante della teoria della migrazione, quello di un altro storico greco, Ellanico di Mitilene, vissuto pure nel V secolo a.C., secondo il quale gli Etruschi sarebbero derivati da un nucleo di Pelasgi (una mitica popolazione del Mediterraneo orientale) che, sbarcato in Italia alle foci del Po, si sarebbe spinto fino in Etruria dove avrebbe preso il nome di Tirreni. Finalmente, e con un'evidente contaminazione dei due racconti precedenti, uno scrittore, sempre greco, della fine del secolo IV a.C., Anticlide, parlò di una migrazione di Pelasgi partiti dalle isole egee di Imbro e di Lemno e giunti in Italia sotto la guida di Tirreno, figlio di Ati, dal quale si sarebbero denominati.

Di fronte a una così sostanziale concordia sull'origine «orientale» degli Etruschi, bisogna arrivare all'età di Augusto per trovare l'unica voce discorde di tutta l'antichità: quella di Dionigi d'Alicarnasso, un altro storico greco, che nella sua opera sulle *Antichità Romane* (I, 25-30), dopo aver rilevato la «diversità» culturale e linguistica degli Etruschi rispetto alle altre popolazioni conosciute, ne respinge la corrente identificazione con i Lidi (o con i Pelasgi) e, asserendo di averne trovato conferma presso gli stessi Etruschi, sostiene che questi non erano un popolo «venuto da fuori» ma autoctono (cioè «nato» in Italia) e ne rivendica il nome nazionale di *Rasenna*.

La teoria di Dionigi non ebbe alcun seguito nel mondo antico; tuttavia si può dire che con essa sia nata la «questione» delle origini etrusche dal momento che gli studiosi moderni si sono divisi riprendendo, gli uni, la teoria orientale, gli altri, quella dell'autoctonia, sviluppandole e ampliandole in vario modo ma finendo per contrapporsi in un contrasto che altra soluzione non poteva avere se non nella scelta dell'una o dell'altra posizione. Salvo a escogitarne una terza che immaginò gli Etruschi, o i loro «antenati», discesi dal Settentrione attraverso le Alpi, per via di certe affinità tra le culture protostoriche dell'Italia centro-settentrionale, e in particolare di quella «villanoviana» caratteristica dell'Etruria, e le culture transalpine tra l'Età del bronzo e l'Età del ferro. Oltre che per certe apparenti quanto anacronistiche analogie di tipo onomastico, come quella relativa al nome *Rasenna* (oltretutto attribuito, come s'è appena visto, da Dionigi d'Alicarnasso agli Etruschi) e al nome dei *Reti*, la popolazione alpina della Valle dell'Adige e del Tirolo che, secondo un controverso passo di Tito Livio (V, 33, 11), sarebbero derivati dagli Etruschi e perciò considerati come un imbarbarito relitto della discesa di quelli verso le regioni tirreniche. Ma la teoria «settentrionale» non ha retto alle critiche che le sono state mosse. Soprattutto a quella, di fondo, relativa all'erronea tendenza a identificare i fatti etnici con quelli archeologici, cioè storico-culturali, i quali, comunque, non dimostrano in alcun modo un arrivo degli Etruschi dal nord (a parte il raffronto Rasenna-Reti, ingenuo e del tutto privo di fondamento).

Quanto alla teoria dell'autoctonia, alla quale s'è cercato di dar forza con argomentazioni specialmente di carattere linguistico che, sottolineando l'isolamento dell'etrusco nel complesso delle lingue dell'Italia antica, hanno portato a considerare il popolo che lo parlava come un relitto di antichissime genti appartenute a un'originaria unità mediterranea, anch'essa s'è trovata di fronte a difficoltà insormontabili derivanti dall'incongruenza delle ricostruzioni basate su dati archeologici che s'è tentato di far aderire ai troppo rigidi schemi linguistici.

È rimasta così la più antica e tradizionale delle tre teorie, quella «orientale». Ad essa parve dar credito l'utilizzazione di certi testi egiziani che, a proposito di un tentativo d'invasione dell'Egitto, tra

il 1230 e il 1170 a.C., da parte di non meglio definiti «popoli del
mare», menzionano tra questi i *Turuscia* (*Trš.w*) nei quali si sono
voluti ritrovare i progenitori degli Etruschi che, respinti dall'Egitto, sarebbero poi arrivati in Italia. Ma nonostante la suggestione
del raffronto tra le radici dei nomi (*Trš.w* e *Tyrs-enoi*) e contrariamente a quanto è possibile fare per le denominazioni di altri gruppi di «popoli del mare» (quali, ad esempio, quelli dei *Plst.w* e degli
Jqjwš.w per le quali è ormai da tutti accettato il riconoscimento,
rispettivamente, con i Filistei e con gli Achei), l'incerta vocalizza-
zione dei testi egizi non consente d'identificare con certezza i Turuscia con i Tirreni. Senza contare che forme di denominazione
analoghe si ripetono piuttosto frequentemente in tutta l'onomastica mediterranea.

Anche l'idea di ricollegare, e quindi di convalidare, l'ipotetica migrazione dei Lidi-Tirreni-Etruschi con la grande fioritura in Etruria della civiltà «orientalizzante» non ha retto a due ordini di considerazioni: da una parte, che, in contrasto con la cronologia erodotea, bisognerebbe spostare la migrazione alla fine del secolo VIII
a.C. (in un periodo per il quale siamo troppo bene informati dal
punto di vista archeologico per non meravigliarci che dell'avvenimento non ci sia giunta qualche notizia diretta); dall'altra, che il
manifestarsi della civiltà «orientalizzante» non è frutto di cambiamento istantaneo e radicale rispetto alla precedente fase della civiltà «villanoviana» bensì conseguenza di un lento e graduale passaggio cui preludono evoluzioni e trasformazioni già in atto nel
«villanoviano» recente.

Maggiori possibilità potrebbero avere, se mai, le ipotesi «neo-
orientalistiche» di quegli studiosi che, attenuando sensibilmente
l'idea della migrazione di massa, hanno prospettato l'eventualità di
un arrivo dall'Asia Minore o, comunque dal bacino dell'Egeo, di
piccoli nuclei di navigatori-avventurieri (paragonati ai Normanni
del Medioevo) ai quali si dovrebbe l'importazione della lingua
etrusca. Tuttavia, anche un'ipotesi di questo genere non può risolvere, di per se stessa, la questione e va comunque considerata nel-
l'ambito di un sostanziale ridimensionamento del problema. Il
quale si presenta, altrimenti, senza soluzione.

In realtà, tutto porta a credere che si tratti di un falso problema
o, quanto meno, di un problema male impostato (oltre che poco
importante ai fini della ricostruzione e dello studio della civiltà
etrusca storica). Mettendo da parte, almeno per il momento, l'autorità di Erodoto (sul quale si è sempre insistito come di una fonte
assolutamente impossibile da ignorare) e tutte le suggestioni derivanti da coincidenze, analogie, riscontri praticamente più apparenti che reali, si deve riconoscere che si è sempre discusso, semplicisticamente, alla ricerca di un'origine, o meglio di una «provenienza» degli Etruschi allo stato dei fatti quanto meno indimostrabile.
Allo stesso modo (è stato argutamente osservato) che se si volesse

discutere dell'origine, o peggio ancora, della provenienza dei Francesi, o di quella degli Inglesi o anche di quella degli Italiani. Continuare in questo senso sarebbe completamente inutile e, oltretutto, antistorico. Proprio mentre (per dirla con le parole del Pallottino) «il progressivo accrescimento dei dati di fatto sia archeologici sia linguistici e il maturarsi delle riflessioni critiche stanno dimostrando l'assurdità di certe annose controversie che hanno contrapposto teorie semplicistiche e preconcette, gonfiando la questione molto al di là della misura della sua importanza, o impostandone i termini in modo astratto se non addirittura fantasioso».

Quello che occorre fare, innanzi tutto, è sgombrare il campo da qualsiasi idea di migrazione o, comunque, di un arrivo improvviso di «colonizzatori» o di invasori esterni. Se così fosse stato si dovrebbero trovare di costoro, nei luoghi di supposta provenienza, «tracce» tali, archeologicamente considerabili, da doverci far parlare di Etruschi (o perlomeno di proto-Etruschi) anche per quei luoghi; e invece, non c'è nulla che ci possa condurre a questo, né nella Lidia di Erodoto né altrove. Così come d'altro canto, non è possibile avvertire, in quella che sarà poi l'Etruria, alcun apparire repentino di una cultura «etrusca» come avrebbe dovuto verificarsi nel caso di un arrivo improvviso dei suoi eventuali portatori (e come effettivamente si verificò, ad esempio, nel caso della cultura ellenica nelle terre di colonizzazione greca, autentica e storicamente certa, dell'Italia meridionale e della Sicilia).

In realtà, gli Etruschi ci appaiono, come tali, soltanto in Italia, nella regione dove essi sono presenti in piena epoca storica e nella quale la loro civiltà ci si mostra incontrovertibilmente documentata.

Perciò, una volta escluso, per l'evidenza dei fatti, che essi possano essere giunti in Italia (dall'Oriente o da una qualsiasi altra parte) come un popolo già formato e culturalmente definito, ne deriva che la loro origine deve essere ricercata soltanto e precisamente in Italia. E inoltre, che quell'origine, lungi dall'essere ridotta a una questione semplicemente etnica, o razziale, non può che essere ricondotta a un processo di «formazione» cui hanno contribuito vari elementi, e non soltanto etnici. Un processo certamente lungo e complesso, del quale noi possiamo riconoscere in partenza, e controllare con una certa chiarezza, l'esito finale cioè la nascita di quell'entità etnica e culturale nuova che chiamiamo etrusca. Mentre resta da scoprire tutto ciò che a quella nascita ha condotto e quindi, per quanto possibile, da individuare i diversi elementi che vi hanno concorso, le componenti, i contrasti, le convergenze, i modi e i tempi.

La «questione» delle origini etrusche si trasforma così nel «problema» della formazione del popolo e della civiltà degli Etruschi: un argomento di ricerca scientifica; aperto, difficile, delicato; sul quale se qualcosa è stato già possibile dire, in via più o meno ipotetica, molto certamente resta ancora da fare senza che forse sia possibile sperare di risolverlo completamente. In ogni caso, è da ritenere assodato, per la natura stessa del problema, che qualunque sia stato il nucleo etnico originario, la nazione etrusca quale noi conosciamo, definita nei suoi peculiari aspetti etnici, linguistici, sociali, culturali, certamente non ne deriva in linea diretta così come essa non può identificarsi con l'una o con l'altra delle componenti che hanno contribuito a formarla e alle quali ci richiamano, invero piuttosto vagamente, le tradizioni erudite degli antichi. Seppure ce ne fosse bisogno, lo dimostra la stessa componente linguistica che ci presenta l'etrusco, documentato nelle iscrizioni a partire dall'inizio del vii secolo a.C., largamente interessato da reciproche influenze e commistioni con le lingue italiche e con il greco le quali suggeriscono un lungo processo di contatti e anche di sviluppi comuni. Così come lo dimostra, per fare soltanto un altro esempio, la componente etnica che l'onomastica personale degli Etruschi ci rivela, entro certi limiti «mista» e cioè fatta di elementi diversi di varia provenienza.

A questo punto giova rilevare che quanto s'è detto non significa sconfessare del tutto Erodoto e affermare che il suo racconto (o la sua fonte d'informazione) è completamente inventato e inattendibile. In esso, come spesso avviene nei «racconti» degli antichi, c'è forse una parte di verità che non contrasta con le nostre possibili ricostruzioni: un piccolo gruppo di navigatori «orientali» (diciamo pure i «Normanni» dei neo-orientalisti) deve essere certamente approdato sulle coste tirreniche provenendo dalle regioni del mondo egeo-anatolico (come del resto dovette avvenire nel Lazio con i Troiani di Enea che la tradizione pose alle origini del popolo dei Latini). Ed è quasi certamente a quel gruppo di navigatori che può essere attribuito almeno il nucleo fondamentale della lingua in accordo con le innegabili assonanze che ricollegano l'etrusco alla lingua preellenica parlata nell'isola egea di Lemno (quella dalla quale sarebbero partiti i Pelasgi di Anticlide) prima della conquista ateniese della fine del vi secolo a.C. Questo deve essere avvenuto (o, quanto meno, è possibile che sia avvenuto) in quel periodo di sicuri movimenti di popoli e di intensa attività marinara che seguirono e accompagnarono la crisi e il crollo del mondo miceneo tra il xiii e l'xi secolo a.C. e, dunque, in sostanziale accordo con la tradizione erodotea che colloca la migrazione dei Lidi/Tirreni ai tempi «eroici» della guerra di Troia.

Ma il discorso fatto non significa, ugualmente, che si deve ignorare del tutto (come fecero gli antichi) la posizione autoctonistica di Dionigi d'Alicarnasso e la sua notizia che gli Etruschi si autodefinivano Rasenna. Affermare infatti che il popolo etrusco si presenta come una realtà concreta che si definì sul suolo stesso dell'Etruria vuol dire riconoscere, in certo senso, la sua autoctonia, mentre è del tutto verosimile (per non dire certo) che il nome Rasenna sia effettivamente testimoniato dalle iscrizioni etrusche in cui esso appare nella forma tarda di *Rasna*.

Si può concludere osservando che la situazione è dunque ben più complessa, sfumata e articolata di quanto sarebbe accettando per buona la teoria della migrazione. Una teoria che poteva soddisfare gli antichi i quali erano indotti a ritenerla valida anche sulla base di esempi concreti da loro controllati come quello, cui già s'è accennato, della colonizzazione greca (fino al suo ultimo esito rappresentato dalla «migrazione» dei Focei dalla Ionia asiatica in Occidente, tra la fine del secolo VII e la metà del VI a.C.) ma che non corrisponde a quello che la storia e l'archeologia, sulle quali si fonda la scienza moderna, ci permettono di sapere.

Ciò nonostante, il luogo comune dell'origine orientale degli Etruschi permane, e alla cieca fiducia nell'autorità di Erodoto s'accompagna la presunzione di poter indicare quella che sembra, e che viene continuamente indicata, come la «prova» obiettiva e inconfutabile: il tipo fisico degli Etruschi e specialmente le fattezze del loro volto che dovrebbero ricondurre senza ombra di dubbio all'Oriente.

In verità, la testa allungata, la fronte stretta e sfuggente, il naso diritto e sottile e soprattutto gli occhi «a mandorla» e il sorriso enigmatico sono tutte caratteristiche che contraddistinguono le figure etrusche dell'epoca arcaica. E non c'è dubbio che da esse derivi un certo sapore «orientale». Ma è altrettanto vero che esse sono soltanto espressione di un fatto artistico e in tal senso servivano a comporre una sorta di «maschera» cui si ricorse per creare un'immagine del tutto irreale e convenzionale secondo il gusto e la moda del tempo che seguivano canoni stilistici elaborati nella regione greca della Ionia e da questa diffusi non solo in Etruria ma in tutto il mondo mediterraneo toccato, e influenzato, dai Greci.

Per toglier di mezzo qualsiasi possibile obiezione a una tale spiegazione basterebbe osservare che se così non fosse stato, si dovrebbe allora arrivare all'assurdo di un inevitabile cambiamento razziale degli Etruschi da collocare nel corso del V secolo, dal momento che dopo quel secolo le rappresentazioni figurate cambiano radicalmente e i personaggi rappresentati, «gettata la maschera» orientaleggiante che prima li travestiva, ci si presentano con fattezze, più veritiere e realistiche, che denotano una varietà di tipi e di volti nei quali, come è stato giustamente osservato, possiamo addirittura riconoscerci, ancora oggi, con un'«affascinante impressione di consanguineità».

II. Prima di Roma

Un altro dei luoghi comuni diffuso nell'opinione corrente e perfino dannosamente riflesso nei manuali scolastici di storia antica (dove, di solito, un breve e spesso sconclusionato capitolo sull'Etruria viene inserito tra la storia greca e la storia romana) vuole che gli Etruschi siano più antichi dei Romani e che la civiltà etrusca sia fiorita prima di quella di Roma (e, inoltre, che questa sia, almeno alle origini, interamente debitrice di quella).

Anche in questo caso si potrebbero evocare precedenti che risalgono all'antichità: ad esempio, l'idea che i Troiani derivassero dai Tirreni (e cioè dagli Etruschi) e che per conseguenza, da un lato, l'arrivo di Enea nel Lazio non fosse altro che un «ritorno» alla patria degli avi (come canta Virgilio nell'*Eneide*), dall'altro, che, essendo lo stesso Enea il «progenitore» dei Romani, questi, in ultima analisi, fossero, attraverso i Troiani, discendenti degli Etruschi (in tal senso, quando nel 204 a.C. fu portato a Roma per essere collocato in un tempio sul Palatino il simulacro della *Magna Mater* preso a Pessinunte nella Troade, anche questo fu celebrato come un vero e proprio «ritorno» e la dea non fu considerata una divinità straniera).

Ma il convincimento della priorità dell'Etruria su Roma si appoggia oggi su altri elementi. E talvolta lo si giustifica facendo appello all'uso degli studiosi di parlare dell'esperienza etrusca come di un fenomeno appartenente alla storia dell'Italia «preromana», giocando quindi sull'equivoco (al quale si rifanno pure tanti ingenui e pervicaci campanilismi locali) cui quell'aggettivo si presta. Si dimentica però (o s'ignora) che l'espressione «Italia preromana» sta a indicare, nella letteratura scientifica, non già l'Italia prima della «fondazione» di Roma (ché, in tal caso, s'andrebbe a finire nella preistoria e sarebbe pertanto addirittura impossibile parlare di Etruschi e di Romani) bensì l'Italia prima della conquista e dell'unificazione romana: in altri termini, tutto quel complesso di esperienze e di avvenimenti che riguardano la Penisola per quasi tutto l'arco del primo millennio a.C., dall'inizio dei tempi storici fino al principio del I secolo a.C. Sicché in questo complesso si inserisce anche l'esperienza romana fino alle soglie dell'età imperiale (per cui, con un paradosso solo apparente, si deve dire che la stessa

Roma, dalle origini e per quasi tutto il periodo della repubblica, fa parte del grande quadro dell'Italia «preromana»).

Quanto alle vere origini del luogo comune, esse risalgono, almeno in parte, fino ai tempi della prima riscoperta degli Etruschi quando questi, dopo essere letteralmente scomparsi anche nella memoria dei più, riemersero dalle loro tombe come dal nulla, vero «popolo delle ombre» cui, anche per la suggestione dei tanti aspetti indubbiamente «primitivi» e arcaici della loro civiltà, fu rivendicato il diritto di primogenitura su tutte le altre genti d'Italia. Il fatto poi che di Roma, relegate nel campo delle leggende le tradizioni delle origini e scarsamente conosciute (specialmente dal punto di vista delle testimonianze materiali) le fasi più antiche, fosse soprattutto nota la civiltà degli ultimi secoli della repubblica e specialmente quella del periodo imperiale, proprio quando la nazione etrusca aveva cessato d'esistere come entità autonomamente operante, finì con l'accreditare tale convincimento. Tanto più che gli stessi antichi avevano presentato la nazione etrusca come una sorta di «nazione-guida» dell'incivilimento dell'Italia.

La situazione è però oggi radicalmente cambiata. La nostra conoscenza della storia e dei «monumenti» di Roma si è enormemente dilatata e proprio in direzione delle fasi di vita più antiche ed essa ci riconduce a un puntuale parallelismo e a un sostanziale sincronismo con le fasi più antiche della storia e dei «monumenti» dell'Etruria. Sicché, pur dovendosi riconoscere un'indubbia precocità di sviluppo e un certo ruolo di «avanguardia» svolto dagli Etruschi, specialmente nei tempi più remoti fin quasi la metà del primo millennio a.C., si può tranquillamente affermare che la loro «nascita» è più o meno contemporanea alla «nascita» dei Latini, e quindi dei Romani, così come a quella di tutti gli altri popoli dell'Italia antica. E che l'origine delle grandi città dell'Etruria storica è in tutto coeva, e fondamentalmente simile, nei modi, nelle premesse e nelle conseguenze, a quella di Roma e di altri centri dell'Italia tirrenica (per non parlare, ovviamente, delle città coloniali greche dell'Italia meridionale e della Sicilia). E ancora, che la storia di una qualsiasi delle città-stato etrusche si svolge parallela a quella di Roma, con linee generali di sviluppo del tutto analoghe per quel che riguarda il regime politico e l'organizzazione della società, i rapporti internazionali e i contrasti interni, le manifestazioni artistiche, la produzione e i commerci, gli usi, i costumi ecc. Al punto che è oggi possibile colmare lacune e illuminare zone d'ombra nelle nostre conoscenze sul mondo etrusco proprio ricorrendo a quel che sappiamo, con tanta maggiore abbondanza di particolari, specie riguardo alle fonti scritte, del mondo romano.

C'è poi una sorta di corollario al pregiudizio che abbiamo appena finito di smontare.

A quella della maggiore antichità degli Etruschi rispetto ai Romani si accompagna infatti la convinzione che Roma non sarebbe stata quella che realmente fu senza la vivificante influenza della civiltà etrusca. E che, insomma (come è stato recentemente scritto in uno di quei libri che continuano a... disinformare), Roma sarebbe rimasta un piccolo villaggio, privo di qualsiasi possibilità di sviluppo, se non ci fosse stato l'apporto determinante dei suoi vicini d'oltre Tevere.

A sostegno di questa convinzione si è soliti citare la «dominazione» etrusca su Roma al tempo della monarchia dei Tarquini e le varie testimonianze degli autori antichi sui molti elementi di derivazione etrusca presenti nella civiltà romana. Come al solito – quando non si tratti di pura fantasia – è questo un modo semplicistico ed equivoco di dire cose almeno in parte fondamentalmente vere (e anche ovvie e naturali) e che comunque non possono essere considerate in una dimensione astratta ma vanno collocate e valutate nell'ottica di una concreta prospettiva storica. Giacché se è vero che Roma trasse non pochi elementi costitutivi della propria cultura dall'esperienza etrusca (nel campo della religione, dell'organizzazione politica, della tecnologia, degli usi e dei costumi) ciò fu dovuto, a parte la caratteristica di «città aperta» che contraddistinse Roma fin dai suoi primordi, proprio alla già ricordata precocità degli Etruschi nel mettersi al passo con il processo evolutivo di quella che potremmo chiamare la civiltà «internazionale» dominata dalla presenza greca. Per cui è naturale che molte delle «novità», soprattutto se provenienti d'oltremare, si siano affermate prima nelle città dell'Etruria per passare poi anche a Roma contribuendo a dare a questa un'impronta non dissimile da quella che quelle stesse città andavano via via assumendo: un'impronta «comune», che era etrusca per tutto ciò che non poteva essere definito specificamente ellenico, e specie agli occhi dei Greci ai quali pertanto anche Roma poté apparire (come in effetti per qualche tempo apparve) una città «etrusca» (*polis tyrrhenìs*), non diversamente da Tarquinia, da Vulci o da Cere.

Quanto alla Roma dei re Tarquini, dall'ultimo quindicennio del VII secolo a tutto il secolo VI a.C., vale la pena di ricordare (e di sottolineare) che non si trattò di una città caduta in possesso di una delle città-stato dell'Etruria, ma dominata o meglio governata da capi (monarchi o «signori») d'origine etrusca i quali, impadronitisi del potere, lo esercitarono personalmente con tutte le caratteristiche di un «potentato» etrusco e con il concorso di una ristretta élite di compatrioti (cortigiani, funzionari, artisti) ma in una città che conservò intatta la sua fisionomia fondamentalmente latina. Basterebbe a dimostrarlo la famosa iscrizione del cippo del *Lapis Niger*, nel Comizio, la quale, incisa su un monumento «pubblico» e destinata quasi certamente, come «legge sacra» del vicino altare, a uno dei re «etruschi» (probabilmente Servio Tullio), fu

redatta nella lingua latina e non in quella d'origine dei temporanei
«dominatori».

Si può concludere che, fermo restando quanto s'è appena detto,
l'archeologia sta ora parzialmente ridimensionando la funzione di
promozione culturale esercitata dagli Etruschi nei confronti della
prima Roma, sulla quale forse si era troppo insistito (anche da
parte degli studiosi) e sul ruolo di mediazione svolto dagli stessi
Etruschi delle influenze provenienti dal mondo greco con il quale
invece le città etrusche e Roma entrarono spesso indipendentemente e contemporaneamente in fecondo contatto fin dai tempi
più antichi. E ciò rende più verosimile il sospetto che la già ricordata presentazione dell'Etruria come nazione-guida dell'Italia fatta dagli antichi sia, almeno in parte, frutto di un'elaborazione
«programmata»: non soltanto abbastanza tarda ma soprattutto
intesa a rifiutare o, quanto meno, a sminuire, in chiave «nazionali-
stica» romana, e poi più largamente «italica» (ad esempio nel clima dell'ideologia politica di Augusto), i debiti contratti dalla civiltà romano-italica nei confronti di quella greca.

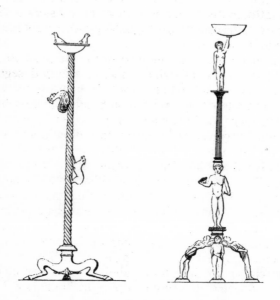

III. La lingua come «sfinge»

L'aura di mistero nella quale si ritiene di dover avvolgere il mondo degli Etruschi raggiunge il vertice quando si tocca l'argomento della lingua. Questo, infatti, rappresenta l'enigma per eccellenza e, insieme, l'aspetto più vivo, «popolare» e avvincente di tutto il «mistero etrusco»: il mistero nel mistero.

L'opinione diffusa è che l'etrusco non sia stato ancora decifrato e che non sia stata ancora trovata la chiave capace di sciogliere l'enigma. Alla ricerca di questa chiave continuano ad accanirsi i dilettanti e gli interpreti improvvisati che di tanto in tanto, con sconcertante periodicità, annunciano la sospirata scoperta. La quale, rivelandosi, dopo un effimero quarto d'ora di celebrità, subito assurda e, di fatto, inesistente, non sortisce altro risultato che quello di perpetuare il disorientamento dell'opinione pubblica e dello stesso mondo della cultura.

Sarà quindi bene precisare, innanzi tutto, che per l'etrusco non esiste un problema di decifrazione, ossia di lettura di segni sconosciuti. E non esiste per il semplice motivo che i testi etruschi sono scritti in lettere alfabetiche prese, con qualche marginale adattamento di tipo fonetico, dall'alfabeto greco, e perciò perfettamente comprensibili. Per conseguenza, tutti i testi disponibili possono essere letti con assoluta certezza e, salvo i casi di parole indivise, senza eccessive difficoltà. Queste cominciano invece quando si passa al significato delle parole e cioè all'interpretazione o meglio alla traduzione dei testi stessi. Il problema è dunque questo e non potrà essere risolto con una soluzione improvvisa e integrale, grazie alla miracolosa scoperta di una qualche chiave. A meno che per chiave non s'intenda, peraltro impropriamente, un «traduttore», ossia una lunga iscrizione bilingue (in etrusco e in un'altra lingua conosciuta), oppure un «vocabolario» o anche un'altra lingua che sia così vicina all'etrusco da poterne illuminare il lessico e spiegarne la struttura e il funzionamento.

Proprio alla ricerca di questa ipotetica lingua si è andati fin da quando, sul finire del Quattrocento, si cominciarono a scoprire e a raccogliere le prime iscrizioni etrusche. In principio fu ritenuto che essa potesse essere l'ebraico (in omaggio alla convinzione che tutte le lingue fossero da quello derivate); poi, visti vani gli sforzi fatti per servirsene, si ricorse via via agli idiomi più disparati, anti-

chi e moderni, dal greco alle lingue «italiche», dall'armeno al cau-
casico, alle lingue ugro-finniche, fino all'albanese e al basco. L'e-
lenco stesso delle lingue che di volta in volta furono scomodate in
minuziosi tentativi di comparazioni etimologiche e in complicati e
virtuosistici giochi di deduzioni e di ipotesi ricostruttive, sta a dimostrare l'inutilità delle ricerche in questo senso e, prima ancora,
l'infondatezza dei presupposti. La realtà è infatti che l'etrusco appare sostanzialmente isolato tra le lingue del mondo antico anche
se s'intravvedono, accanto ad aspetti di primitiva «mediterraneità»
e a specifiche sollecitazioni egeo-anatoliche, sicure influenze dal
greco (nell'arricchimento del vocabolario e nell'onomastica) e ac-
cenni di progressiva «italicizzazione» (nel senso di rilevanti fatti
comuni del patrimonio lessicale e di quello onomastico con il latino e l'umbro-sabellico). L'isolamento è forse in parte imputabile
alla stessa lacunosità delle nostre conoscenze, giacché non mancano somiglianze e contatti con singole lingue del mondo circumme-
diterraneo, comprese le lingue indoeuropee. Rimane comunque il
fatto, già rilevato dagli stessi antichi, che l'etrusco non rientra, nella sua struttura, in nessuno dei gruppi linguistici a noi noti; non ha
rapporti di parentela o di affinità con altre lingue (che possano
efficacemente illuminarlo dall'esterno) e, in definitiva, non è possibile inquadrarlo entro uno schema a noi familiare che valga a
spiegarne il sistema o, come s'è detto, il funzionamento.
   Di fronte a una situazione come questa, ogni tentativo volto alla
comprensione dei testi etruschi è destinato a risultati parziali, epi-
sodici, circoscritti. Lo dimostra il pur ingente patrimonio di dati
che possediamo (nel campo della fonetica, della morfologia, della
semantica ecc.), molti sicuri, altri altamente probabili, acquisiti in
duecento anni di travagliate ricerche, aumentati e consolidati soprattutto in questi ultimi decenni. E lo conferma la vicenda stessa
degli studi, a cominciare da quando, nel secolo scorso, mentre l'in-
successo del metodo «etimologico» per un'impossibile soluzione
globale del problema ingenerava nei più l'idea dell'etrusco come
d'una «sfinge» refrattaria a qualsiasi tentativo, gli studiosi, abban-
donata ogni ricerca di comparazioni esterne, passarono ad esaminare i testi etruschi «combinandoli» tra loro (e il metodo si disse
perciò «combinatorio») cercando, in sostanza, di spiegare l'etrusco
con l'etrusco. In pratica si tentò di dedurre il significato fondamentale che i testi potevano avere partendo dall'esame della natura dei monumenti e degli oggetti sui quali essi comparivano o delle
raffigurazioni che essi accompagnavano e quindi, mettendo a confronto tra loro testi presumibilmente (o anche sicuramente) affini,
rilevare il ripetersi di certe espressioni, di piccole frasi e di singole
parole e arguirne il probabile significato provandone ogni volta la
verosimiglianza.
   Con l'applicazione di questo metodo si ottennero alcuni buoni
risultati ma l'esiguità dei testi e il pericolo di ipotesi astrattamente

formulate e meccanicamente sovrapposte le une alle altre, impedirono di andare oltre un certo limite e di raggiungere risultati più cospicui.

Maggiori progressi si sono avuti, a partire degli anni Trenta del nostro secolo, con un nuovo orientamento di studio basato sulla considerazione che, essendosi la civiltà etrusca sviluppata contemporaneamente e in stretto contatto con quella greca, quella romana, quella umbra ecc., le affinità culturali dovettero riflettersi anche nell'analogia dei modi di esprimersi, sia pure in lingue diverse, specialmente nel campo dei formulari religiosi, funerari e dedicatori. Sicché, mettendo a confronto determinati testi redatti in lingue note (greco, latino, osco, umbro ecc.) con testi etruschi di possibile e presumibile contenuto analogo e di analoga destinazione, si poteva ragionevolmente pensare di cogliere di questi, almeno il senso, la sostanza del significato e in qualche caso arrivare addirittura a una vera e propria «traduzione».

Il nuovo metodo, che fu denominato «bilinguistico» (perché, una volta presupposto un contenuto analogo tra un testo in etrusco e un altro in una lingua conosciuta, si finisce con l'avere a che fare con una sorta di bilingue) s'arresta però di fronte alla intrinseca limitatezza delle possibilità d'applicazione (per non dire della relatività del bilinguismo antico anche nel caso in cui esso è effettivamente documentato).

A questo punto, per chiarire ulteriormente i limiti della ricerca e le difficoltà che si presentano agli studiosi, resta da dire che i «documenti» sui quali si basano le nostre conoscenze (e, prima ancora, le possibilità di indagine), cioè i testi, sono contraddistinti in generale da caratteristiche negative e che soprattutto deficiente, più che la quantità, è la qualità dei documenti stessi. È vero infatti che noi possediamo ormai circa diecimila testi etruschi (e cioè il gruppo più ingente di testimonianze scritte dell'Italia antica, prima della completa latinizzazione linguistica, a parte il latino e il greco) ma, ad eccezione di pochissimi, che per estensione e contenuto si rivelano indubbiamente di una certa importanza, essi si limitano a brevi e monotone iscrizioni di carattere funerario o votivo. Il linguaggio è perciò stereotipato e circoscritto ad alcune formule o a piccole frasi ripetute e con un repertorio lessicale quanto mai limitato riguardante, in pratica, solo alcuni aspetti del mondo religioso e di quello dei morti. Tutto ciò, mentre fa sì che nella grande maggioranza i testi che possediamo son quasi del tutto comprensibili, almeno con relativa certezza e inclusi quelli più lunghi e complessi (dei quali si riesce, quanto meno, ad afferrare il senso), impedisce di poter andare più a fondo nella conoscenza della lingua. Sarebbe come se per comprendere una qualsiasi lingua moderna altrimenti sconosciuta non avessimo a disposizione, come è stato osservato, che gli annunci mortuari e le formulette degli ex voto.

Purtroppo, la perdita totale della letteratura etrusca ci ha privato, forse irreparabilmente, dei documenti più significativi e più validi, con la varietà degli elementi linguistici riflettenti le manifestazioni della vita civile, sociale, economica, familiare, le nozioni astratte, i concetti, la struttura del linguaggio diretto ecc. Talché si potrebbe concludere che, anche se si fosse in grado di tradurre esattamente tutti i termini in nostro possesso, resterebbe ugualmente sconosciuta una parte notevole, e forse la più notevole, della lingua.

Giova tuttavia ripetere che più ancora che le caratteristiche negative dei testi (che in altri casi di lingue dell'Italia antica, quali ad esempio l'osco, non impediscono la nostra soddisfacente conoscenza di quelle lingue) la difficoltà fondamentale per l'etrusco resta quella della mancanza di conoscenze organiche della sua struttura. È perciò che, ai nostri giorni, messi momentaneamente da parte i problemi di traduzione, ci si è avviati, con l'ausilio degli strumenti metodologici dello strutturalismo linguistico, a un riesame globale della documentazione con lo scopo primario di ricostruire, per quanto possibile, il «quadro linguistico» dell'etrusco, cioè la sua struttura morfologica, grammaticale e sintattica e di comprenderne con ciò il reale funzionamento. E valga questo a dimostrare come la lingua etrusca non rappresenti un «mistero» ma solo un problema scientifico, da risolvere (o quanto meno, da avviare a soluzione) con mezzi squisitamente ed esclusivamente scientifici.

Quanto al ricorrente quesito se l'etrusco sia stato o no «svelato» o meglio, se il problema dell'interpretazione dell'etrusco sia risolto e, insomma, se l'etrusco si capisce o non si capisce, risulterà intanto chiaro da tutto quello che s'è detto, come il quesito stesso «non corrisponde – per dirla col Pallottino – se non in senso approssimativo e grossolano, alla giusta impostazione del problema»; e, comunque come ad esso non si possa rispondere, allo stato delle cose, in modo semplicisticamente affermativo o negativo. In mancanza di una soluzione decisiva e totale, infatti, la risposta consiste in «un'affermazione parziale, possibilistica e dinamica: nel senso che noi conosciamo ormai molte cose, ma molte altre ci sono ancora oscure; e che giorno per giorno si circoscrivono o s'illuminano zone d'ombra a prezzo di tenacissimi sforzi».

IV. Arte sì, arte no

Quello dell'arte è forse uno dei pochi aspetti del mondo etrusco ad esser rimasto ai margini di elucubrazioni e fantasie e sostanzialmente immune dagli inquinamenti dei luoghi comuni. Tuttavia le polemiche tra gli studiosi che hanno lungamente opposto, fino a tempi relativamente recenti, negatori e sostenitori dell'originalità e dell'individualità dell'arte etrusca creando un problema, di fatto inesistente, non hanno mancato di riflettersi con nuovi spunti di confusione nel generale disorientamento dell'opinione pubblica. Certamente, non hanno giovato alla comprensione del fenomeno artistico etrusco.

Riassumendo a grandi linee e tralasciando i precedenti, si può dire che la disputa degli studiosi ebbe origine alla fine del secolo scorso con la pubblicazione, nel 1889, dell'opera di Jules Martha, *L'Art étrusque*, la prima ad essere espressamente dedicata all'argomento. In essa veniva esplicitamente negata l'esistenza di un'arte etrusca in quanto questa sarebbe stata privata, fin dagli inizi, del tempo e della forza di formarsi, come organismo autonomo, dalle soverchianti e ricorrenti sollecitazioni dell'arte greca.

Una posizione così negatrice venne però ad urtarsi, agli inizi del nostro secolo, con le rivoluzionarie teorie del Wickoff e del Riegl che rivendicavano la dignità dell'espressione artistica in qualsiasi luogo e in qualunque tempo questa fosse giunta alla sua estrinsecazione. Sicché, mutate radicalmente le prospettive di giudizio, e in concomitanza con la rivalutazione delle arti «primitive» e «barbariche», giunse a maturazione anche la «scoperta» dell'arte etrusca. Tanto più che proprio in quegli anni, e precisamente nel 1916, veniva riportata alla luce la grande statua dell'Apollo di Veio subito riconosciuta come qualcosa di più che un modesto riflesso o una pedissequa imitazione dell'arte greca. In essa si scoprirono infatti caratteri stilistici di espressività, di corporeità, di dinamismo, diversi da quelli propri dell'arte greca e anzi rispetto ad essi, eterodossi e antitetici e perciò qualificanti. Si parlò allora per l'arte etrusca di ideali anticlassici e di una concezione formale intimamente e profondamente diversa da quella greca. E la convinzione che quegli stessi caratteri fossero riconoscibili nella maggior parte della produzione artistica degli Etruschi indusse presto studiosi

come Alessandro Della Seta e Carlo Anti a proclamare aperta-
mente l'originalità e l'autonomia dell'arte etrusca. Della quale furono sempre più sottolineate, come caratteristiche costanti e distintive, «l'intensità dell'espressione, esasperata ed enfatizzata anche a scapito dell'armonia, il senso dinamico del movimento non
disgiunto da una certa pesantezza corporea, il gusto estemporaneo
per l'improvvisazione e l'abbozzo pittorico».

Una tale sostanziale e generale antitesi con le caratteristiche del
mondo figurativo greco venne spiegata da Guido Kaschnitz von
Weinberg, agli inizi degli anni Trenta, in un ambito più generalmente «italico» e nel più vasto problema del classico e dell'anticlassico, come un'ancestrale e fondamentale divergenza di «struttura» (intendendo per struttura una sorta di intima predisposizione ad esprimersi in un certo modo) per cui si poteva teorizzare di
una «struttura italica», anorganica e tendenzialmente astratta,
contrapposta a una «struttura greca», organica e sostanzialmente
naturalistica. Questa teorica e categorica «sistemazione» rappre-
sentò il vertice della parabola esaltatrice dell'arte etrusca, ma essa
dette subito luogo a una vivace reazione da parte di altri studiosi
che insorsero contro il suo astratto determinismo. Sul piano stori-
cistico si osservò allora come una fase anorganica potesse essere
facilmente enucleata anche nella produzione artistica greca, per
esempio nella scultura «dedalica» e peloponnesiaca, e come si potesse documentare una fase arcaica dell'arte greca assai vicina al
mondo «primitivo». Sul piano estetico, soprattutto, si poté dimostrare come molte delle caratteristiche indicate quali distintive delle opere etrusche rispetto a quelle greche si potessero facilmente
ricondurre a fattori negativi di incomprensione formale e spirtua-
le dei modelli greci da parte degli artisti etruschi o di ripetizione
artigianale e di imperizia tecnica; e come le tanto esaltate espressioni di vivacità e di movimento potessero essere riscontrate anche
in certe correnti artistiche del mondo figurativo dei Greci. In pratica, si finì col tornare nuovamente alla sostanziale negazione di
una civiltà figurativa etrusca indipendente da quella greca e col
ribadire il preminente e costante influsso dell'arte greca sulla produzione etrusca concepita come un complesso di manifestazioni
sporadiche, episodiche, di estro effimero, senza alcuna possibilità di comporsi in discorso organico e di dare luogo a una tradizione.

L'altalena dell'esaltazione e della negazione e soprattutto la presunzione, antistorica e antiscientifica, di voler giudicare con un
unico criterio tutte le manifestazioni dell'arte etrusca avrebbe condotto la questione a un punto morto se non si fosse passati, in
questi ultimi tempi, a più esatte e pacate considerazioni. Queste
hanno messo via via in giusta evidenza il generale eclettismo e la
varietà, spesso contraddittoria, degli aspetti della produzione artistica etrusca talvolta ferma nella ripetizione di antiche formule,

talaltra intenta all'imitazione o perfino all'elaborazione dei modelli greci, talaltra, infine, pervasa di una propria caratteristica anche
se effimera vitalità. Ed è sulla base di tali considerazioni che, nel
1950, Axel Boethius giunse a formulare per l'arte etrusca il concetto di arte «periferica», intendendo con esso indicare proprio quel
vario insieme di manifestazioni in cui confluiscono eredità preistoriche e mediterranee, influenze greche e spunti originali.

Si è venuto così a formare un quadro certamente complesso e
frammentario, impossibile, per giunta, ad essere inteso se non inserito nell'ambito di una più ampia unità artistica che è stata definita «greco-italica», ma altrettanto certamente più esatto e soprattutto più scientificamente corretto. E ci si è in tal modo avvicinati
a quella che potrà essere la «soluzione» del problema dell'arte
etrusca che non potrà emergere se non abbandonando la discussione generica sull'originalità condannata a rimanere sul piano
della polemica astratta e fondamentalmente sterile.

Il problema va infatti affrontato tenendo conto che il fenomeno
dell'arte etrusca, come osserva il Pallottino, «abbraccia manifestazioni quanto mai varie, per la durata di almeno sette secoli, e che
le trasformazioni avvenute nel corso di un così lungo periodo, che
va dalla protostoria agli inizi dell'impero romano, non riguardano
soltanto l'Etruria e la Grecia, ma hanno una portata decisiva per
tutto lo sviluppo dell'arte antica». «Alla base di questa semplice
considerazione, è evidente – dice ancora il Pallottino – che le prospettive mutano a seconda dei tempi, e parrebbe quindi logico, e
senza dubbio più aderente alla concreta realtà della storia, esaminare il "problema dell'arte etrusca" riportandoci alla situazione di
ciascun periodo piuttosto che cercarne astrattamente una soluzione complessiva». Solo così si potrà vedere, per dirla ancora con il
Pallottino, «se e fino a che punto gli artisti etruschi abbiano inteso
reagire e di fatto abbiano reagito, con soluzioni originali, alle dominanti formule greche» e se «realizzando una propria visione artistica, essi abbiano creato le premesse al formarsi di tradizioni
locali distinte dall'arte greca; e su quale ampiezza e per quale durata queste tradizioni abbiano avuta la possibilità d'imporsi...». E,
ancora, «se tali spunti siano stati effimeri e slegati o se esista tra
loro una connessione» e, infine, se emerga un'ipotetica «costante
nelle tendenze di gusto in Etruria attraverso i secoli da attribuirsi a
una continuità storica o piuttosto a una profonda predisposizione
del popolo etrusco verso orientamenti differenti da quelli del popolo greco».

Lo studio in questo caso si può dire appena iniziato e, anche se
già si delineano orientamenti e prospettive di fondo, esso sarà certamente lungo e complesso: si tratta infatti di esaminare e chiarire
i problemi riguardanti il valore artistico dei singoli documenti, cioè
in sostanza di approfondire la conoscenza analitica di tutto il patri-

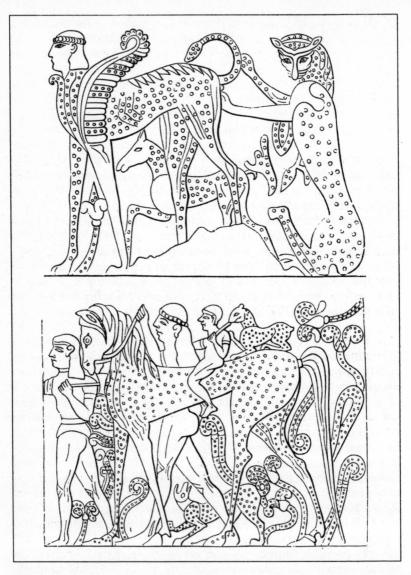

Veio: Tomba Campana, prima stanza, particolari della decorazione parietale dipinta, oggi svanita (ultimo decennio del secolo VII a.C.).

monio figurato degli Etruschi giunto fino a noi. Esso non potrà prescindere da un continuo rapporto col discorso proprio dell'arte greca, a cominciare da quel che concerne la «periodizzazione» (e quindi le fasi, gli stili, le scuole, i maestri) in cui si è soliti suddividere lo svolgimento di quell'arte che resta, in ogni modo, un punto di riferimento obbligato.

V. Il potere alle donne

Tra le fantasie che continuano ad alimentare il «mito» etrusco ci sono anche quelle che toccano il mondo della donna. La più importante e accreditata (anche come sintesi di tutte le altre) è quella che si riferisce alla pretesa esistenza in Etruria del matriarcato e a un dominio femminile (vera e propria ginecocrazia) nella famiglia e nella società. Ad essa fa poi da corollario tutto un seguito di idee singolari che arrivano a prospettare l'intera civiltà etrusca come una civiltà «femminea» e perciò caratterizzata da aspetti di indefinitezza, di mollezza, di fantasia, che farebbero capo all'eredità mediterranea di una religione a sfondo muliebre fondata sui culti della fecondità, della terra, della «grande madre» ecc.

Già da tempo respinta in sede scientifica, questa fantasia ha avuto origine dall'errata interpretazione di vari indizi che lasciano, in effetti, intravvedere uno stato sociale della donna etrusca diverso da quello esistente nell'antica Grecia e nella stessa Roma.

Il più significativo di questi indizi è rivelato dalle iscrizioni e riguarda l'importanza che nello stato civile degli Etruschi era attribuita al matronimico, ossia al nome della madre. Mentre, infatti, la formula onomastica latina menzionava, dopo il prenome e il gentilizio e prima del *cognomen*, soltanto il nome del padre (*Marcus Tullius Marci filius Cicero*), quella etrusca comportava regolarmente la citazione del gentilizio della madre, spesso accompagnato dal prenome (*Larth Arnthal Plecus clan Ramthasc Apatrual*: «Larth, figlio di Arnth Plecus e di Ramtha Apatrui»). E talmente radicato era quest'uso che esso riuscì a sopravvivere, almeno in parte, anche alla romanizzazione e quindi all'adozione della formula onomastica latina, come dimostrano alcune iscrizioni di epoca imperiale ritrovate in Etruria, e ovviamente in latino, in cui l'indicazione della filiazione si mantiene completa (*A. Papirius L. f. Alfia natus*: «Aulo Papirio figlio di Lucio, nato da Alfia»).

Ciò non autorizza, tuttavia, a parlare di matriarcato (e a richiamarsi per esso, come pure è stato fatto, al matriarcato vigente, secondo Erodoto, tra i Lici dell'Asia Minore, per riconoscervi, oltretutto, una prova dell'origine orientale degli Etruschi) e tanto meno di una società «femminile». In realtà, anche se il matronimico era di regola presente nella formula onomastica personale degli

Etruschi, la sua menzione seguiva sempre quella del patronimico
(il quale figura sempre al primo posto nelle iscrizioni). Non solo,
ma alla loro nascita i figli ricevevano, con il proprio nome personale, il gentilizio del padre e non già quello della madre (come invece avveniva, sempre secondo la testimonianza di Erodoto, presso i
già menzionati Lici). Sicché se ne deve dedurre che la discendenza
era in Etruria di tipo patrilineare e basterebbe questa semplice
considerazione per dimostrare l'infondatezza della tesi del matriarcato.

Resta comunque significativa la presenza del matronimico e con
essa, altrettanto importante, l'uso di attribuire anche alla donna
un proprio nome personale (o «prenome»): altro tratto distintivo
dell'onomastica etrusca, per esempio nei confronti dell'uso latino
che le donne indicava non con un vero e proprio nome personale
ma con una denominazione tratta dal gentilizio, volto al femminile, della famiglia di appartenenza (*Cornelia*, della «gente» dei *Cor-
nelii*). Si deve aggiungere che la donna etrusca manteneva, con il
suo nome personale, quello di famiglia anche da sposata e che essa
non assumeva il gentilizio del marito indicando il suo nuovo stato
civile con la sua formula onomastica originaria completata dalla
specificazione: «moglie di...».

Tutto questo sta a indicare senza alcun dubbio che, anche se non
detenevano le leve del potere, le donne godevano in Etruria di una
considerazione particolare e, in pratica, di una posizione sociale di
una certa importanza. Prima di tutto nell'ambito familiare (per cui
si potrebbe concludere con Jacques Heurgon, che «nella famiglia
etrusca il *paterfamilias* faceva la legge ma la *materfamilias* aveva da
dire la sua parola che spesso era l'ultima»), quindi nella stessa società civile dove probabilmente le donne potevano svolgere una
loro specifica funzione.

Di fronte alle società del mondo classico, spiccatamente andro-
centriche e maschiliste, il «femminismo» della società etrusca, da
intendersi nel senso di una sostanziale parità di diritti e di compor-
tamenti tra l'uomo e la donna, è pertanto un dato di fatto ed esso
si può forse spiegare piuttosto che come risultato di una conquista,
indimostrabile e anzi contraria alla realtà storica, come una sopravvivenza di antichissime caratteristiche delle società mediterranee, pienamente consonante con i tratti fondamentalmente «arcaici» di tutta la civiltà etrusca (e, d'altro canto, paradossalmente
configurantesi come uno dei pochi suoi aspetti di sconcertante modernità). Ne è riprova il fatto che nel volgere del tempo, probabilmente per l'influenza esercitata dai costumi greci, quel «femminismo» andò gradatamente attenuandosi, se non altro dal punto di
vista esteriore e formale.

In virtù della sua relativa autonomia e della dignità della sua posizione giuridica, la donna etrusca poté godere di una libertà che
mancò certamente alle donne greche e anche a quelle romane sue

contemporanee. E questo fu all'origine di un'altra «leggenda» sul mondo degli Etruschi (peraltro molto più diffusa presso gli antichi di quanto non sia stata ripresa dai moderni): quella della licenziosità delle donne. Anche questa leggenda (e quella ad essa collegata di una generale spregiudicatezza dei costumi e di una sfrenata lussuria) hanno bisogno di essere spiegate.

Sulla reputazione delle donne etrusche ha pesantemente gravato nell'antichità, specie da un certo momento, relativamente recente, l'opinione che in generale sembra ne avessero i Greci e soprattutto il giudizio espresso (o meglio, i racconti riferiti) da alcuni scrittori che quella opinione avevano forse contribuito a creare e, comunque, ad alimentare. Questo, almeno, è quanto si può pensare leggendo un passo dei *Sofisti a banchetto* di Ateneo (XII, 517 e sgg.) nel quale l'autore, del II-III secolo d.C., così si esprime: «Teopompo, nel libro CLIII delle sue *Storie*, dice che presso i Tirreni le donne sono tenute in comune, che hanno molta cura del loro corpo e che si presentano nude, spesso in mezzo agli uomini, talora tra di esse in quanto non è disdicevole mostrarsi nude. Stanno a tavola non vicino al marito ma vicino al primo che capita tra i presenti e brindano alla salute di chi vogliono. Sono forti bevitrici e molto belle da vedere. I Tirreni allevano tutti i bambini ignorando chi sia il padre di ciascuno di essi; questi ragazzi vivono nello stesso modo di chi li mantiene, passando parte del loro tempo ubriacandosi e nel commercio con tutte le donne indistintamente. Non è spregevole presso i Tirreni essere visti abbandonarsi in pubblico ad atti sessuali e neppure a subirli, essendo anche questo un uso del paese. Sono tanto alieni dal considerare vergognosa questa condotta che quando il padrone di casa sta facendo all'amore e qualcuno chiede di lui, essi dicono: «sta facendo questo, o quello», dando impudicamente a tale genere di occupazione il suo vero nome. In occasione di riunioni di società o di parentado, si comportano come segue: anzitutto, quando hanno finito di bere e si dispongono a dormire, i servi fanno entrare, mentre le fiaccole sono ancora accese, ora cortigiane, ora bellissimi giovani e qualche volta le loro mogli. Dopo aver soddisfatto le loro voglie con le une o con gli altri, fanno coricare giovani vigorosi con questi o con quelle. Fanno all'amore e si danno ai loro piaceri talora alla presenza gli uni degli altri, ma più spesso circondano i loro letti di paraventi di rami intrecciati, sui quali stendono i mantelli. Hanno certamente frequenti rapporti con le donne ma talora si divertono con ragazzi e giovani efebi che nel loro paese sono bellissimi da vedere perché vivono nel lusso e hanno il corpo depilato».

Cosa dire di queste sconcertanti descrizioni, le quali, come è stato opportunamente osservato, arrivano a far apparire gli Etruschi quali cultori della più ampia libertà sessuale fino all'amore «di gruppo»?

Si può cominciare col dire che quel Teopompo (uno storico e

retore greco della metà del IV secolo a.C.) cui Ateneo fa esplicito
riferimento, passava già nell'antichità come la peggiore malalingua
di tutta la letteratura greca (il romano Cornelio Nepote lo definisce *maledicentissimus*), incline ai racconti licenziosi e ai pettegolez-
zi scabrosi. E che, più o meno della stessa fama godeva un altro
autore, Timeo di Taormina, che all'incirca nello stesso periodo,
scriveva cose simili alle sue. Ma si deve soprattutto dire che quella
di Teopompo, se si prescinde dai pochi che, come forse lo stesso
Timeo, non fecero altro che seguirlo pedissequamente, sembra essere, tutto sommato, una voce piuttosto isolata. Alla quale, per
giunta, è possibile contrapporre quella ben più seria e autorevole
di altri autori greci, quali ad esempio il filosofo Posidonio e lo
storico Diodoro Siculo, i quali sui costumi etruschi riferiscono in
ben altro modo. D'altro canto si deve anche osservare che nulla di
paragonabile ai racconti di Teopompo si trova presso gli autori
romani che pure gli Etruschi conoscevano bene per lunga consuetudine e che di essi, volendo, avrebbero potuto dire tutto il
male possibile, dal momento che li avevano vinti e assoggettati.
Soltanto Plauto, in due versi della sua *Cistellaria* (562, 3), sembra
riecheggiare le pesanti accuse dei Greci accennando al malcostu-
me delle ragazze etrusche che si procuravano la dote facendo commercio del proprio corpo; ma è facile pensare che il commediogra-
fo ripeta, in un contesto in cui gli fa comodo, quello che già al suo
tempo (alla fine del III secolo a.C.) poteva essere diventato, entro
certi limiti, un «luogo comune» magari soltanto di tipo letterario e
risalente proprio alle opere di autori come Teopompo.

In conclusione, si può tranquillamente affermare che quelle di
Teopompo non erano altro che insinuazioni e maldicenze. Esse,
del resto, non meravigliano nella penna di un greco (e tanto più se
nemico del lusso e delle effeminatezze e soprattutto di mentalità
gretta e retriva): a parte infatti il ricordo delle vecchie rivalità che
avevano lungamente offuscato e alterato la formulazione di giudizi
spassionati, esse possono essere spiegate – anche a un livello più
generale e diffuso, e meno scandalistico – proprio alla luce di quel
che sappiamo circa la posizione sociale della donna etrusca e la
libertà di movimento di cui essa godeva. Una situazione inconcepi-
bile agli occhi dei Greci abituati a vedere le proprie donne chiuse
nel gineceo e, fuori di esso, a far compagnia agli uomini in pubblico, soltanto le cortigiane.

La partecipazione delle donne etrusche a tutte le manifestazioni
della vita privata e pubblica, dai banchetti agli spettacoli, dalle cerimonie sacre ai giochi e alle gare atletiche (così come ci è documentato in tanti monumenti figurati e specialmente nelle pitture
tombali di Tarquinia) si prestava facilmente ad essere fraintesa e
male interpretata. Essa doveva sembrare comunque singolare e
certamente sconveniente, tale da suscitare sospetti o quanto meno
perplessità negli osservatori esterni più attenti e obiettivi e da far

pensare alle peggiori sregolatezze a quelli più maldicenti e pette-
goli. E ciò è tanto più verosimile se si pensa che, a ben vedere, le
dicerie alla Teopompo allignarono in ambiente tipicamente (se
non esclusivamente) ateniese: di quell'Atene del v e iv secolo a.C.
dove lo stesso disprezzo era rivolto alle donne spartane giudicate
anch'esse troppo libere e dove agli Etruschi venivano accostati volentieri i Milesi e i Sibariti accusati pure loro, tradizionalmente, di
mollezza, di golosità e di lussuria. E Mileto e Sibari erano state in
passato rivali di Atene e per di più strettamente legate agli Etruschi in un'intesa economica e commerciale che andava a tutto danno delle attività mercantili ateniesi. Sicché si può anche pensare
che dicerie e maldicenze fossero abilmente sfruttate (se non create
ad arte) per alimentare la propaganda ostile contro un mondo
sempre sentito come nemico. Allo stesso modo come si faceva, con
compiaciuta e tendenziosa esagerazione, a proposito di altre pre-
sunte colpe degli Etruschi quali la crudeltà barbarica e l'esercizio
della pirateria nei mari del Mediterraneo.

VI. Religiosi prima di tutto

Un'altra tradizione fantasiosa, assai radicata e diffusa, che sfiora la leggenda, è quella che presenta e descrive gli Etruschi come un popolo di profonda ed eccezionale religiosità. Anche in questo caso si può dire che la responsabilità risale agli antichi nelle cui opere più volte riecheggia in vario modo quello che finì col diventare un vero e proprio luogo comune. Sarà sufficiente citare al riguardo il passo di Tito Livio (v, 1, 6) che parla, per l'appunto, di un popolo che fra tutti gli altri si dedicò particolarmente alle pratiche religiose e che in esse si distingueva per la speciale competenza nel saperle coltivare (*gens ante omnes alias eo magis dedita religionibus quod excelleret artis colendas eas*); o quello dello scrittore cristiano Arnobio (*Adversum gentes*, vii, 26) che definisce l'Etruria «generatrice e madre di ogni superstizione». Per non parlare delle ingenue derivazioni del nome *Tuscus* dal greco *thysìa* che significa «sacrificio», come riferisce Festo, o dal verbo *thysiàzein* (uguale a «sacrificare»), come è registrato nello *Etymologicum* di Isidoro di Siviglia (ix, 2, 86), o della parola *coerimoniae* dal nome della città di *Caere* che si ritrova pure in Festo (presso Paolo Diacono).

L'origine di questa tradizione si può spiegare pensando come gli Etruschi dovessero effettivamente apparire ai loro contemporanei tutti dediti alle formalità ritualistiche di un culto minuzioso e continuamente intenti alle pratiche scrupolose delle arti divinatorie nell'ossessiva ricerca della volontà' divina alla quale adeguarsi in ogni atto della vita. Continuare però a dare credito ad essa, fermandosi, semplicisticamente, a quello che può essere definito l'aspetto «quantitativo» dello spirito religioso etrusco e magari un suo grado di maggiore intensità nei confronti di quello di altri popoli del mondo antico, significa porsi fuori della reale dimensione storica del fenomeno e affrontare questo con la stessa superficialità e ingenuità dei Greci e dei Romani. Quelli, non poterono non rimanere colpiti, prima di tutto nella fantasia, dalla straordinaria quantità di «simboli» attraverso i quali si muovevano i loro vicini, guidati dall'osservazione minuziosa e dall'attenta interpretazione dei sacerdoti in veste soprattutto di «tecnici», e dall'infinita casistica dei «messaggi divini» come quella, ad esempio, contenuta nella «dottrina dei fulmini» il significato dei quali era diverso a seconda della loro forma, del colore, dell'intensità, della durata, della provenienza, del luogo e del momento della caduta.

Quanto a noi, va tenuto presente che, a causa della perdita della letteratura religiosa originale, dobbiamo servirci di occasionali e frammentarie citazioni di autori sostanzialmente estranei al mondo etrusco i quali riferiscono secondo la loro ottica personale o quella del tempo, solitamente tardo, in cui essi scrivevano. E che, soprattutto, siano essi greci o romani, esprimevano i loro giudizi alla luce di una mentalità razionale che è tutto l'opposto della mentalità etrusca arcaica e «primitiva», mistica e prelogica, la quale se, come s'è già più volte ripetuto, fu caratteristica di tanti aspetti della civiltà etrusca, proprio nella religione trovò più facilmente modo di manifestarsi e di perpetuarsi con il perdurare di antichissime tradizioni risalenti a tipi di civiltà ampiamente superate dal mondo greco-romano.

È dunque nell'ambito, e nei limiti, di quella mentalità che il fenomeno religioso etrusco deve essere riportato ed esaminato per valutarne l'aspetto «qualitativo» indubbiamente assai diverso da quello della religiosità greca e romana. Basterebbe considerare la fede profonda e quasi fatalistica che gli Etruschi avevano nel destino ineluttabile e nell'immutabile corso della volontà divina in cui era preordinata la sorte degli uomini e delle nazioni e, per conseguenza, il senso di annullamento della persona umana di fronte alla divinità soverchiante. E pensare che i Greci (come ha osservato il Pallottino) quel senso d'annullamento non conoscevano neppure di fronte all'angoscioso strapotere del fato, mentre i Romani tendevano a risolvere il rapporto tra uomini e dèi in maniera pratica e concreta con forme di natura prevalentemente giuridica.

E che dire dell'intima coscienza che il massimo dovere dell'uomo fosse, per gli Etruschi, quello di cercare di conoscere il destino prestabilito e di vivere in conformità con esso rispettando fin nei minimi particolari regole di condotta spesso espresse in osservanze rituali del tutto formali, al di fuori di ogni autentico valore etico? O dell'assoluta convinzione che la volontà degli dèi si manifestasse attraverso prodigi del mondo materiale e che obbligo per l'uomo fosse quello di osservare scrupolosamente quei prodigi e d'interpretarli correttamente?

Se poi s'aggiunge che credenze, tradizioni e riti erano rigidamente «codificati» in libri sacri (una sorta di Bibbia) la cui redazione o, perlomeno l'ispirazione, era fatta risalire ad una esplicita rivelazione divina e il cui rispetto era garantito da una casta sacerdotale espressione delle oligarchie dominanti, si capiranno ancora meglio le ragioni di tanto profonde e tenaci convinzioni e del loro incorrotto perpetuarsi. Mentre dalla constatazione dello stretto legame che intercorreva tra vita religiosa e vita civile (al punto che gli stessi libri sacri, oltre ad essere un trattato di dottrine sacrali, si configuravano anche come una vera e propria collezione di leggi e di norme giuridiche che dalla regolamentazione del diritto di proprietà andavano fino agli ordinamenti militari) si comprenderanno i motivi del dominio assoluto della religione e, più ancora, dei suoi aspetti ritualistici, in tutte le manifestazioni della vita umana, individuale e comunitaria. E tutto ciò conduce a qualcosa di ben diverso dal raffigurarsi il popolo etrusco, semplicemente, come «religiosissimo» o «più religioso» degli altri popoli.

Quanto tutto quel che s'è detto fosse profondamente e ineluttabilmente vero sarà sufficiente a dimostrarlo, emblematicamente, il ricordo di quella singolare teoria formulata dagli Etruschi proprio sulla vita degli uomini e delle nazioni e fissata in un'apposita «sezione» dei libri sacri, quella dei libri che noi conosciamo col nome latino di *Fatales* (ossia relativi al fato) dei quali c'è giunto qualcosa nelle notizie tramandateci dagli autori romani.

Secondo quella teoria, dunque, la vita umana era suddivisa, a partire dal giorno della nascita, in periodi di sette anni e il compiersi dell'ultimo anno di ogni periodo era considerato momento critico e pericoloso durante il quale, soprattutto, occorreva fare particolare attenzione alle manifestazioni del volere divino. Si potevano contare fino a dodici «settimane» di anni, tuttavia la vita normale ne comprendeva solamente dieci cosicché, solo fino ai settanta anni era lecito compiere riti propiziatori ed espiatori per accattivarsi il favore degli dèi e magari per differire il compiersi del fato (con «proroghe» che potevano arrivare fino a un massimo di dieci anni). Passato però il settantesimo compleanno, seppure era possibile vivere ancora per altre due «settimane» di anni (e cioè fino agli ottantaquattro) il corpo era come disgiunto dall'«anima», gli dèi non prestavano più attenzione a offerte e cerimonie, non inviavano più segnali né si poteva intercedere presso di loro. Chi poi avesse per avventura superato anche quel limite, era considerato un autentico sopravvissuto.

Quanto alla vita delle città e degli Stati, essa si svolgeva, parallelamente a quella degli individui, secondo un'analoga successione di scadenze ed era suddivisa in periodi chiamati «secoli». Il limite massimo per la vita di uno Stato era di dieci «secoli» ma, poiché la durata di un «secolo» non era preliminarmente definita, gli stessi dèi ne annunciavano la fine con qualche prodigio. Così, ad esempio, il suono acuto e lugubre di una tromba, udito in un giorno dell'anno 88 a.C., fu interpretato come l'annuncio divino dell'imminente fine di un secolo e questa fu poi riconosciuta, nell'anno 44, dall'apparizione di una cometa (che era poi quella segnalata, ed effettivamente comparsa, nel giorno dell'uccisione di Cesare).

Le apparizioni dei «prodigi secolari» – che venivano interpretati alla luce di una particolare dottrina dei «segni premonitori» che spiegava da quale divinità venisse il segno, per quale motivo, che cosa esso significasse e come potesse essere espiato – davano luogo a speciali cerimonie propiziatorie comprendenti grandi sacrifici

Pianta del tempio del Belvedere a Orvieto.

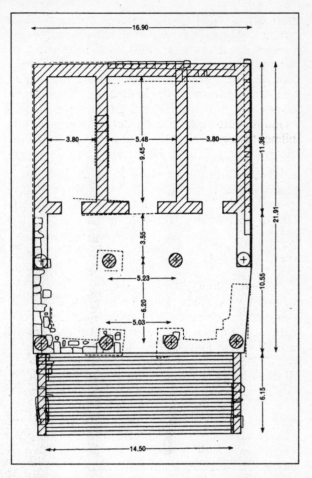

di animali, doni votivi ed erezione di statue o di templi, giochi e spettacoli pubblici, solenni preghiere di cori di fanciulli (i *ludi saeculares* dei Romani, che adottarono dagli Etruschi la teoria dei *saecula* e, in particolare, quelli celebrati sotto Augusto nel 17 a.C. ed eternati nel famoso «carme secolare» di Orazio, possono darci un'idea di quanto doveva accadere in Etruria in circostanze praticamente uguali).

Come per la vita degli uomini, anche per quella degli Stati era prevista la possibilità della «proroga» (fino a un massimo di tre decenni) ma, passato il tempo concesso, sarebbe stato impossibile rimuovere il destino implacabile: ogni espiazione sarebbe stata vana e ogni Stato, la stessa nazione etrusca, sarebbero ugualmente e inesorabilmente finiti.

VII. Finiti nel nulla

Fra i tanti temi che hanno offerto spunti alle idee più strampalate e alle teorie più inverosimili sugli Etruschi non è mancato quello che riguarda la loro fine. C'è stato in proposito chi, non contento di avere già a che fare con il «mistero» delle origini, ha osato parlare di un mistero della fine, quasi che gli Etruschi fossero a un certo punto spariti nel nulla, senza che nessuno dei loro contemporanei, amici, rivali, nemici, avesse avuto modo di accorgersi della sparizione. E c'è chi, in ogni caso, è convinto che si sia trattato se non proprio di una fine repentina e misteriosa, certamente di un tramonto rapido e drammatico e, soprattutto, totale e definitivo.

Qualcuno, sulla scorta di un luogo comune della letteratura romana (quello dell'*obesus etruscus* di oraziana memoria), s'è mostrato propenso a credere in una sorta di «collasso da lussuria» (come si favoleggia per le orge che avrebbero condotto alla caduta dell'Impero Romano!): un fatale esaurimento provocato dalla mollezza dei costumi e dall'abbandono ai piaceri della mensa e alle altre gioie della vita procurate dall'eccessiva ricchezza (dimenticando che le fasi più floride del mondo etrusco sono da collocare non già nel periodo finale ma in quello del pieno sviluppo, durante l'età arcaica). Qualcun altro, forse più raffinato, s'è compiaciuto di pensare a una sorta di autoannientamento determinato dalla rassegnata accettazione di una fine ineluttabile imposta, secondo la dottrina religiosa, dalla volontà divina e preannunciata dalle sconfitte militari, dalla crisi economica e dalle lotte sociali (ignorando che anche dopo la perdita della loro indipendenza le città etrusche mantennero a lungo, specialmente alcune, una grande vitalità e una sorprendente capacità d'adattamento alle nuove situazioni).
Ma la convinzione più radicata e diffusa è che gli Etruschi siano stati distrutti dai Romani.
Una simile convinzione potrebbe anche essere legittima, sia pure entro certi limiti e, comunque, ragionando, come al solito, in maniera assai semplicistica e grossolana, qualora per distruzione si volesse intendere la fine, più o meno violenta, di una realtà politica, di una sovranità, di un ruolo specifico e autonomo dell'Etruria, causata dalla conquista romana. Diventa semplicemente assurda

quando, come generalmente si fa, s'intende parlare di distruzione in senso fisico ossia insomma di strage e di vero e proprio genocidio perpetrato dalle legioni romane in obbedienza a una precisa e spietata «volontà politica» del Senato e della classe dirigente di Roma.

È ben vero che, nel corso della plurisecolare vicenda delle guerre combattute tra i Romani e gli Etruschi (spesso con accanimento e ferocia da entrambe le parti), si possono addebitare ai Romani episodi di particolare violenza, quali, ad esempio, la distruzione di Veio e quella di Volsini. E che nel conto possono essere messe anche le stragi compiute da Silla e da Ottaviano degli abitanti di Arezzo e di Perugia (peraltro più correttamente da interpretare nell'ambito delle lotte tra fazioni che contraddistinsero l'ultimo secolo della repubblica romana). Ma non furono certamente questi episodi a determinare la «fine» dell'Etruria e, soprattutto, degli Etruschi. Tant'è vero che, solo per tornare alla distruzione di Volsini, la città fu subito ricostruita per volere degli stessi Romani, sia pure in un'altra sede dove furono costretti a trasferirsi gli abitanti superstiti.

Insomma, come opportunamente ha scritto lo Heurgon, «si avrebbe torto... a credere che la storia etrusca si sia fermata di colpo all'entrata in scena di altri attori, i Romani, e che il popolo etrusco sia scomparso, di fatto, a causa della conquista romana, della distruzione di qualcuna delle sue città e della perdita delle sue libertà politiche». In realtà la fine degli Etruschi non fu diversa da quella di tutti gli altri popoli dell'Italia «preromana» (ivi compresi i Latini e persino gli stessi... Romani dell'età repubblicana). Facendo ricorso a una sola immagine, estremamente sintetica ma senza dubbio valida ed efficace nel suo pregnante significato, si può dire che, insieme ai Veneti e ai Liguri, ai Sanniti, agli Apuli e ai Lucani, ai Galli della Cisalpina e ai Greci della Magna Grecia, gli Etruschi andarono a finire in quel grande crogiuolo di popoli (e di civiltà) dal quale, negli ultimi secoli prima della nostra era, nacquero l'Italia unificata da Roma e gli Italici (o, se si vuole, gli Italiani), cittadini «romani» dell'età imperiale.

All'interno di questa nuova realtà, la vita dell'antica Etruria continuò oltre i limiti della sua particolare vicenda storica, attraverso un'eredità molteplice fatta di elementi culturali e di tradizioni ma anche di sangue, cioè di persone e di famiglie. Sarà sufficiente ricordare, al riguardo, che, nonostante il ricambio di popolazione provocato dalla massiccia immissione di elementi estranei quali i coloni delle terre distribuite agli ex combattenti, dall'emigrazione interna e dall'esodo delle grandi famiglie verso Roma, la maggioranza degli abitanti dell'Etruria durante l'Impero poteva vantare un'ascendenza etrusca: lo si rileva dall'onomastica personale nella quale sono perfettamente riconoscibili pur nella forma latina, gli antichi nomi gentilizi che i discendenti delle vecchie famiglie etrusche portarono inalterati fino alla naturale estinzione delle casate.

Si potrà poi aggiungere che, sempre durante l'età imperiale, nelle città dell'Etruria, ormai «municipi» romani e di lingua latina come tutte le altre città d'Italia, si mantennero vive tradizioni e consuetudini locali e «nazionali», fossero esse legate a fenomeni di pura e semplice conservazione, come in molti casi, o di voluta e cosciente ripresa, come in altri. E tra questi si può annoverare persino quello, certamente significativo, della rivitalizzazione della Lega (l'antica «confederazione» delle città etrusche) la quale tornò a svolgere la sua attività nell'ambito delle cerimonie religiose e delle festività popolari, con i suoi magistrati, i suoi sacerdoti, le sue celebrazioni annuali, fino alla fine del mondo antico e al trionfo del Cristianesimo.

Sulle motivazioni, i tempi, i modi del lento processo di decadimento dell'Etruria e della sua integrazione nel mondo dell'Italia romana, come in genere degli altri argomenti toccati in questa prima parte del volume, si tornerà più avanti nella seconda. Ma intanto, per concludere questo discorso, potrà essere interessante rilevare come, curiosamente, un «problema della fine» fosse stato, a suo tempo, contemplato dagli stessi Etruschi. E, si potrebbe dire, risolto con quella «teoria dei secoli» definitivamente elaborata e fissata nei *Libri Fatali*, nel corso dell'ultimo periodo di vita indipendente, della quale s'è già detto a proposito della religione. È proprio sulla scorta di quella teoria e utilizzando i calcoli già fatti dagli Etruschi dei «secoli» precedenti fino al nono (terminato con la già ricordata apparizione della cometa dell'anno 44 a.C.) che gli storici romani dell'età imperiale si provarono a misurare i limiti cronologici della nazione etrusca; e considerando di centoventi anni circa il decimo e ultimo secolo, essi ritennero di poterne fissare la fine all'epoca dell'imperatore Vespasiano, poco dopo la metà del I secolo d.C.

Quanto alle origini del ciclo di vita dell'Etruria, lo stesso calcolo dei «secoli» fatto a ritroso, ci fa grosso modo risalire, non senza una certa sorpresa per la sostanziale corrispondenza con le nostre ricostruzioni storiche, a un periodo compreso tra la fine dell'XI secolo e gli inizi del X a.C.

Detto della fine, non si può tralasciare, da ultimo, di accennare almeno a un ennesimo luogo comune sugli Etruschi che proprio a quello relativo alla fine può essere agevolmente collegato (anche se, per la sua stessa enunciazione, in palese contraddizione con esso): quello che vuole i moderni Toscani eredi non soltanto spirituali ma fisici, nel senso cioè di «discendenti», degli antichi Etruschi (e che per ciò stesso si spinge a considerare la meravigliosa fioritura della civiltà del Rinascimento come una sorta di *revival* della civiltà etrusca).

Ancora una volta l'affermazione è troppo affrettata e semplicistica e, per amore di verità, occorre ridimensionare l'assunto.

Indubbiamente, la Toscana, come entità geografica e storica, trae le sue lontane origini dalla «patria» degli Etruschi, o Tusci, che l'abitarono e le lasciarono il nome (sia pure attraverso la sua versione latina). Ma, se è vero che tutta la Toscana (o quasi, tenendo conto dei suoi confini attuali) è stata etrusca è altrettanto vero che non tutta l'Etruria è stata toscana. Come dimenticare, infatti, quell'Etruria «meridionale» (o «laziale»), corrispondente all'attuale provincia di Viterbo e all'ampia porzione di quella di Roma a nord e a ovest del Tevere, la quale, tra l'altro e assai significativamente, si chiama fin dal Medioevo, Tuscia, o Tuscia Romana, che fu addirittura la terra dove più precocemente la civiltà etrusca si sviluppò e fiorì e che con le sue grandi metropoli (da Veio a Cere, da Tarquinia a Vulci) svolse a lungo una preminente funzione di «guida» di tutta la nazione etrusca? E, che dire dell'importanza e del ruolo di quelle altre grandi metropoli che furono Perugia e Orvieto (cioè Volsini) che oggi si trovano in Umbria? Nessuno potrebbe negare ai Viterbesi e agli Orvietani di sentirsi «etruschi» quanto i Volterrani e gli Aretini (e magari più di quei Senesi i quali, curiosamente, non avendo assolutamente alcun titolo per vantarsi come i «primi» sono soliti qualificarsi come gli «ultimi» Etruschi...).

E se, per avventura, gli abitanti dell'Alto Lazio e dell'Umbria alla destra del Tevere dovessero dare vita a una qualche rivendicazione di tipo, per così dire, irredentistico o «nazionalistico», questa potrebbe avere una sua validità in senso «etrusco» e non certamente «toscano». E la sua eventuale realizzazione, sempre per un'ipotesi paradossale, condurrebbe non già a un «completamento» della Toscana ma, se mai, a una «riunificazione» dell'Etruria. Ossia, in altre parole, alla rinascita di quella grande Tuscia medievale, la terra dei Tusci cioè degli Etrusc(h)i, che fu l'erede diretta, ancorché tripartita, dell'antica Etruria, e della quale la Toscana fu solo una parte, la *Tuscia Regalis*, o Longobarda, accanto alle altre due che furono la già ricordata *Tuscia Romana* e la *Tuscia Ducalis* corrispondente al Ducato di Spoleto: che è come dire, in termini di regioni moderne, l'Etruria «toscana», l'Etruria «laziale» e l'Etruria «umbra». Di queste tre parti, mentre la terza (quella umbra) ha del tutto perduto la vecchia denominazione, la prima, divenuta regione a sé stante, l'ha mutata appena modificandola, in quella di Toscana ma la seconda (quella laziale), pur essendo entrata a far parte di un'altra regione (il Lazio), la denominazione Tuscia, come s'è visto l'ha addirittura mantenuta intatta.

Ciò detto, si deve riconoscere che la pretesa ed esclusiva «eredità etrusca» dei Toscani si può spiegare – forse più ancora che per gli elementi di carattere storico-geografico, soltanto a prima vista giustificati – per ragioni che hanno a che fare con la vicenda degli studi etruscologici. È noto infatti che dopo un'iniziale e piuttosto

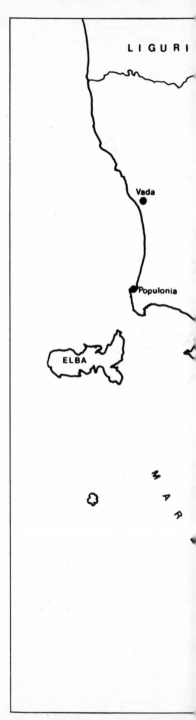

Il territorio e i principali centri dell'Etruria storica.

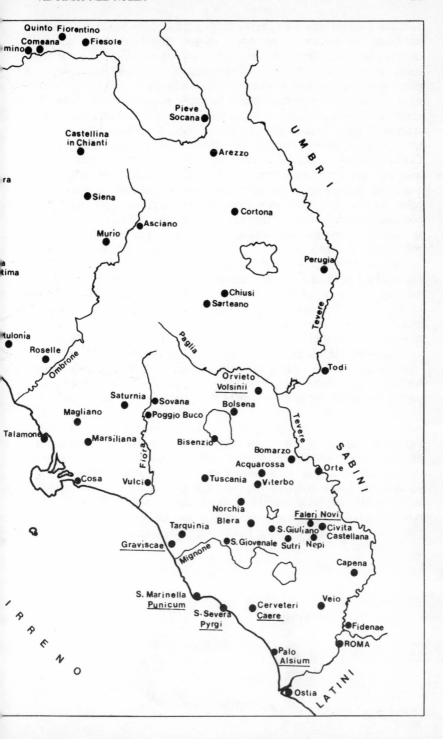

confusa e pittoresca «scoperta» degli Etruschi avvenuta a Viterbo, nel tardo Quattrocento, per opera di quel singolare frate-umanista che fu Giovanni Annio, la vera resurrezione dell'Etruria ha avuto luogo in Toscana per opera di ricercatori ed eruditi di quella regione e attraverso la conoscenza e lo studio di «cimeli» e testimonianze ritrovati sul posto. Sicché fu facile negli ambienti della Firenze dei Medici (i quali si fregiarono del titolo di «Granduca d'Etruria», *Magnus Dux Etruriae*) e poi in quelli delle paludate accademie settecentesche (prima fra tutte l'Accademia Etrusca di Cortona, fondata nel 1727) arrivare a concepire e a presentare le antichità etrusche appartenenti al passato locale, alla stregua di antichità «nazionali» toscane. E non valsero a mutare la situazione (che ai primi dell'Ottocento trovò un nuovo riflesso politico nella costituzione napoleonica dell'effimero Regno d'Etruria) neppure le clamorose quanto disordinate scoperte di Luciano Bonaparte, principe di Canino, che tra il 1828 e il 1840 con i suoi scavi nelle immense necropoli di Vulci aveva richiamato l'attenzione su un'Etruria che era al di fuori dei confini della Toscana. Prova ne sia il fatto che, ancora nel 1880, quando fu creato il Museo Archeologico Nazionale di Firenze, ad esso fu assegnata la qualifica, e la funzione, di museo «centrale» dell'Etruria (mentre la Soprintendenza ai beni archeologici della Toscana si denomina ufficialmente ancora oggi Soprintendenza archeologica dell'Etruria).

Ma, tutto ciò non serve, evidentemente, a ricondurre nei giusti termini la questione. E, per dimostrare quanto sia scarsa o almeno parziale e riduttiva la consistenza del preconcetto dell'eredità toscana, si potrebbe, in fin dei conti, addirittura capovolgere il discorso e, paradossalmente, giungere fino a una negazione di quell'eredità. Con la semplice osservazione che proprio nelle città più aperte e lungimiranti dell'Etruria settentrionale (cioè «toscana») fu più rapido e più profondo il processo di snazionalizzazione etrusca in chiave romana rispetto alle più chiuse e conservatrici città meridionali (cioè «laziali»), depositarie gelose delle tradizioni patrie. Tant'è vero che proprio la Toscana ha conservato le forme più pure della lingua latina, dando vita alla lingua italiana che di quella latina è l'erede diretta.

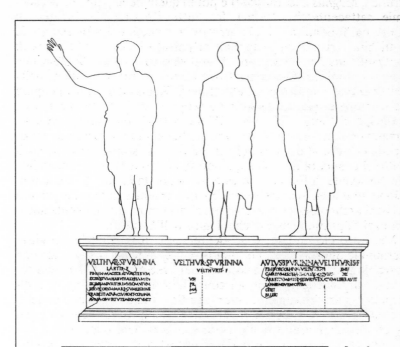

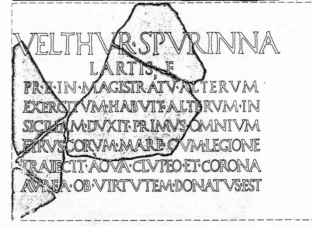

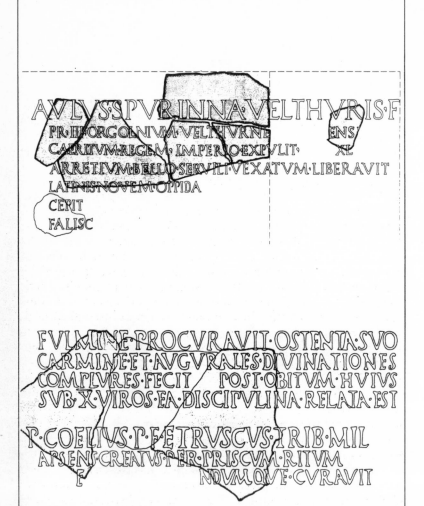

In alto: *Facsimile integrato di un'iscrizione latina della prima età imperiale romana con l'«elogio» di Aulo Spurinna, da Tarquinia (sec. M. Torelli).*
In basso: *Facsimile integrato di un'iscrizione latina della prima età imperiale romana relativa ai «Fasti» del Collegio sacerdotale dei LX Aruspici (sec. M. Torelli).*

Introduzione

Sgomberato il campo dalle fantasie che hanno dato vita e alimentato il «mito» degli Etruschi, resta dunque il discorso serio, quello della scienza, non meno affascinante delle elucubrazioni dilettantistiche giacché esso riguarda pur sempre una parte della grande «avventura» dell'uomo, quella che ha per soggetto la «ricostruzione», su basi storiche, del «mondo» degli Etruschi.

Per cominciare, occorre partire da una considerazione che dovrebbe essere ormai ovvia e scontata: il mondo degli Etruschi è parte integrante della più ampia realtà dell'Italia antica e, con questa, di quella di tutto il mondo mediterraneo. In tale realtà s'inserisce perfettamente come in un naturale contesto e da essa trae luce mentre contribuisce, a sua volta, a illuminarla. Ciò significa superare ogni assurda idea di isolamento, ma vuol dire anche rifuggire dalla tentazione di considerare l'esperienza etrusca come un qualcosa di modesto e di secondario, di appartato e di «provinciale» rispetto alle altre grandi esperienze storiche dell'antichità (e soprattutto a quella greca). Sarebbe questo un atteggiamento antiscientifico con il quale non si farebbe che perpetuare quelle visioni semplicistiche, volta a volta esaltatrici o riduttive, che hanno creato, in passato, tante questioni artificiose o ingigantito oltre misura problemi reali e che hanno indotto ad affrontare le une e gli altri in modo astratto se non addirittura fantasioso.

Contrapporsi a questo atteggiamento significa invece evitare proprio le astrazioni e le fantasie, passare dal vago al concreto, dall'indeterminato al circostanziato; significa stare al senso reale della storia e della geografia, ancorandosi a fatti e a luoghi in rapporto ad altri fatti e ad altri luoghi. E così facendo si scopriranno «verità» incontrovertibili e tra loro logicamente coerenti e concatenate.

Per rimanere su linee necessariamente molto generali, si scoprirà ad esempio che nel periodo delle origini, all'inizio dell'età del ferro, le comunità destinate a dar vita alla nazione etrusca sono in corso di sviluppo secondo schemi e procedimenti non dissimili da quelli in atto in altri territori dell'Europa protostorica e già realizzatisi nelle regioni del Mediterraneo orientale. Che, a partire dall'VIII secolo a.C., in virtù dell'impatto col mondo coloniale greco d'Italia, attraverso l'acquisizione di modelli culturali che vengono dall'esterno e ai quali cercherà d'adeguarsi con un processo di

continuo adattamento, la civiltà etrusca si sviluppa in maniera sostanzialmente parallela a quella che caratterizza tutto il versante
medio-tirrenico della Penisola e che unisce insieme l'Etruria, il Lazio e la Campania. Che, tra i secoli VIII e V a.c. le città-stato degli
Etruschi, in una fase di particolare ricchezza e potenza, estendono
la loro attiva «presenza» (per dirla con lo storico Tito Livio) dalle
Alpi allo stretto di Messina, in concorrenza con Greci e Cartaginesi e contribuendo largamente al progresso civile di tutta l'Italia.
Che, dopo i primi decenni del V secolo, quelle stesse città (o almeno i grandi centri dell'Etruria meridionale) entrano in crisi per fatti interni e per eventi di portata internazionale subendo un processo d'involuzione che nonostante temporanee riprese (e la tardiva
fioritura dei centri settentrionali) sarà senza vie d'uscita. Che, infine, nella prima metà del III secolo a.c., emarginate per la generale staticità delle loro strutture e il conservatorismo delle classi dirigenti, e travagliate da lotte intestine e da contrasti sociali mai
giunti a soluzione, esse saranno costrette a soccombere all'espansionismo di Roma della quale accetteranno la supremazia politica
e la guida egemonica finendo con l'adeguarsi al suo «ordine» e con
l'integrarsi nella nuova realtà dell'Italia romana.

Così «ridimensionata», ossia ricondotta negli imprescindibili termini razionali della ricerca scientifica (che ricostruisce la storia e
non indulge alle fantasie), l'Etruria apparirà allora come una componente di quel mondo «italico», vario, composito, articolato e per
tanta parte ancora assai poco conosciuto, al quale appartengono
insieme, più o meno contemporaneamente, le città della Magna
Grecia e Roma, i Liguri e Siracusa, i Veneti, gli Umbri, i Sanniti e
gli Apuli, i Galli e i Cartaginesi. Parte integrante di quella realtà
che, nell'arco del primo millennio a.C., configura la storia della
Penisola e si presenta con aspetti a grandi linee comuni, definibili
volta a volta in base a caratteristiche generali preminenti e distintive. Dapprima, nell'origine e nella formazione delle diverse strutture etnico-culturali; poi nel precoce sviluppo e nell'affermazione
dei centri costieri delle regioni meridionali greche e di quelle tirreniche non greche; quindi nell'espansione delle popolazioni dell'I-
talia centrale appenninica e nei tentativi egemonici di potenze ex-
trapeninsulari (Siracusa, Atene, Cartagine); infine nell'ascesa di
Roma e nella costituzione di un sistema «federale» romano-italico:
un complesso di vicende che, con un travaglio plurisecolare, condussero alla nascita dell'Italia come «nazione»; entità nuova, geografica, politica e amministrativa ma anche etnica, culturale e linguistica, quale sarà l'Italia unificata da Roma.

Che poi l'Etruria, di quel mondo e di quella realtà, sia stata per
molto tempo (e, attraverso le sue influenze e le sue eredità, si potrebbe dire addirittura «per sempre») oltreché una componente,
tra le principali ed essenziali, certamente tra le più precoci, caratterizzanti e determinanti, questo è un altro discorso: è il discorso

da fare in maniera specifica trattando del mondo degli Etruschi, per commisurarne l'effettiva dimensione e la reale portata; soprattutto la funzione storica nell'ambito dell'incivilimento e del progresso dell'Italia. E questo può anche giustificare e legittimare l'opportunità di considerare gli Etruschi in maniera autonoma, dedicando alla loro storia e alla loro civiltà un'attenzione tutta particolare. A patto di non estraniarli, così facendo, dal loro contesto naturale e di non isolarli, a dispetto della continuità e dell'intensità della convivenza e delle relazioni reciproche, dagli altri popoli e dalle altre civiltà del mondo antico.

Solo tenendo sempre presente il grande quadro generale entro il quale essa si formò, si sviluppò e si esaurì, sarà infatti possibile capire l'esperienza etrusca e afferrarne il significato e il ruolo. Significato e ruolo che, travalicando gli stessi limiti geografici dell'Italia, s'impongono come elementi qualificanti e incisivi della storia più antica, economica, politica e culturale, dell'intero mondo mediterraneo occidentale.

Le ragioni di tutto ciò sono diverse e largamente motivate.

Situata nel cuore della Penisola posta al centro del grande mare, crocevia delle rotte tra l'Oriente e l'Occidente in un momento in cui il primo era intento all'apertura di nuovi mercati per i suoi prodotti e i suoi manufatti e all'affannosa ricerca di materie prime (e soprattutto di metalli) di cui il secondo era ricco; essa stessa sede di grandi risorse minerarie (in particolare del minerale ferroso) che le consentirono capacità d'acquisto e ne favorirono l'apertura alle sollecitazioni provenienti da civiltà più progredite, l'Etruria si trovò ad essere, lungamente, una regione fortunata. E i suoi abitanti seppero sfruttare quella situazione e volgerla a loro profitto.

Vivaci, intraprendenti e industriosi; dotati di senso pratico e di sano empirismo per le cose concrete della vita quotidiana; duttili e disponibili all'acquisizione delle novità provenienti dal mondo esterno; ricchi di fantasia e amanti del lusso, con spiccate tendenze all'esuberante e all'appariscente, gli Etruschi furono i primi in Italia a organizzarsi negli schemi e secondo i modelli della civiltà urbana; ad ammirare e a procurarsi i prodotti del mondo orientale e greco e a imitarli seguendo, al tempo stesso, le mode e i costumi ad essi connessi; a intraprendere produzioni in proprio e a svilupparne l'esportazione, insieme a quella delle risorse minerarie, aprendo nuovi mercati attraverso una rete di commerci soprattutto marittimi e in gara con i mercanti greci, fenici e cartaginesi; a realizzare un'azione espansionistica, sia nel senso economico sia in quello politico, di dimensioni super-regionali; a intessere rapporti e a stringere intese e alleanze su scala internazionale e, come somma e conseguenza, a imporsi sugli altri popoli della Penisola lungamente attardati in livelli di cultura preistorica come faro di attrazione e motore di sollecitazione.

Di contro a questi aspetti positivi stanno le caratteristiche negative del popolo etrusco e della sua esperienza storica; l'esasperato particolarismo, le rivalità interne, il frammentarismo e la discontinuità delle imprese... che si tradussero in una sostanziale e generale incapacità di creare un patrimonio autonomo e unitario di idee e di programmi e che resero impossibili propositi di largo respiro e durevoli risultati. Si aggiunga, il tenace conservatorismo, riscontrabile in tutte le principali espressioni della civiltà e della vita (dai costumi alla lingua, dalle manifestazioni artistiche alle credenze religiose, dall'organizzazione sociale agli usi funerari) e si capirà perché la prodigiosa spinta creatrice che aveva portato alla precoce fioritura finì presto con l'esaurirsi – proprio mentre la Grecia giungeva al vertice della sua maturazione civile e Roma dava inizio alla sua inarrestabile ascesa – condannando l'esperienza etrusca a ridursi prima nei termini della dimensione e della storia locali e ad estinguersi poi, rapidamente, sopraffatta da esperienze nuove e senza confronto più vive e vitali.

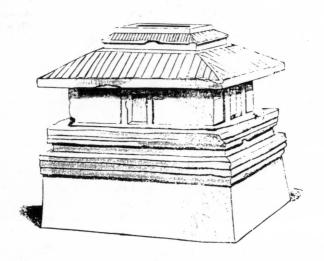

I. Una nazione «italica»

Agli inizi dell'età del ferro la penisola italiana appare diversificata da una serie di «culture» che si configurano con caratteri spiccatamente «regionali» e sovvertono, infrangendola, la precedente sostanziale unità che a partire dalla media età del bronzo (sec. XIV a.C.) e dalla diffusione della cosiddetta «cultura appenninica» era arrivata, con la cultura «protovillanoviana», fino alle soglie del I millennio a.C. (secolo X). All'emergere e al progressivo configurarsi delle varie «culture del ferro» è direttamente legato il grande

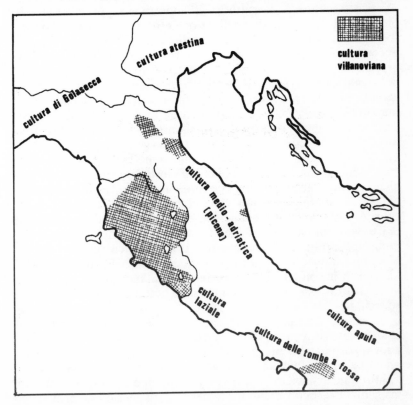

Area di diffusione della cultura villanoviana (in rapporto alle altre culture regionali dell'Italia protostorica).

fenomeno della nascita dei popoli dell'Italia antica: ad ognuno di
essi (quale noi conosciamo in età pienamente «storica») è infatti
riconducibile una di quelle «culture». Queste, pertanto, esprimono
il processo formativo del popolo (o del gruppo di popoli) cui singolarmente si riferiscono e nella distinzione con quelle confinanti
manifestano il primo segno da noi percepibile con evidenza della
differenziazione e della «presa di coscienza» delle varie entità «nazionali».

È nell'ambito di questo grande e determinante fenomeno – cui
concorrono numerose sollecitazioni, contatti e apporti diversi che
d'ogni parte si riversano sulla penisola italiana – che vanno ricerca-
te e inquadrate le origini del popolo etrusco. Ad esso, infatti, deve
essere attribuita proprio una delle «culture del ferro» italiane,
quella che chiamiamo «villanoviana»: la sua diffusione coincide,
geograficamente, col territorio occupato dagli Etruschi in epoca
storica e la regione dove appaiono le sue prime definite manifestazioni è proprio quella dell'Etruria meridionale dove la tradizione
collocava l'arrivo dei Tirreni e l'inizio della civiltà etrusca.

Si può discutere se la cultura «villanoviana» rappresenti un momento di già avvenuta diversificazione etnica degli Etruschi o piuttosto, come sembra più esatto, quello di una precisa formazione
ancora in atto (e la questione è, tutto sommato, irrilevante nel
grande discorso delle origini). È però certo che tra il costituirsi
della «nazione» etrusca e il compatto fenomeno della cultura «villanoviana» esiste un rapporto strettissimo. Tanto più che quel fenomeno coincide – secondo quanto rivela l'indagine archeologica –
con un «momento» di profondo rivolgimento rispetto alla fase finale dell'età del bronzo caratterizzato da una generale riorganizzazione del territorio e dall'inizio di un nuovo modo dell'«abitare insieme», evidenziato dall'abbandono degli insediamenti «protovillano-
viani» e dall'aggregarsi delle comunità in nuovi organismi di villaggi. Da questi prenderanno vita, in prosieguo di tempo e senza
soluzione di continuità, quelle che saranno le grandi città etrusche
dell'epoca storica: Veio, Cere, Tarquinia, Vulci nell'Etruria meridionale; Vetulonia e Populonia nell'Etruria settentrionale costiera;
Volterra un poco più a nord; Volsini e Chiusi nell'Etruria interna.

È questa la fondamentale novità del «villanoviano» che, riflessa
nelle strutture sociali ed economiche e accompagnata – e in parte
sollecitata – dall'apertura sul mare, e quindi agli elementi di frequentazione esterna segnatamente greci, darà origine a un processo di progressiva presa di coscienza «nazionale», cioè di un'entità
nuova, sostanzialmente unitaria e differenziata dalle altre, che a
un certo punto dobbiamo inequivocabilmente definire «etrusca».

Tutto questo avviene, più o meno contemporaneamente, ma con
maggiore precocità e intensità nel settore meridionale, in tutto
quel territorio che si è soliti chiamare col nome di Etruria «propria». Tale territorio si estende in una sorta di triangolo compreso

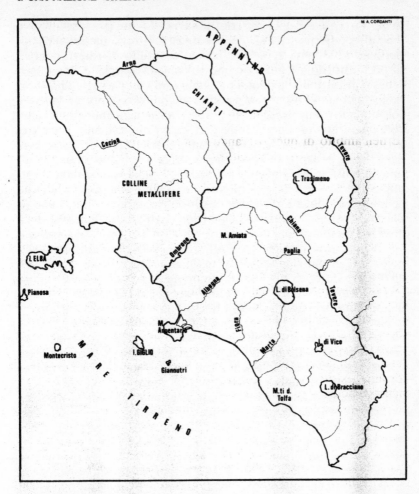

La regione dell'Etruria propria.

tra il mare Tirreno e i fiumi Arno e Tevere abbracciando quindi
quasi tutta l'odierna Toscana più una parte dell'Umbria (con Perugia e Orvieto), la provincia di Viterbo e la parte settentrionale
della provincia di Roma delimitata dal corso del Tevere fino alla
foce. Si tratta, nel complesso, di una regione ben definita e coerente, anche se la sua configurazione fisica non è uniforme e se le sue
caratteristiche si presentano varie e diverse: territori costieri,
fluviali e lacustri; comprensori di pianura, di collina e di montagna, terreni adatti al pascolo e all'agricoltura; zone ricche di risorse minerarie.

Geograficamente e storicamente si suole distinguere l'Etruria in
due parti, meridionale e settentrionale, fra loro divise da una linea
che segue approssimativamente il corso dei fiumi Fiora, che si get-

ta nel Tirreno, e Paglia che confluisce nel Tevere (sostanzialmente il confine odierno tra Lazio e Toscana). L'Etruria meridionale appartiene al sistema geologico laziale costituito di rilievi montani disposti attorno a laghi d'origine vulcanica (Bracciano, Vico, Bolsena) e di terreni alluvionali e si configura con paesaggi di pianori tufacei ricchi di boschi e di macchia mediterranea, profondamente solcati da torrenti e piccoli corsi d'acqua che formano strette vallecole e confluiscono nel Tevere o sfociano direttamente nel mare. L'Etruria settentrionale è largamente caratterizzata dal complesso delle alture preappenniniche che emergono nel sistema delle Colline Metallifere e culminano nel Massiccio dell'Amiata (con la vetta più alta a m 1734) e si configura variamente con paesaggi di tipo collinare ora dolci e distesi ora aspri e dirupati, ricchi di fiumi (il più importante dei quali è l'Ombrone) e di vegetazione che dalla macchia mediterranea costiera giunge fino alle foreste montane.

Nell'una e nell'altra parte si allunga la fascia costiera, piuttosto uniforme, in cui si susseguono archi di spiagge basse continuate all'interno da brevi pianure alternate da piccoli gruppi e promontori montuosi (Monti della Tolfa, Argentario, Monti dell'Uccellina, promontorio di Piombino), fino ad un tratto alto compreso tra la foce del Cecina e Livorno. Nel complesso, un litorale adatto alla navigazione commerciale e corsaresca, con approdi facilmente accessibili, punti avanzati di isole, scogli e promontori, lagune, paludi e laghi costieri (senza che ciò implicasse, almeno fino al secolo III a.C., la presenza della malaria).

Di fronte alla costa settentrionale si estende l'arcipelago che ha nell'Elba l'isola principale affiancata da quelle minori di Giannutri, Giglio, Montecristo, Pianosa, Capraia e Gorgona.

Le condizioni fisiche del suolo non dovevano essere in antico molto diverse da quelle odierne, specie per quanto riguarda il regime delle acque e la situazione del litorale ora appena alterato da un leggero innalzamento del livello marino. Così per il clima, nel complesso sostanzialmente temperato anche se un poco più freddo e umido dell'attuale. La vegetazione, un tempo certamente più abbondante soprattutto per quel che concerne le piante d'alto fusto, era costituita dalla macchia mediterranea nelle zone costiere e da boschi, specialmente cedui (faggi e querce) nelle zone submontane e di conifere (pini e abeti) in quelle montagnose a ridosso dell'Appennino. Il patrimonio faunistico era, ovviamente, legato all'ambiente: cinghiali, lepri, volpi nella macchia; cervi, orsi, lupi, capre selvatiche nei boschi, castori e lontre nelle paludi. Tra gli uccelli erano presenti alcune specie oggi scomparse, specialmente di rapaci: aquile, sparvieri, falchi; oltre a merli, picchi, tordi e le specie domestiche (colombi) e da cortile. Abbondanti i pesci nel mare, nei laghi e nei fiumi.

Tra le risorse offerte dalla natura sono da annoverare, oltre all'argilla, largamente usata nella produzione delle ceramiche e dei

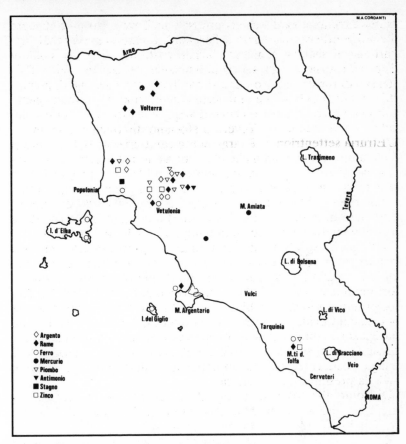

I principali giacimenti minerari nel territorio dell'Etruria.

laterizi, nella decorazione architettonica e nell'arte plastica, vari tipi di rocce corrispondenti alla varietà geologica della regione e impiegate nelle costruzioni e nella produzione artistica: tufi vulcanici, arenarie e calcari nell'Etruria meridionale; arenarie compatte, calcari travertinosi e alabastro nell'Etruria settentrionale il cui ottimo marmo bianco delle Apuane non fu invece mai utilizzato fino ad epoca romana. Una particolare menzione meritano infine i giacimenti metalliferi al cui sfruttamento è legato il lungo primato dell'Etruria nella produzione mineraria del mondo arcaico e gran parte della sua prosperità e del suo sviluppo: ferro nell'isola d'Elba; rame, piombo argentifero, minerale di stagno (cassiterite) nel Campigliese e nelle Colline Metallifere; piombo, argento e soprattutto rame nella Val di Cecina; rocce mercurifere (cinabro) sul Monte Amiata; minerali ferrosi, piombo, zinco, mercurio sui Monti della Tolfa.

Il territorio dell'Etruria, che offre dunque un «ambiente» nel

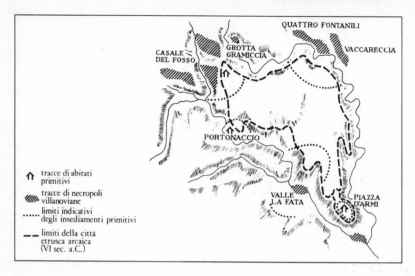

Villaggi e necropoli dell'età del ferro nell'area urbana di Veio.

complesso assai favorevole e facilmente disponibile al lavoro e allo sfruttamento da parte dell'uomo, appare abitato nella fase finale del periodo preistorico da gruppi di popolazioni che, abbandonato il nomadismo e le abitazioni occasionali in grotta e sotto ripari rocciosi, si sono stabiliti in piccoli villaggi di capanne dedicandosi all'agricoltura e lasciando in secondo piano la pastorizia. Gli insediamenti – stando alle scoperte archeologiche – sono particolarmente concentrati in tre grandi comprensori geografici: i Monti della Tolfa, la media valle del Fiora e la Montagna di Cetona; ma non mancano tracce di questo importante fenomeno di sedentarizzazione in altre zone del territorio etrusco, soprattutto centro-meridionali, presso Cerveteri, al Sasso di Furbara, sul lago di Mezzano e a Luni sul Mignone; presso Grosseto, a Sticciano Scalo, e sull'Argentario.

Il fenomeno è dunque piuttosto esteso e s'inserisce in un quadro che interessa, tra la fine del II e gli inizi del I millennio a.C., altre regioni della penisola italiana. Tuttavia – e senza che fino ad ora se ne siano potute riconoscere con certezza le ragioni – esso s'interrompe all'inizio dell'età del ferro, in Etruria, quando la vita delle piccole comunità cessa bruscamente e gli insediamenti vengono abbandonati. È a questo punto che subentra il mutamento cui s'è già accennato e sulle motivazioni del quale non siamo in grado di pronunciarci (anche se sono state formulate in proposito verosimili ipotesi di progressi «tecnologici» nel campo dell'agricoltura e, in via secondaria, della metallurgia, e di sviluppi socio-istituzionali con l'avvento di organismi e vincoli «comunitari» scavalcanti le strutture dei «clan» patriarcali). Esso è comunque caratterizzato

1. Ossuario villanoviano con ciotola di copertura e materiali del corredo funebre, da Poggio Renzo (Chiusi). Secolo VIII a.C.

2. Vaso ossuario di bronzo con figurine fuse applicate, da Bisenzio sul lago di Bolsena. Verso la fine del secolo VIII a.C.

3. Tripode di bronzo con decorazione figurata sulle gambe, da Vetulonia. Inizio del secolo VII a.C.

4. Elmo crestato di bronzo con decorazione geometrica, da Tarquinia. Secolo IX-VIII a.C.

5. Modellini di armature etrusche: del secolo IX-VIII a.C. (*a sinistra*), del secolo VI a.C. (*a destra*).

6. Ossuario antropomorfo femminile (o «canopo»), da Castiglione del Lago. Intorno alla metà del secolo VII a.C.

7. Fibula d'oro con arco configurato in forma di sfinge e figurine di animali granulate sulla staffa, da Vetulonia. Seconda metà del secolo VII a.C.

8. Castone di anello d'oro con scena in rilievo di Herakles in lotta con un mostro marino tricorpore, da Populonia. Intorno alla metà del secolo VI a.C.

9. Cerveteri, necropoli della Banditaccia: particolare con uno dei grandi tumuli del secolo VII-VI a.C.

10. Acquarossa (Viterbo): ricostruzione parziale del tetto di una casa d'abitazione. Fine del secolo VII-inizio del VI a.C.

11. Iscrizione dedicatoria di *Velthur Tulumnes* graffita su un grande vaso di bucchero, da Veio. Secolo VI a.C.

12. Testa di statua femminile in pietra, dal Tumulo della Pietrera di Vetulonia. Seconda metà del secolo VII a.C.

13. Grande *oinochoe* di bucchero pesante con decorazione figurata a rilievo, da Chiusi. Metà del secolo VI a.C.

14. Tripode di bronzo con decorazione figurata applicata e in rilievo, da S. Valentino presso Perugia. 540-530 a.C. circa.

15. Particolare di pittura parietale con la figura del *Phersu* nella Tomba degli Auguri di Tarquinia. Intorno al 530 a.C.

16. Particolare del «sarcofago degli sposi», di terracotta, da Cerveteri. 530-520 a.C.

17. Urnetta cineraria di pietra con scena di danza in rilievo, da Chiusi. Fine del secolo VI a.C.

18. Statua fittile dell'Apollo di Veio. Verso il 500 a.C.

19. Cerveteri, necropoli della Banditaccia: particolare con isolati di tombe a camera costruite. Fine del secolo VI-primi decenni del V a.C.

20. Veduta d'insieme della Tomba del Triclinio di Tarquinia. 480-470 a.C.

21. Altorilievo frontonale del tempio A di Pyrgi con scena del mito tebano. Verso il 460 a.C.

22. Testa di statua maschile di terracotta, da Veio. Ultimi decenni del secolo V a.C.

23. Vaso con decorazione a figure rosse di giovani danzanti, da Campagnano presso Roma. Prima metà del secolo V a.C.

24. Valli di Comacchio: tracce dell'abitato di Spina tra il reticolo dei moderni canali di bonifica (foto aerea di Vitale Valvassori).

25. Corredo di una tomba della necropoli di Spina. Secolo V a.C.

26. Elmo etrusco con dedica incisa a Zeus di Gerone di Siracusa dopo la battaglia di Cuma del 474 a.C., da Olimpia.

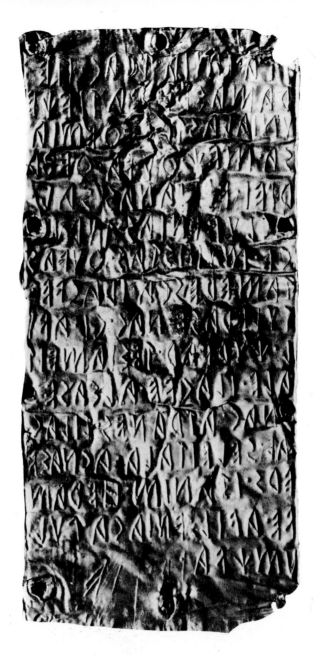

27. Lamina d'oro con iscrizione dedicatoria a Uni-Astarte di *Thefarie Velianas*, da Pyrgi. 500 a.C. circa.

28. Stele funeraria di pietra con raffigurazioni in rilievo, da Bologna. Prima metà del secolo IV a.C.

29. Specchio di bronzo inciso con la figura dell'indovino Calcante intento a consultare il fegato di un animale, da Vulci. Inizio del secolo IV a.C.

30-31. *Accanto a destra*: statuina in bronzo, di un Aruspice, *a sinistra*: statuina in bronzo raffigurante *Tinia* o altro dio folgoratore. Secolo IV-III a.C.

32. Modello in bronzo di fegato di pecora con nomi di divinità incisi entro caselle, da Settima presso Piacenza. Secolo II a.C.

33. Particolare di una pittura parietale della Tomba François di Vulci con la figura di *Vel Saties*. Poco dopo la metà del secolo IV a.C.

34. Particolare di una figura frontonale fittile dal Tempio del Belvedere di Orvieto. Prima metà del secolo IV a.C.

35. Statua bronzea di guerriero detto «Marte di Todi», da Todi. Prima metà del secolo IV a.C.

36-39. *Sopra*: sarcofago in pietra di *Laris Pulena*, da Tarquinia. Inizi del secolo II a.C. *Sotto*: rilievo con corteo di un magistrato su un sarcofago di Tuscania. Inizi del secolo II a.C. *Nella pagina a fronte*: figure di demoni infernali (in alto *Charun*, in basso *Vanth*) dipinte sulle pareti della Tomba degli Anina a Tarquinia. Fine del secolo III-inizio del II a.C.

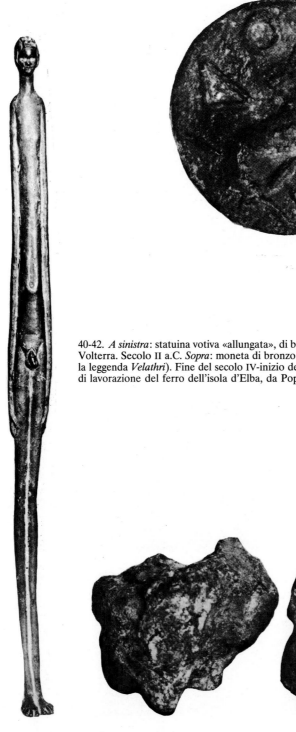

40-42. *A sinistra*: statuina votiva «allungata», di bambino, in bronzo, da Volterra. Secolo II a.C. *Sopra*: moneta di bronzo fuso di Volterra (con la leggenda *Velathri*). Fine del secolo IV-inizio del III a.C. *Sotto*: scorie di lavorazione del ferro dell'isola d'Elba, da Populonia.

43. Un gruppo in bronzo di aratore, da Arezzo. Fine del secolo V a.C.

44. Interno della Tomba dei Rilievi a Cerveteri con rappresentazione in stucco dipinto di utensili, attrezzi e arredi vari. Fine del secolo IV-inizio del III a.C.

45. Urnetta cineraria di pietra in forma di casa, da Chiusi. Secolo IV-III a.C.

46. Coperchio di urna cineraria in pietra a forma di tetto. Secolo III-II a.C.

47. Testina maschile in terracotta di un altorilievo frontonale, da Arezzo. Intorno alla metà del secolo II a.C.

48. Urna cineraria di alabastro con scena del duello di Eteocle e Polinice in altorilievo, da Sarteano presso Chiusi. Prima metà del secolo II a.C.

49. Sarcofago fittile, da Tuscania. Prima metà del secolo II a.C.

50. Coperchio di urna cineraria in terracotta, da Volterra. Inizio del secolo I a.C.

TARQVINIENSE
VETVLONENSES

51. Rilievo in marmo d’età imperiale romana con raffigurazione delle personificazioni dei «popoli» etruschi di Vetulonia, Vulci e Tarquinia, da Cerveteri.

da una certa «coagulazione del popolamento» e dalla nascita di nuovi insediamenti o agglomerazioni di villaggi che si stabiliscono in nuove sedi, nei pressi di importanti bacini fluviali, a poca distanza dal mare, su vasti pianori tufacei ben delimitati dalle vallette d'erosione dei corsi d'acqua.

La scelta è visibilmente condizionata dalla molteplice utilizzazione delle condizioni ambientali che, insieme a buone prospettive di difesa naturale, offrono la disponibilità di ampie superfici coltivabili, l'accessibilità alle risorse minerarie, la possibilità di facili comunicazioni attraverso le valli dei fiumi sia verso il mare sia verso l'interno. Questo nuovo fenomeno di organizzazione territoriale si presenta maggiormente concentrato nel settore meridionale e si dirama verso nord. Il periodo in cui esso si manifesta è il secolo IX a.C., l'orizzonte culturale quello della «civiltà villanoviana»: ad esso, come s'è detto, dobbiamo riferire le origini del popolo etrusco, l'inizio della storia etrusca.

Caratteristica dei nuovi insediamenti è che ciascuno di essi è costituito da nuclei distinti di capanne, disposti ai margini del pianoro prescelto e tra loro separati da ampi spazi utilizzati per l'agricoltura e l'allevamento. Lo denunciano, più che i resti degli abitati (purtroppo piuttosto scarsi) le loro rispettive necropoli (formate da tombe a pozzetto con urne cinerarie) distribuite in varie località attorno al pianoro dell'insediamento. È probabile che i vari nuclei fossero di caratteristiche tribali e che pur godendo di relativa autonomia fossero tra loro collegati da primitive forme di organizzazione politica nell'ambito di un vero e proprio «sistema».

Le comunità erano ordinate su basi egalitarie (come dimostrano le tombe indifferenziate sia nell'aspetto esteriore che nella composizione dei corredi funebri) a struttura parentelare e con una embrionale divisione del lavoro a seconda del sesso. L'attività prevalente era l'agricoltura integrata dall'allevamento stanziale e da marginali attività d'artigianato, soprattutto metallurgiche. A partire dalla metà del secolo VIII a.C. dovette prendere anche l'avvio una certa attività di carattere mercantile legata allo sfruttamento delle risorse minerarie e allo smercio dei metalli e originata dall'apertura sul mare e dai primi saltuari contatti con elementi di provenienza orientale e in particolare coi Greci.

Proprio l'incontro col mondo greco diverrà presto sistematico e determinante. Quando infatti dalla fase precoloniale della frequentazione commerciale costiera i Greci passeranno, nella prima metà del secolo VIII, alla fase coloniale degli stanziamenti fissi, all'aspetto commerciale della loro attività si aggiungerà quello «politico» e culturale che si rifletterà con conseguenze di prim'ordine nell'assetto socio-economico e nello sviluppo civile delle regioni interessate. E sarà proprio l'Etruria meridionale nascente a giovarsi direttamente della nascita delle primissime colonie greche d'Italia: Pitecusa, nell'isola d'Ischia, fondata intorno al 770 a.C.; e Cuma, sulla terraferma, creata verso il 750.

Particolarmente importanti dovettero essere i rapporti con Pitecusa divenuta rapidamente un grande emporio commerciale dove convergevano, per esserne poi smistati, i beni di consumo e i prodotti di lusso provenienti dai paesi del bacino orientale del Mediterraneo e dove confluivano i minerali di ferro dell'isola d'Elba (ritrovati a Ischia in strati archeologici del secolo VIII) che nella stessa Ischia erano preliminarmente lavorati (come testimoniato dai resti di forni di fusione) per essere poi imbarcati verso l'Oriente. Ad essa facevano capo e da essa si diffondevano, lungo la via marittima verso le zone minerarie etrusche, insieme alle merci, anche le «idee» e le sollecitazioni culturali del progredito mondo greco e orientale destinate ad influire fortemente su una regione in via di sviluppo che tuttavia si presentava come una realtà – una «realtà etrusca» – già consistente nella sua strutturazione politico-economica.

Proprio tale realtà può aver convinto i Greci dell'impossibilità (e prima ancora, e forse meglio, dell'inutilità) di una loro diretta penetrazione oltre la linea Ischia-Cuma che rappresenta il limite settentrionale della colonizzazione greca nel Tirreno. E ciò è tanto più valido se si considera, da una parte, che funzione primaria delle colonie era quella di costituire sbocchi economici a regioni che ne erano sprovviste e che si trovavano in condizioni organizzative arretrate, e, dall'altra, che proprio la presenza «organizzata» delle comunità etrusche facilitava i contatti e gli scambi.

Il processo di sviluppo già in atto in quelle comunità subisce per effetto dell'impatto coi Greci una forte accelerazione che nei decenni finali del secolo VIII porta a una serie di trasformazioni d'ordine economico e sociale. È così, per esempio, che alla precoce utilizzazione comune delle risorse metallifere che provoca un generico arricchimento della comunità, s'accompagna e si sostituisce ora l'iniziativa di singoli individui, i quali sono al tempo stesso mercanti e guerrieri, che la ricchezza accumulano in privato, attraverso attività di commercio e di rapina, e che della ricchezza si servono per differenziarsi dalla massa e impadronirsi del potere.

Queste trasformazioni e l'emergere di una classe «aristocratica» che diverrà presto ceto dominante, sono denunciati nelle necropoli dal differenziarsi delle sepolture (nelle quali si diffonde ora l'uso dell'inumazione) e, in particolare, dalla straordinaria ricchezza di certi «corredi» in cui lo sfoggio delle armi esalta insieme l'aspetto guerriero della classe emergente e l'origine della sua potenza. I centri dove tutto ciò si verifica sono quelli, prossimi alla costa, dell'Etruria meridionale (fra il Tevere e l'Albegna) e tra essi in primo luogo Tarquinia e poi Veio, Vulci e Vetulonia (o, meglio, i «sistemi» di villaggi che stanno trasformandosi in quelle che saranno le città di Tarquinia, di Veio, di Vulci e Vetulonia).

Quanto all'economia di rapina che sembra alla base dello svilup-

Tomba a fossa della seconda metà del secolo VIII a.C. in una necropoli di Bisenzio presso il lago di Bolsena.

po, essa s'inquadra perfettamente nel sistema delle società primitive in cui vera e propria attività commerciale e pirateria convivono senza una netta distinzione. Ne abbiamo ampia documentazione

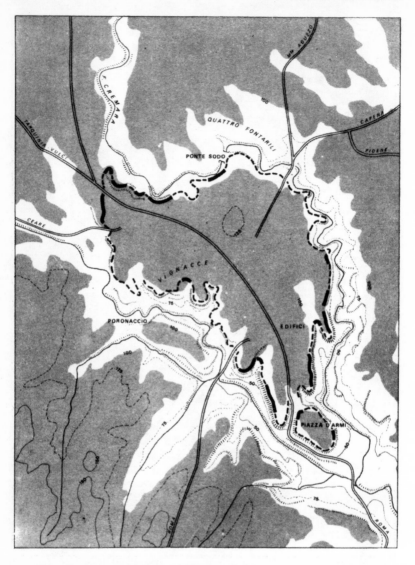

Veio: topografia generale della città e delle necropoli.

nelle fonti greche le quali identificano spesso gli Etruschi con i
«pirati» e parlano ripetutamente della «thalassocrazia» etrusca sul
Tirreno: una presenza e un controllo sistematico di quel mare che,
stando a una notizia dello storico greco del IV secolo a.C., Eforo,
secondo la quale i coloni di Nasso (la prima colonia greca della
Sicilia fondata nel 736 a.C.) si sarebbero scontrati sulle coste sici-
liane con i «pirati» tirreni, dovevano essere già in atto nella seconda metà del secolo VIII a.C. A questo periodo e all'inevitabile con-

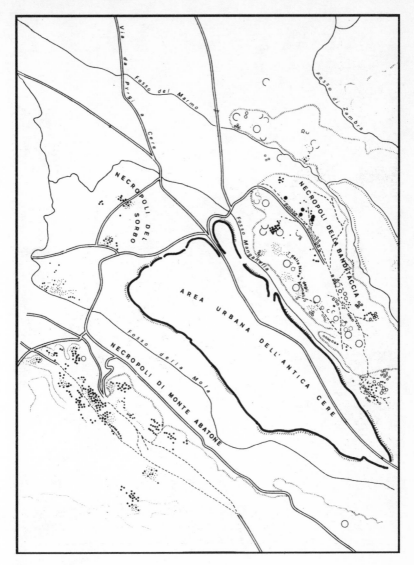

Cere: topografia generale della città e delle necropoli.

correnza delle attività imprenditoriali specialmente sul mare va
quindi fatto risalire l'inizio di quella rivalità greco-etrusca che,
come scrive M. Torelli, «condurrà ora navi da guerra greche lungo
le coste etrusche ora incursioni etrusche sui litorali dell'Italia meridionale e della Sicilia e che farà affrontare gli opliti di Cuma a
quelli tirrenici sotto le mura di Aricia o le flotte congiunte punico-
etrusche a quelle focesi nelle acque del Mare Sardo e le navi di
Ierone a quelle d'Etruria al largo di Cuma».

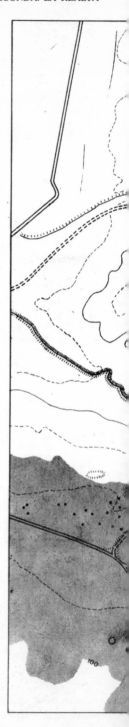

Tarquinia: topografia generale della città e delle necropoli.

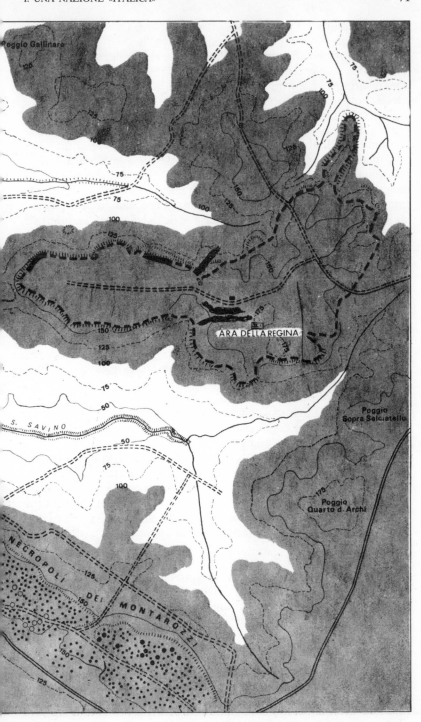

Nella prima metà del secolo VII a.C. – mentre si diffonde, come conseguenza della recezione mediterranea, la cultura «orientalizzante» – i principali centri dell'Etruria meridionale, sotto la spinta del «modello» greco, evolvono rapidamente verso forme decisamente urbane. Le comunità sono ormai dominate da potenti nuclei gentilizi che danno vita a istituzioni di tipo «monarchico» e a un'organizzazione socio-economica a struttura «clientelare» (di cui si dirà meglio in altro capitolo) mentre, dalla progressiva unificazione dei villaggi di ogni singolo centro, nascono le città.

In questa fase si afferma presto la potenza e la ricchezza della nascente Cere che s'impadronisce, tra l'altro, del ricco distretto minerario dei Monti della Tolfa e che alla metà del secolo ha già conseguito la pienezza dell'evoluzione urbana, ma ad essa s'affianca subito Veio protesa verso la bassa valle del Tevere. Seguono poi Tarquinia, Vulci, Vetulonia che sfruttano la loro posizione prossima al mare mentre il fenomeno si propaga anche alle regioni dell'Etruria centrale interna e, infine, in quelle settentrionali. Nella seconda metà del secolo (accanto a centri che permangono in situazioni di evidente attardamento) si affermano così altre città favorite dalla loro posizione presso importanti vie naturali di comunicazione: Populonia, sul mare; Roselle che sfrutta il corso dell'Ombrone; Volsini sulla rupe orvietana che domina la confluenza del Paglia col Tevere; Fiesole che con i centri del medio corso dell'Arno (oggi Quinto Fiorentino, Artimino, Comeana) è in grado di controllare i passaggi appenninici verso l'Emilia e la Valle Padana.

Intanto, la prodigiosa avanzata politica ed economica delle città meridionali che nel corso dello stesso secolo VII giungono all'apogeo della ricchezza e della potenza – a livello mediterraneo – dà luogo a una precisa attività espansionistica che si volge verso sud oltre il confine del Tevere. Veio e Cere, in gara tra loro (la prima lungo la via interna della valle del Sacco, la seconda per la direttrice costiera che porta alla regione Pontina) si assicurano il controllo del Lazio attraverso il quale possono raggiungere, in alternativa e in aggiunta alla via marittima, la Campania. Più che d'una conquista territoriale, si tratta, per il Lazio, di una supremazia che, anche attraverso l'imposizione di capi e gruppi dirigenti etruschi in singoli centri (come a Preneste, a Satricum e soprattutto a Roma dove s'insedia la monarchia dei Tarquini venuti quasi sicuramente da Cere piuttosto che da Tarquinia), mira all'acquisizione e all'organizzazione delle vie di traffico. Per la Campania si può invece parlare di una presenza di tipo «coloniale», in concorrenza con le fondazioni coloniali greche, realizzata con l'etruschizzazione di antichissimi centri di cultura «villanoviana» che avevano il caposaldo nell'importante nodo stradale di Capua e che portò alla formazione di una vera e propria «Etruria campana».

La fase d'espansione prosegue nel secolo VI a.C. quando, accanto e in contrasto col ceto aristocratico formatosi nello scorcio del secolo VIII e protagonista della storia del VII, emerge sempre più numeroso, attivo e intraprendente un ceto nuovo (una sorta di «borghesia») che finisce per costituire l'ossatura della popolazione urbana e per condizionare, non senza profondi contrasti, la vita politica. La quale appare ora dominata dalle figure dei «re-tiranni» (nel senso di «signori») che s'appoggiano al nuovo ceto (e in parte ne sono diretta espressione) e danno alle città una solida impronta di «metropoli», consolidandole nelle strutture, potenziandole di mezzi e arricchendole di monumenti e d'opere d'arte ispirate alla cultura «ionica» diffusa dalle regioni greche dell'Asia Minore.

Sovrane ed equivalenti tra loro e «capitali» di un certo territorio – autentiche città-stato (come le *poleis* greche) – queste città sono collegate da deboli vincoli di carattere confederale e di natura quasi esclusivamente religiosa che si concretizzano nella partecipazione annuale alle assemblee panetrusche di una «Lega» modellata sull'esempio della confederazione delle città greche della Ionia asiatica. Di fatto, esse sviluppano ciascuna autonomamente iniziative politiche ed economiche anche a livello internazionale che assicurano loro un ruolo di protagoniste della storia del Mediterraneo occidentale, in gara con Greci e Cartaginesi (e con i primi quasi sempre in scontro aperto) e non di rado in dissenso tra loro e in conflitto di supremazia (anche nell'ambito della Lega).

Dei contrasti e delle rivalità «interne» si colgono gli echi nelle vicende di Roma dove alla dinastia dei Tarquini e alla supremazia di Cere si contrappone l'avventura dei fratelli vulcenti Vibenna (*Avle* e *Caile Vipinas*) e del «condottiero» Mastarna (*Macstrna*) che, secondo una tradizione, sarebbe diventato re col nome di Servio Tullio. Successivamente è Chiusi, col re Porsenna, che tenta di sostituirsi alle città meridionali nel controllo di Roma e del Lazio quando, allo scadere del secolo, viene scacciato Tarquinio il Superbo e Romani e Chiusini fanno causa comune per respingere i tentativi dei Tarquini di tornare in città. Fino a che, nel 504 a.C., il greco Aristodemo, «signore» di Cuma, alleatosi coi Latini, non distrugge le forze etrusche nella battaglia campale di Ariccia.

Quanto allo scontro col mondo greco (col quale, peraltro, i contrasti e le rivalità sono di antica data), esso s'accentua in conseguenza della massiccia attività dei Focei provenienti dalla Ionia asiatica. Questi, dopo aver fondato proprio agli inizi del secolo VI, la colonia di Marsiglia (*Massalia*) alla foce del Rodano, si espandono lungo le coste e i mari dell'Occidente mediterraneo fino al Levante spagnolo; poi, rinforzati da un'ondata di profughi che abbandonano la madre patria conquistata dai Persiani, verso la metà dello stesso secolo, finiscono con l'insediarsi in Corsica fondandovi sulla costa orientale la colonia di *Alalia* (Aleria). La minaccia portata direttamente nel mare di casa costringe gli Etruschi a reagire, e Cere si allea allora con Cartagine anch'essa seriamente turbata dall'intromissione dei Focei. L'alleanza porta, intorno al 540 a.C., alla battaglia del Mare Sardo in cui le flotte congiunte etrusca e cartaginese affrontano quella dei Greci; l'esito della battaglia rimase incerto ma i Focei furono costretti ad abbandonare la Corsica agli Etruschi i quali, dal canto loro, lasciavano campo libero a Cartagine in Sardegna.

Si profilano intanto i violenti contraccolpi degli eventi drammatici del Mediterraneo orientale sconvolto dal grande scontro greco-persiano. Il crollo della Ionia sottomessa dalla Persia provoca una forte contrazione dei commerci e praticamente la fine degli scambi tra l'Etruria e il mondo greco. A cavallo tra vi e v secolo ne subiscono le conseguenze soprattutto le città «marinare» dell'Etruria meridionale, e prima di tutte Cere (fors'anche sottoposta in questo momento a una pesante «tutela» cartaginese), le quali entrano in una crisi, dapprima economica, poi anche politica e sociale, senza uscita. Questa è aggravata da insorgenti difficoltà interne che sono almeno in parte conseguenza dello stesso processo d'espansione delle città e, come osserva il Torelli, della loro urbanizzazione «accelerata» e si traducono in una chiusura sociale e nello scoppio di lotte intestine (paragonabili a quelle che contemporaneamente avvengono a Roma tra patrizi e plebei) nell'ambito di mutate forme istituzionali configurantesi nei regimi repubblicani di tipo oligarchico.

Quando nel 474 a.C., Gerone di Siracusa distrugge nelle acque di Capo Licola, presso Cuma, una flotta etrusca che tenta di mantenere aperti i contatti con i «domini» della Campania già compromessi per la perdita della supremazia nel Lazio, le fortune delle città etrusche meridionali subiscono un colpo dal quale non si risolleveranno mai più. Il presidio posto a Ischia dai Siracusani blocca qualsiasi ulteriore velleità delle navi etrusche di avventurarsi nel Tirreno meridionale e le città dell'«Etruria campana» rimangono abbandonate a se stesse finendo poi col soccombere all'emergere delle popolazioni «indigene» che, rinforzate dai consanguinei montanari Sanniti, daranno vita al popolo «nuovo» dei Campani che, nella seconda metà del secolo v a.C., s'impadroniranno del potere a Capua etrusca come a Cuma greca.

Alla crisi che investe l'Etruria meridionale si sottraggono le città dell'Etruria interna e settentrionale le quali, a partire dalla metà circa del secolo vi, hanno dato inizio a una forte espansione oltre l'Appennino nelle regioni della Pianura Padana. Questa espansione, che mira alla ricerca di sbocchi commerciali verso l'immenso territorio dell'Italia settentrionale in via di progressiva occupazione da parte dei Celti, riguarda soprattutto l'Emilia (e solo in parte le terre più lontane dell'oltrepò) dove, anche grazie alla preesistenza di antichissimi centri di cultura «villanoviana», si giunge rapidamente a una completa etruschizzazione e alla costituzione di una vera e propria «Etruria Padana» che avrà nel centro di *Felsina*

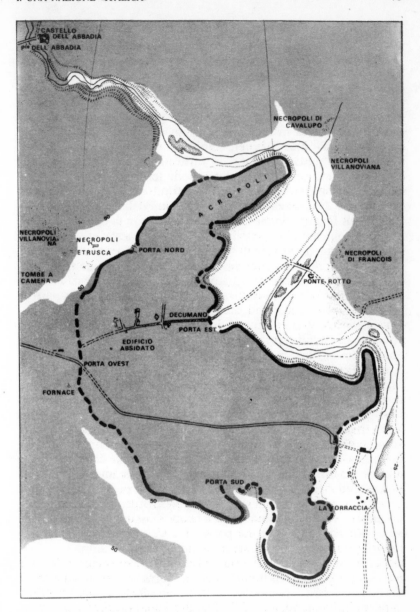

Vulci: topografia generale della città e delle necropoli.

(Bologna) la sua «capitale». La presenza etrusca viene inoltre consolidata con la fondazione ex novo di altri centri, come la città «coloniale» presso l'odierna Marzabotto, nell'Appennino toscoemiliano e come soprattutto l'emporio di Spina alle foci del Po (cui s'aggiunge il potenziamento e una sicura presenza nel porto veneto di Adria) che si apre al commercio adriatico e ristabilisce un punto di contatto diretto col mondo greco e segnatamente con Atene alla ricerca di una via alternativa ai suoi traffici marittimi preclusi nel Tirreno dal predominio della rivale Siracusa.

Sarà così il mercato padano, in forte ascesa economica e con un raggio d'interessi che arriva alle regioni dell'Europa centrale e occidentale transalpina, ad assicurare per tutto il v secolo (e per una parte del iv) ricchezza e sviluppo alle città dell'Etruria settentrionale la cui fioritura viene così a coincidere con la decadenza delle gloriose consorelle meridionali. La crisi di queste precipita nella seconda metà dello stesso secolo v investendo ormai anche gli aspetti culturali e artistici e provocando un'involuzione e un generale ripiegamento che diventa in breve autentica stasi. Forse la sola Tarquinia è ancora capace di una qualche reazione: la partecipazione di alcune sue navi alla sfortunata spedizione ateniese contro Siracusa, nel 413 a.C., può essere indizio di tentativi di rientrare nel gioco di una certa politica internazionale e di riprendere in qualche modo l'iniziativa, sia pure al seguito di Atene, nei confronti del mondo coloniale greco.

Intanto, mentre continuano le piccole rivalità «cantonali» e le lotte intestine, s'annuncia la nuova gravissima minaccia dell'incipiente espansionismo romano contro il quale si trova già impegnata Veio, la più meridionale delle città etrusche, mentre Cere ha addirittura stretto con la città del Tevere rapporti e patti di buon vicinato. L'esasperato particolarismo e la tradizionale frammentarietà e occasionalità delle visioni e degli interventi impediscono agli Etruschi di riconoscere la serietà e l'effettiva portata del comune pericolo e, quindi, di concepire un disegno organico di resistenza e magari di prevenzione e di contrattacco. Così, quando Roma decide di portare a fondo la guerra contro Veio, questa non soltanto non riceve alcun aiuto dalle città sorelle ma, di fatto, è da esse condannata alla fine che giungerà all'inizio del secolo iv. Infatti nel 396 a.C., dopo un lungo assedio, la città viene conquistata e distrutta e il suo territorio incorporato in quello di Roma. Veio è la prima delle grandi protagoniste della storia etrusca a uscire violentemente di scena. La sua fine segna l'inizio della fine dell'Etruria.

II. Una civiltà «urbana»

Gli Etruschi sono concordemente ricordati e celebrati dagli antichi come «costruttori di città» e non poche testimonianze, specialmente di parte romana, ci documentano della diffusa convinzione che essi fossero stati non soltanto i primi a introdurre in Italia il modello della struttura urbana ma anche a codificarne le caratteristiche e a dettarne le norme. E ciò soprattutto in relazione ai riti e ai procedimenti della «fondazione», al punto che il requisito migliore che una città poteva vantare per garantire la sua legittimità era quello di essere stata creata secondo il «modo etrusco» (*etrusco ritu*).

Gli antichi ci parlano di speciali testi (*libri rituales*) nei quali era stata raccolta la «dottrina» sulle città e dove erano esposti, tra l'altro, secondo un riassunto di Festo «il rito che viene seguito nella fondazione delle città, i modi con cui si consacrano altari e templi, l'inviolabilità che viene attribuita alle mura urbane, il significato legale che hanno le porte urbane, in quale modo si ordinano le tribù, le centurie e le curie, come si formano e si organizzano gli eserciti...».

In realtà, sebbene non ci sia ragione di dubitare che certi concetti (quali quelli dell'«inaugurazione» e della «limitazione») legati alla sfera più propriamente sacrale fossero genuinamente etruschi, è da dire che gran parte della «dottrina» attribuita agli Etruschi sulle città appare come prodotto di una tarda elaborazione teorica, una sorta di ricostruzione retrospettiva che dipende dall'idea della «fondazione», di derivazione coloniale greca, e che, in ogni caso, presuppone l'esperienza urbana e non la prevede e pianifica.

D'altro canto si deve riconoscere che, di fronte al lungo perdurare presso tutte le altre popolazioni italiche della pratica «tribale» della dispersione in distretti rurali di villaggi (e di altri piccoli centri funzionalmente autonomi come rocche fortificate, santuari, mercati), gli Etruschi furono tra i primi a concentrarsi in organismi urbani e, come è stato detto, a risolvere in termini di città la propria convivenza. Resta comunque certo che quello della città – e, con esso, la civiltà che ne deriva (cioè la «civiltà urbana») – è uno degli aspetti primari e caratterizzanti del mondo etrusco, tale da giustificare, per certi versi, l'idea che se ne fecero gli antichi di una concezione originaria e originale e, al tempo stesso, da dar credito all'ipotesi di quegli studiosi moderni che alla sua realizzazione sia da riconnettere la stessa definizione storica del popolo etrusco il quale potrebbe pertanto aver conseguito insieme la sua fisionomia di nazione e la sua struttura urbana.

C'è da aggiungere – e da sottolineare – che la nozione di città che presiede alla civiltà urbana degli Etruschi deve essere intesa non tanto nel senso materiale e «fisico» e nemmeno solo in quello di una comunità ritualmente fondata, regolata da leggi, dotata di uno specifico patrimonio di usi e costumi, quanto soprattutto nel senso «politico» che della città fa il centro del potere in cui si compendiano e trovano espressione, concentrate e organizzate, le strutture di governo, quelle del culto e quelle dell'economia e della produzione anche nel campo spirituale e artistico. In questo senso il fenomeno della città si presenta come un processo di concentrazione – di persone, di funzioni, di attività – che riguarda, caso per caso, un determinato territorio e che a questo e alla dispersione che esso rappresenta, come fenomeno opposto, si contrappone. Esso ha la sua lontana origine nel «sinecismo villanoviano» e cioè nella già ricordata unificazione protostorica delle pluralità di piccoli villaggi sorti nell'ambito di una medesima località (sia che ciò si realizzi per aggregazione spontanea dei diversi nuclei o per la predominante espansione di uno di essi). Non a caso, secondo quanto fanno osservare alcuni studiosi, molte di quelle che saranno le più illustri città dell'Etruria avranno, almeno nella versione latina a noi nota, una denominazione al plurale (*Veii, Tarquinii, Volcii, Volsinii, Volaterrae, Rusellae, Faesulae* ecc).

Lo sviluppo del sinecismo dovette attuarsi per esigenze di organizzazione socio-economica, interne a ciascun territorio, piuttosto (o prima ancora) che per suggestioni esterne quali quelle derivanti dall'esempio delle città coloniali greche fondate, in sostanziale sincronismo, sulle coste dell'Italia meridionale e in Sicilia. A queste si dovrà riconoscere un ruolo di incentivazione e di accelerazione attraverso il «modello» concreto che potevano fornire, soprattutto a livello «morfologico», di come la struttura urbana permettesse di assolvere a funzioni politiche ed economiche anche di dimensioni «internazionali» e in situazioni di competitività. Mentre dell'iniziale impulso autonomo sarebbe dimostrazione proprio quel carattere di concentrazione rispetto a un dato territorio che è fenomeno diverso dall'espansione verso il territorio delle città greche e che continua a lungo arrivando fino all'assorbimento nell'organismo urbano, in via di completamento, di «comunità» indipendenti e relativamente lontane.

Iniziatosi tra il IX e l'VIII secolo a.C. per opera di quella classe emergente che s'impadronisce delle leve dell'economia e quindi del potere politico divenendo classe dirigente, il processo di urbanizzazione è in pieno sviluppo nel corso del secolo VII. E se in alcuni casi esso sembra arrestarsi a una fase «protourbana», oscil-

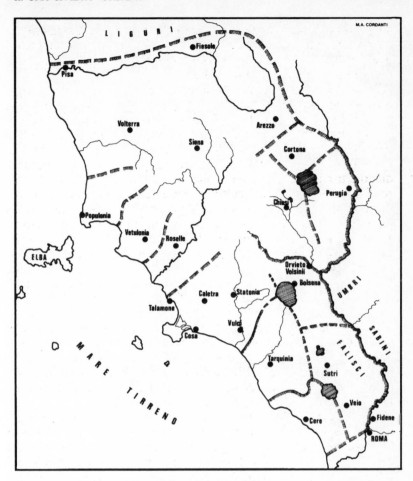

Territori e confini approssimativi delle città-stato etrusche.

lante tra le primitive forme di associazione articolata e le nuove suggestioni unitarie, in molti casi e principalmente nell'Etruria meridionale esso arriva rapidamente a compimento con una densa fioritura di centri maggiori e minori, ciascuno dotato di una propria individualità.

Nella seconda metà dello stesso secolo, sugli ampi pianori tufacei di Veio, Cere, Tarquinia ormai consacrati all'«abitare in comune», fors'anche con accorgimenti rituali di carattere sacrale, le città sono divenute il punto di riferimento, di coagulo e di partenza per ogni tipo di attività, politiche e religiose, artigianali e commerciali. Esse sono aperte ai traffici col mondo esterno e soprattutto ai commercianti greci attraverso scali marittimi e insediamenti portuali che non cessano di crescere d'importanza e di vitalità.

Nel corso del secolo VI il processo si perfeziona giungendo alle sue estreme conseguenze: a spese dei centri minori si passa infatti alla formazione di veri e propri sistemi, ognuno dei quali fa capo a una città accentratrice – autentica «metropoli» – dominante su un ampio territorio parzialmente (e più o meno pacificamente) abbandonato dalla popolazione che viene accolta all'interno della città egemone la quale si adopera a smantellare tutte le strutture «decentrate» e non esita a compiere distruzioni violente dei centri secondari (soprattutto se ancora organizzati secondo gli schemi «feudali» delle comunità gentilizie) trasferendone a forza gli abitanti entro i propri confini urbani.

È in questo momento che la grande città, identificandosi nel «sistema» da essa stessa creato, si configura – sull'esempio della *polis* greca – come città-stato, assumendo dal modello greco l'apparato delle sovrastrutture politiche ed economiche e persino le forme di governo (come quella, tipica, della «signoria» – o «tirannia» – direttamente connessa con l'emergere di una nuova classe sociale di imprenditori e di mercanti che dell'organizzazione urbana si giovano per le loro prospere attività).

Centro direzionale e roccaforte militare, sede dell'autorità pubblica e dei culti dello Stato, la città è il luogo di residenza riservato ai cittadini mentre gli stranieri, specialmente mercanti, sono al di fuori di essa in aree extraurbane appositamente concesse, soprattutto in vicinanza degli scali portuali, dove si esercita nei loro confronti (e nei confronti delle loro merci) un facile controllo fiscale attraverso l'imposizione di tasse portuali e dazi doganali. Particolare cura viene rivolta all'organizzazione delle attività commerciali inquadrate nella vita pubblica e regolate da norme emanate dall'autorità politica la quale provvede con il «sigillo» dello Stato a garantire i pesi e le misure e i «pezzi» di metallo (solitamente bronzo) usati, con funzione premonetale, come mezzi di pagamento e di scambio.

L'affermazione delle città-stato – i cui limiti territoriali sono difficilmente precisabili dovendosi anche tener conto delle inevitabili variazioni nel tempo conseguenti alle rivalità e alle contese «interne» – consacra definitivamente il particolarismo e la frantumazione politica dell'Etruria appena temperata dai vincoli confederali della Lega e dai tentativi egemonici delle singole città, volta a volta più potenti, che si limitano alla ricerca di una supremazia nell'ambito della Lega stessa. Se a ciò si aggiunge la mancata capacità di aggiornamento delle strutture sociali derivante dal conservatorismo delle classi dirigenti, si può comprendere come nel momento stesso in cui raggiungono autonomamente il loro apogeo le città etrusche siano avviate all'inesorabile decadenza cui le condanneranno i grandi eventi della politica internazionale.

È proprio in conseguenza di questi eventi (riscossa latina e perdita del Lazio, sconfitta di Cuma e distacco dalla Campania, pressione cartaginese, scorrerie siracusane e blocco del Tirreno) che fin dagli inizi del secolo v a.C. l'organizzazione dei grandi centri urbani entra in crisi. S'è già visto come questa riguardi le città costiere meridionali mentre le città dell'interno, centrali e settentrionali, apertesi verso i mercati dell'Italia padana e i traffici ateniesi dell'Adriatico raggiungono ora la loro fase di grande prosperità.

Si deve dire ora che il declino delle città meridionali subisce una pausa d'arresto nel corso del secolo iv con un processo per certi versi opposto a quello che aveva portato alla fioritura del periodo arcaico e che, in conseguenza del ripiegamento verso le attività agricole e lo sfruttamento delle campagne, si compie con una sorta di ristrutturazione del territorio attraverso un nuovo popolamento di antichissimi insediamenti e la ricostruzione di sedi già abbandonate. La ripresa sarà però effimera, arrestata e troncata dalla progressiva conquista romana, dalla grave crisi dell'agricoltura e dalle fortissime tensioni sociali che con le cosiddette «rivolte servili» coinvolgeranno anche le città settentrionali nelle quali, tuttavia, maggiormente e più a lungo sopravvive l'esperienza urbana degli Etruschi. La quale finirà per concludersi, nel corso del secolo i a.C., in quella della nuova realtà «municipale» dell'Italia romana.

La tradizione storiografica degli antichi ci ha tramandato per l'Etruria il ricordo di una formazione di dodici città corrispondenti ad altrettante entità statali (*duodecim populi*) ma, in assenza di elenchi e cataloghi precisi (e anche per effetto della consueta visione retrospettiva e in parte arbitraria delle fonti piuttosto tarde e influenzate dalla ristrutturazione d'età romana), sussiste qualche difficoltà nelle nostre ricostruzioni. Si può affermare tuttavia che della «dodecapoli» vera e propria dovevano certamente far parte le metropoli dell'Etruria meridionale e marittima: Veio, Cere, Tarquinia, Vulci, Roselle, Vetulonia e Populonia e le grandi città dell'Etruria interna e centro-settentrionale: Volsini, Chiusi, Perugia, Arezzo, Volterra. A queste dovettero aggiungersi (e forse sostituirsi a quelle precocemente scomparse come Veio o in più rapido declino) centri in un primo tempo considerati minori e relativamente più recenti, come Cortona e Fiesole. In età romana poi, dopo la «restaurazione» augustea, le città principali divennero ufficialmente quindici (*quindecim populi*) con l'aggregazione di centri che all'epoca dell'indipendenza non avevano molta rilevanza o addirittura non esistevano o, comunque, erano fuori dai confini storici dell'Etruria (come nel caso di Pisa).

Alla dodecapoli dell'Etruria propria, venivano poi solitamente affiancate altre due analoghe formazioni, anch'esse di dodici città ognuna, situate nelle due aree di espansione in Campania e nella Valle Padana. Per queste, tuttavia, non è possibile ricostruire elenchi ma solo indicare dei nomi, talvolta malamente noti soltanto dalle fonti letterarie, talaltra presi in prestito dai centri moderni presso i quali sono stati scoperti i resti degli insediamenti antichi.

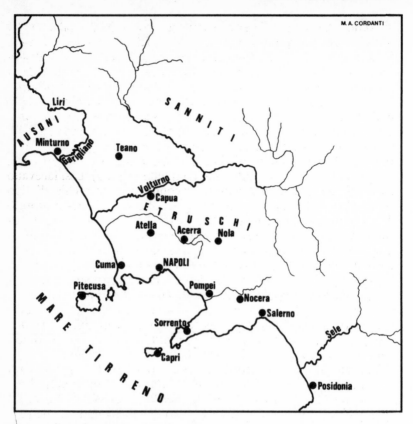

L'area dell'espansione etrusca in Campania.

Per le città della «dodecapoli campana» si possono così indicare, accanto a Capua (l'odierna Santa Maria Capua Vetere, in etrusco latinizzato *Volturnum*) che certamente era la principale, Nola, Acerra, Nocera (forse anche Suessula, Ercolano, Pompei, Sorrento) e l'anonimo ma importante centro di Pontecagnano, presso Salerno, per il quale è stata proposta l'identificazione con la città di *Markina* citata dalle fonti. Di centri come *Irnthi* (forse da ricollegare al fiume Irno nel Salernitano), *Velsu, Urina, Velcha* non conosciamo che i nomi che compaiono su alcune monete.

Per le città della «dodecapoli padana», si possono menzionare con certezza Felsina (Bologna), che era la più importante, Spina, alle foci del Po presso Comacchio (della quale, peraltro, le fonti parlano anche come di una città greca oppure veneta), la città purtroppo anonima presso l'attuale Marzabotto (per la quale è stato da alcuni proposto un ipotetico nome *Mysa* dedotto da quello di Pian di Misano dove ne rimangono i cospicui avanzi) e quindi il centro, pure anonimo, recentemente scoperto presso Casalecchio di Reno. Poi, con maggiore o minore probabilità, e talvolta del tutto ipoteticamente, Ravenna e Cesena, Rimini, Modena, Parma, Piacenza, Mantova e, infine, una non meglio identificata *Melpum*, citata dalle fonti, che sarebbe da localizzare nella zona di Milano (la *Mediolanum* gallica e romana). Tornando all'Etruria propria, c'è naturalmente tutta una serie di centri minori ricordati dalle fonti (come ad esempio quelli tuttora sconosciuti di *Cortuosa* e *Contenebra* nel territorio tarquiniese) o piuttosto testimoniati dalle sopravvivenze archeologiche e riscoperti dalle indagini moderne e per i quali conosciamo talvolta il nome romano (peraltro quasi sempre derivante verosimilmente da quello etrusco). Essi facevano parte di un tessuto organizzato secondo una gerarchia di tipo «clientelare» che legava i piccoli centri alle grandi città e proprio d'una economia fondamentalmente agricola. Ma sono presenti anche i centri portuali al servizio delle metropoli e quelli di traffico lungo le vie naturali di comunicazione delle valli fluviali e i centri destinati allo sfruttamento delle risorse minerarie. Molti traevano le loro origini dal popolamento dell'età del ferro ed erano sopravvissuti alla concentrazione urbana del vii e vi secolo, inseriti e integrati nel territorio organizzato dalle città-stato; molti furono precocemente abbandonati e poi, almeno in parte, ripopolati e rifioriti dopo la grande crisi del secolo v, molti infine furono creati nell'età più recente ormai alle soglie della romanizzazione.

Tra i tanti si possono ricordare i centri portuali delle grandi città meridionali, in particolare quelli di Cere: *Alsium* (Palo), *Pyrgi* (Santa Severa), *Punicum* (Santa Marinella) e quello di Tarquinia (poi colonia romana di *Graviscae*). Poi i numerosi centri dell'entroterra ceretano e tarquiniese e in primo luogo quelli delle necropoli rupestri del Viterbese come San Giuliano, Blera, Norchia (*Orcla*), Castel d'Asso (*Axia*) e quindi Tuscania (*Tuscana*), Civita Musarna, la stessa Viterbo (forse *Surrina*), Ferento (o, più esattamente, il centro di recente scoperto sull'altura di Acquarossa di fronte alla *Ferentum* d'età romana), quelli della valle del Mignone, come Luni e San Giovenale, e del Braccianese, come Monterano (*Manturanum*); e, ancora, quelli posti ai confini col territorio falisco-capenate come Nepi (*Nepet*) e Sutri (*Sutrium* da etrusco *Suthri-*), definiti «porte» dell'Etruria. Quindi i centri della valle del Tevere, come Bomarzo (*Polimartium*) e Orte (*Horta*) e quelli dell'entroterra vulcente, lungo il corso del Fiora e presso il lago di Bolsena, come Castro, Poggio Buco (forse *Statonia*), Sovana (*Suana*), Pitigliano, Bisenzio (*Visentium*) e nella valle dell'Albegna, come Marsiliana (per alcuni *Caletra*), Magliano (*Heba*), Scansano e sulla costa verso l'Argentario come Orbetello, e fino a Talamone (*Telamon, Tlamu*). Più a nord, Cecina e Vada porto di Volterra.

Un notevole addensamento di piccoli centri è testimoniato da numerose necropoli nel territorio di Chiusi, tra gli altri a Dolciano, Sarteano, Chianciano, Città della Pieve, Montepulciano. Così nel

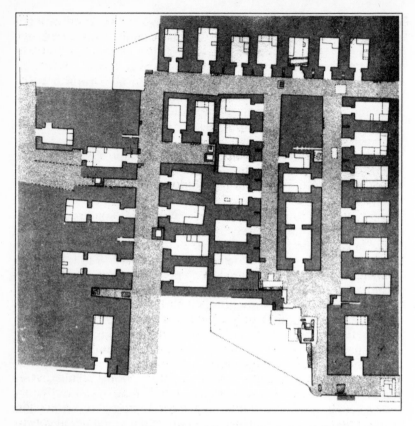

Orvieto (Volsini): planimetria di un settore della necropoli a isolati regolari di tombe a camera costruite, in località «Crocefisso del tufo».

territorio di quella che sarà la romana *Sena* (Siena, probabilmente essa stessa erede d'un piccolo centro etrusco), nelle valli del Chianti e dell'Elsa, ad Asciano, Castellina in Chianti, Casale Marittimo, Casaglia.

Possiamo concludere con il centro di Pieve a Sòcana a nord di Arezzo e con quelli della media valle dell'Arno ad ovest di Fiesole e nella zona dove sorgerà la romana *Florentia* (Firenze), come Quinto Fiorentino, Comeana e Artimino.

Purtroppo, la città etrusca ci è ancora quasi del tutto sconosciuta dal punto di vista urbanistico e del «paesaggio urbano». Basterebbe pensare che, a rigor di termini, non sappiamo nemmeno se avesse una «piazza» paragonabile nel suo aspetto e nelle sue funzioni all'agorà delle città greche o al foro delle città romane e che non conosciamo alcun edificio di carattere sicuramente pubblico.

Gli scavi concentrati, soprattutto in passato, nelle necropoli e nelle zone sacre hanno toccato solo marginalmente e in maniera del tutto superficiale le aree urbane vere e proprie anche laddove (come a Veio, a Cere, a Tarquinia, a Vulci) queste sono rimaste abbandonate e si presentano ora libere alla ricerca. Soltanto in questi ultimi tempi si è cominciato a fare qualcosa (a Vulci, a Roselle) ma i livelli e i resti di costruzioni finora riportati alla luce appartengono quasi esclusivamente alla fase d'età romana della vita di quelle città e non sembra che su di essi ci si possa basare per «ricostruire» urbanisticamente le fasi precedenti, del periodo «etrusco», almeno stando all'esempio di Roselle dove i saggi di scavo spinti in profondità fino agli strati del VII-VI secolo a.C. hanno rivelato assetti diversi per il periodo etrusco e per quello romano.

Nonostante questa situazione sostanzialmente negativa delle nostre conoscenze e a prescindere dalle poche notazioni particolari, è possibile esporre anche delle considerazioni di carattere generale. Innanzi tutto c'è da dire che, risalendo le loro origini agli insediamenti del periodo «villanoviano» ed essendo poi rimaste condizionate al luogo prescelto in quel periodo (non sempre adatto allo sviluppo di forme regolari e preordinate), le città etrusche non furono dal punto di vista urbanistico il risultato di interventi programmati e di pianificazioni globali. Nate «per aggregazione» di nuclei preesistenti, esse crebbero e si svilupparono per «ampliamento spontaneo» pur raggiungendo – come scrive G.A. Mansuelli – una relativa omogeneità di risultati. Il che non esclude, ovviamente, la possibilità di interventi aggiuntivi o perfino correttivi, sia pure parziali, ma anche di interi «quartieri», programmati secondo precisi criteri. E ciò specialmente a partire dal VI secolo, in concomitanza con la diffusione dal mondo greco delle dottrine urbanistiche «ippodamee». Ne potrebbero essere prezioso indizio certi settori di necropoli (a Orvieto-Volsini e a Cere), databili tra gli ultimi decenni del secolo VI e i primi del V a.C., costruiti e ordinati secondo una planimetria ortogonale verosimilmente riflettente nelle «città dei morti» innovazioni urbanistiche realizzate nelle città dei vivi.

È però da considerare che, almeno a livello di centri minori, la topografia urbana di tipo spontaneo dovette rimanere preminente ancora fino alla fine dello stesso secolo VI, come dimostra il caso del centro di Acquarossa, presso Viterbo, caratterizzato da raggruppamenti di edifici disposti spesso attorno a uno spazio aperto di forma irregolare e costituenti diversi nuclei relativamente distanti e, comunque, tra loro separati, anche se collegati e coordinati in un sistema unitario di tipo urbano.

Quanto si è detto fin qui costituisce certamente la norma – e riguarda in ogni caso tutte le grandi città – ma non manca l'eccezione la quale è rappresentata dalla città di Marzabotto: l'unico caso conosciuto di una città etrusca nata (forse su un precedente picco-

lo agglomerato) con una planimetria regolare evidentemente programmata. Si tratta però di un caso tutto particolare e a sé stante
riconducibile al carattere «coloniale» della città creata con scopi
precisi (artigianali e commerciali) in un determinato momento
storico in una zona di popolamento sparso.

L'impianto urbano di Marzabotto, databile all'inizio del v secolo
a.C., è nondimeno assai interessante anche per la possibilità di in-
travvedervi riflessa un'interpretazione etrusca delle esperienze urbanistiche greche. Le quali non sarebbero state applicate come in
un calco ma adattate dai pianificatori alla luce di particolari esigenze d'ordine pratico e, insieme, ritualistico: una sorta di com-
promesso tra quella dottrina etrusca di cui parlano le fonti (e della
quale s'è già accennato) prescrivente uno schema planimetrico
fondato su due assi stradali incrociati e i canoni greci che portava-
no a una pluralità di assi. Ne sarebbero prova, tra l'altro, i cippi
rinvenuti accuratamente interrati al di sotto del piano stradale degli incroci viari e il fatto che uno di essi, recante esso solo le indicazioni relative all'orientamento, testimonia la «centralità» dell'incrocio cui corrisponde: il punto in cui si dovette «fare stazione»
per la delimitazione di tutti gli altri assi. Sicché, come scrive il
Mansuelli, il principio rituale tipicamente etrusco della «limitazione» si sarebbe «combinato con l'esigenza pratica di assicurare al-
l'interno molteplici assi di scorrimento anche in rapporto ai criteri
distributivi degli impianti pubblici e privati, residenziali e produttivi, che a Marzabotto appaiono previsionalmente considerati».

Passando a quello che concerne il «paesaggio urbano» delle città
etrusche, si può dire che ci si trova di fronte a una vera e propria
incognita. Gli unici esempi di strade tra edifici conservati in elevato sono infatti quelli delle necropoli che, proprio nei casi sopra
ricordati di Cere e di Volsini, allineano file di tombe costruite,
affiancate le une alle altre in «isolati» regolari e rigidamente rettilinei. Sulla base di questa testimonianza (se è valida, come tutto
lascia credere, l'immagine che se ne può ricavare a scala ridotta, di
un quartiere urbano) e sulla scorta dei resti degli edifici reali trovati a Marzabotto, appare lecito pensare a un paesaggio urbano
dominato da un prevalente orizzontalismo, con costruzioni molto
basse, sviluppate piuttosto in estensione che in altezza, affiancate
e adiacenti a formare grandi isolati affacciati sulle strade con pro-
spetti rettilinei e continui. Tale caratteristica sembra confermata
dalle notizie delle fonti letterarie che, sia pure a proposito del
tempio etrusco, parlano di un'architettura (che peraltro difficilmente raggiunge aspetti di autentica monumentalità) in cui le dimensioni della pianta sembrano prevalere su quelle dell'alzato.

In armonia con tale peculiare tendenza si colloca anche la tipologia della casa. Questa fu infatti caratterizzata dallo sviluppo orizzontale di genuina tradizione mediterranea rimasto sostanzialmente inalterato da quando, dalla capanna rettangolare (anche suddi-

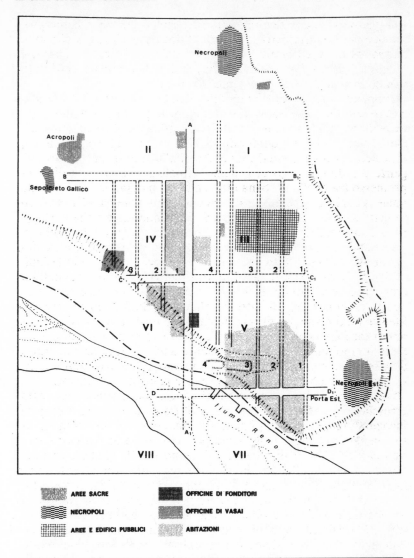

Marzabotto: planimetria generale della città etrusca con la distribuzione dei diversi impianti.

visa in due o più ambienti nel senso della profondità e a sua volta derivata dall'antichissima capanna preistorica, circolare o ellittica) si passò, già sul finire del secolo VII a.C., a un tipo di casa «larga», caratterizzato da due o tre ambienti affiancati ed eventualmente preceduti da una sorta di vestibolo o da una «corte» scoperta disposta in senso trasversale. Non è senza significato che tale schema (ora egregiamente documentato dalle case di Acquarossa

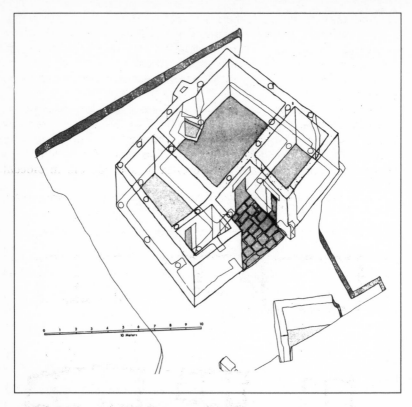

Ricostruzione assonometrica di una casa dell'abitato arcaico di Acquarossa presso Viterbo.

per un periodo che va dalla fine del secolo vii alla fine del vi) sia fedelmente ripetuto, press'a poco nello stesso periodo, nella planimetria delle tombe ipogee (ad esempio nel territorio di Cere) dove il corridoio d'accesso conduce a un grande ambiente al di là del quale, e in senso ad esso perpendicolare, si dispongono affiancate le due o tre celle funerarie vere e proprie.

Dal perfezionamento e dall'arricchimento di questo schema si può pensare sia derivato quel tipo di casa «italica» detta ad atrio (che noi conosciamo nei suoi esempi perfettamente definiti nelle case «sannitiche» della Pompei del iv e iii secolo a.C.) la cui «invenzione» era dagli antichi concordemente attribuita agli Etruschi. Un «momento» importante di questo tipo sviluppato di abitazione possiamo forse riconoscerlo nelle case di Marzabotto databili al v secolo. Esso risulta contraddistinto dalla presenza, in successione su un unico asse longitudinale, di un lungo corridoio di penetrazione dalla strada, di un vano o «corte» centrale di servizio e di smistamento, talvolta provvisto di pozzo e dotato di un grande ambiente sul fondo, e di vari altri ambienti disposti secondo un certo ordine simmetrico e paratattico ai lati dell'asse longitudinale. E anche questo schema – che ritroviamo a Roselle nelle case d'età ellenistica organizzate attorno a cortili che sono porticati negli esempi più signorili – trova puntuali riscontri nella tipologia delle grandi tombe «gentilizie» a più camere disposte attorno a un vano centrale.

Quanto alla tecnica costruttiva, i resti a nostra disposizione (a Roselle, Acquarossa, Pyrgi, Marzabotto, Casalecchio) ci documentano l'uso, forse dapprima esclusivo, di mattoni o grossi pani di argilla crudi ed essiccati al sole disposti in filari entro intelaiature lignee, poi combinato con la presenza di uno zoccolo in blocchi

Esempi di planimetrie di case etrusche del periodo arcaico: A *Luni sul Mignone,* B *San Giovenale,* C-D *Veio,* E-K *Acquarossa.*

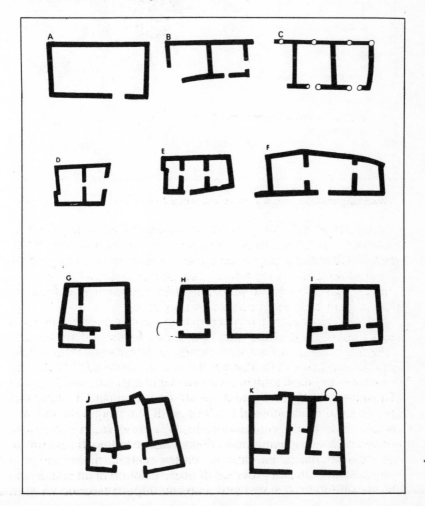

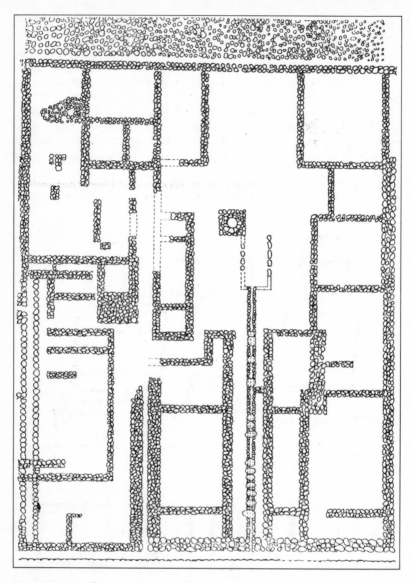

Marzabotto: planimetria di una casa d'abitazione.

di pietra squadrati o in grossi ciottoli sul quale poggiava lo spiccato dei muri; oppure l'impiego della tecnica del «piccolo apparato» formato di pietre minute rinchiuse fra telai di legno e rivestite
all'esterno da una intonacatura d'argilla. Per le coperture, dopo
le più antiche, di tipo stramineo con rami e paglia rivestiti d'argilla, a partire dalla fine del secolo VII a.C., ci sono testimoniate
quelle a due spioventi, di tegole piane e coprigiunti cilindrici, ac-

canto alle quali è lecito pensare a coperture piane del tipo a terrazza.

Volendo passare dall'edilizia privata a quella pubblica, il discorso diventa quanto mai problematico. A tutt'oggi, purtroppo, di edifici pubblici, a carattere civile, a parte qualche indizio di impianti per spettacoli (peraltro di tipo eccezionale e del tutto precario) e se si escludono quelle «opere pubbliche» che sono le mura urbane, non sappiamo praticamente nulla. Al punto che alcuni studiosi sono stati indotti a prospettare (forse troppo drasticamente) la possibilità di una loro assenza nelle città etrusche e a ritenere questa il

Esempi di planimetrie di tombe ipogee a più camere nella necropoli di Cerveteri paragonabili a quelle dell'architettura domestica: (1 Tomba della capanna, 2 Tomba I del tumulo 1, 3 Tomba della cornice, 4 Tomba dei capitelli).

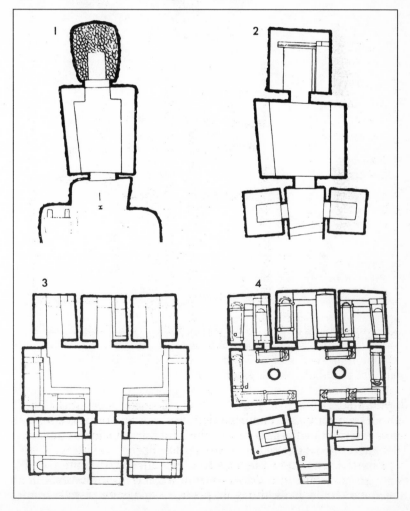

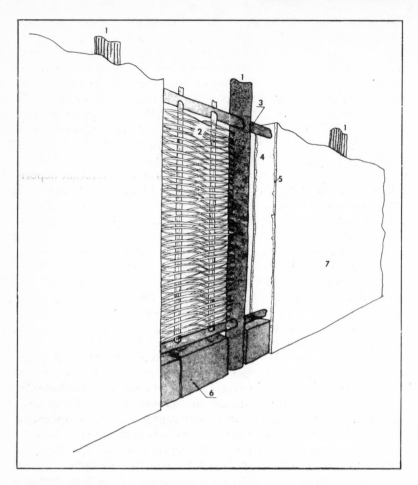

Schema ricostruttivo di un muro «a graticcio» delle case di Acquarossa presso Viterbo: 1 pali maestri, 2 intreccio di canne, 3 travi lignee orizzontali, 4 rivestimento di argilla, 5 intonaco di argilla diluita, 6 fondazioni in blocchi di tufo, 7 superficie del muro intonacata e, forse, dipinta.

riflesso nelle strutture urbanistiche della struttura stessa della società la quale, essendo per sua natura aristocratica e chiusa, potrebbe non aver avuto bisogno di spazi e di impianti o edifici per attività pubbliche come assemblee e adunanze di cittadini.

Resta il fatto che il solo edificio «pubblico» che conosciamo è quello di destinazione religiosa, ossia il tempio, che, al di là della modesta e semplice tipologia domestica e di quella funeraria, sembra essere stato l'unico (o di gran lunga il principale) elemento architettonico suscettibile di un certo impegno.

A parte i templi più antichi (che s'identificano, in pratica, con la casa rettangolare a un solo ambiente e con tetto a spioventi, in un secondo tempo arricchito di un portico a due colonne sulla fronte) e quelli che seguono più da vicino lo schema e i modelli del mondo greco, l'edificio templare etrusco, derivato anch'esso dal tipo planimetrico della casa a tre ambienti affiancati, si definisce nel corso del secolo VI a.C. con un suo aspetto «canonico» rimasto a lungo e praticamente per sempre inalterato. Esso appare caratterizzato da una pianta quasi quadrata, una metà della quale è occupata dalla cella tripartita (o con un ambiente centrale fiancheggiato da due «ali» o ambulacri), l'altra metà da un vestibolo o «pronao» con colonne piuttosto distanziate tra loro e generalmente comprese tra i prolungamenti dei muri laterali della cella.

Tutto l'edificio (il cui elevato era costruito con materiali deperibili come mattoni crudi e legno mentre le fondazioni avevano una struttura lapidea) era coperto da un grande tetto di tegole a doppio spiovente, assai ampio, basso e pesante, molto sporgente sui muri perimetrali e sulla facciata dove terminava dando luogo a un frontone triangolare aperto e munito all'interno, in corrispondenza del pronao, di un piccolo tetto inclinato sul davanti. L'edificio era completato – ma non sempre, a quanto pare – da un podio in muratura che, sostanzialmente disgiunto dal tempio vero e proprio, aveva l'esclusiva funzione di reggere la costruzione ed elevarla isolandola al contempo dall'umidità.

Al tetto e in modo particolare alla sua intelaiatura lignea era legato un complesso di rivestimenti protettivi in terracotta che, organizzato in un elaborato e complicato sistema, aggiungeva alla sua funzione originaria e primaria un esplicito intento ornamentale. Ogni elemento era infatti dotato di una decorazione di tipo geometrico, floreale o figurato anche con gruppi e scene complesse, a tutto tondo o in rilievo, arricchita di un'accesa policromia. La produzione era fatta in serie con largo impiego di matrici o stampi e con l'occasionale intervento di completamenti o ritocchi a mano.

Di un tale apparato protettivo-ornamentale – che era già presente nei templi più antichi, almeno a partire dallo scorcio del secolo VII a.C. e che, certamente in epoca arcaica, appare esteso anche ad edifici privati di una certa importanza – facevano parte: innanzi tutto le lastre di copertura (in latino *antepagmenta*) dei travi longitudinali esterni e di quelli formanti il triangolo frontonale; le lastre (o *simae*) a doppia sezione, verticale e orizzontale ad angolo retto, poggiate al di sopra dei travi rampanti del frontone a formare una sorta di cornice in aggetto; le lastre poste alle testate dei travi maestri longitudinali che sostenevano il tetto e sporgevano vistosamente all'interno della gabbia frontonale. C'erano poi le «antefisse», collocate sull'orlo del tetto all'estremità di ogni filare di tegole curve e che dal semplice diaframma con una palmetta dipinta arrivavano fino alle teste, soprattutto di menadi e satiri, libere oppure circondate da un grande nimbo baccellato a conchiglia e alle figure intere anche in gruppo; infine, gli «acroteri»,

Tarquinia: pianta del tempio detto «Ara della Regina».

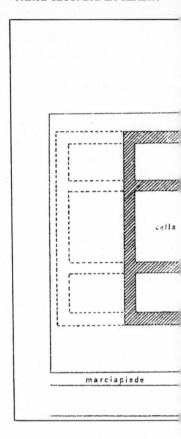

grandi elementi figurati a rilievo traforato con motivi vegetali oppure a tutto tondo (fino a vere e proprie statue) con figure singole o in gruppo, collocati ai vertici del triangolo frontonale e anche sulla fronte degli spioventi e lungo la linea di colmo del tetto.

Per quel che concerne eventuali e possibili implicazioni di carattere urbanistico e ambientale dell'architettura templare, si deve rilevare che non è stato fino ad ora possibile inquadrare alcun tempio noto in un preciso contesto urbano. Si è invece potuta constatare l'esistenza di vere e proprie «aree sacre» (a Veio, a Pyrgi, a Marzabotto) espressamente delimitate e recintate, raggruppanti una pluralità di edifici con destinazione religiosa e l'ubicazione di tali aree o, comunque, dei grandi complessi templari in zone periferiche o suburbane.

Purtroppo, salvo che nel caso, eccezionale come s'è detto perché di tipo «coloniale», di Marzabotto dove, nel «piano regolatore» della città si notano differenziazioni di aree specializzate già previste in funzione del lavoro e delle attività artigianali (officine di

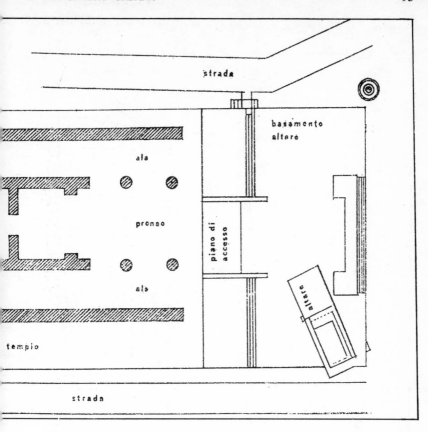

vasai e di fonditori), non è possibile cogliere riflessi di tipo urbanistico degli aspetti della produttività economica e anche artistica (essendo ancora poco chiaro quello del rapporto tra città e campagna, ad esempio per quel che riguarda l'agricoltura e lo sfruttamento delle risorse minerarie). È questa un'ulteriore limitazione alle nostre conoscenze della città etrusca, soprattutto se si considera l'importanza di questi aspetti pur così tipicamente urbani e tali, come s'è accennato, da poter essere inseriti tra le motivazioni della maturazione degli Etruschi alla «scoperta» della città come struttura capace di assolvere a ruoli economici di livello anche internazionale.

Da questo punto di vista giova ripetere e precisare che, soprattutto nella sua configurazione di città-stato, la città non è altro che il punto d'arrivo di un processo che, dopo l'incontro col mondo coloniale greco e i suoi modelli culturali, passa dall'economia di sussistenza dei villaggi dell'età del ferro (in cui la produzione s'esauriva nel consumo interno della comunità) a un'economia di «super-

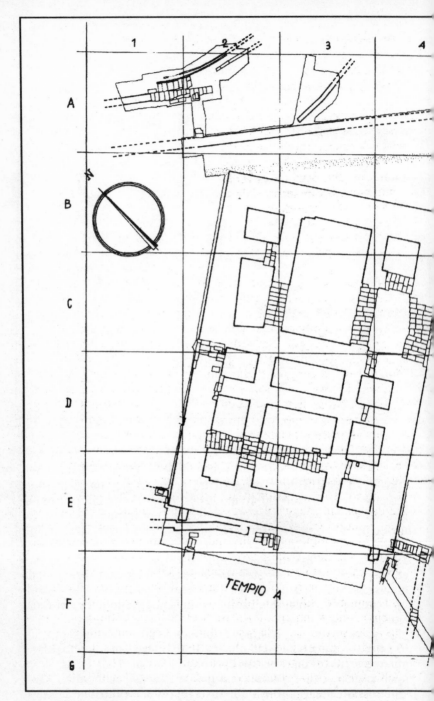

Pyrgi: A *planimetria generale del santuario (v. anche a p. 187).*

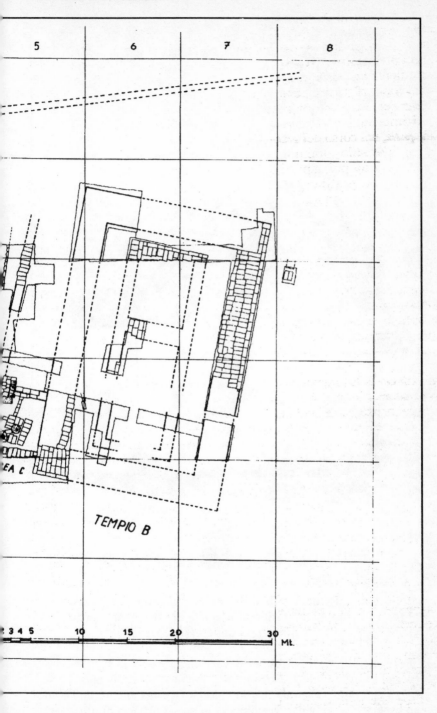

TEMPIO B

Ricostruzione grafica dell'apparato decorativo di una casa dell'abitato arcaico di Acquarossa presso Viterbo.

produzione», fondata sulla divisione del lavoro e le specializzazioni tra loro complementari, con la quale era necessario provvedere all'impiego e alla destinazione delle eccedenze.

Per concludere, si potrebbe rilevare che cosa abbia significato l'esperienza urbana degli Etruschi nell'ambito dell'Italia antica e se e fino a che punto essa abbia condizionato, prima ancora dell'analoga esperienza romana, lo sviluppo in senso urbano di altri popoli della Penisola. Il problema è però ancora tutto da affrontare. Ci limiteremo a ricordare che, a parte l'influsso verosimilmente esercitato sulla stessa Roma delle origini durante il periodo della monarchia dei Tarquini, l'estensione dei modelli urbani propriamente etruschi dovette avvenire certamente nei confronti dei territori umbri al di là del Tevere (per esempio a Todi e a Gubbio) e soprattutto oltre l'Appennino nella regione emiliano-romagnola dove, a partire dalla fine del secolo VI a.C. e sia pure con un consistente apporto greco nelle zone peraltro marginali di Spina, di Adria e probabilmente di Ravenna, ebbe luogo per intervento diretto degli Etruschi il primo autentico inurbamento della Pianura Padana.

III. Una società «bipolare»

L'impressione che si ricava dal complesso delle fonti a nostra disposizione è che la società etrusca fosse organizzata su un principio di rigida bipolarità e che a una ricca e potente classe aristocratica dominante si contrapponesse una popolazione «dipendente» costituita da una massa di clienti, di servi e di schiavi.

Gli scritti degli autori romani insistono nel parlare esclusivamente di *domini* e di *servi* in modo tale da far apparire del tutto inesistente una «classe» intermedia che potesse colmare l'abisso intercorrente tra le altre due. Essi tuttavia sono tutti piuttosto tardi e riflettono una situazione in cui i turbamenti sociali e le guerre «servili», ricorrenti nelle città dell'Etruria, potevano effettivamente dare credito a una netta separazione di classi. In realtà – pur dovendo riconoscere che l'assetto sociale etrusco fosse fondamentalmente caratterizzato in questo senso, sicché si potrebbe giustamente parlare di una società «aristocratica» – è da precisare che la situazione doveva poi, all'atto pratico, configurarsi in maniera forse più sfumata e comunque tale che piuttosto di un'organizzazione «bipolare» si dovrebbe parlare di un'organizzazione di tipo gerarchico o, meglio ancora, «clientelare». In tal senso, mentre i *domini* restano effettivamente «signori», i *servi* sono da intendere non già come schiavi (che erano altra cosa) ma come «subalterni», in condizione di «vassallaggio»: clienti (*clientes*) per l'appunto, cioè cittadini liberi ma legati ad altri più ricchi e potenti in un rapporto di dipendenza che non escludeva l'esistenza di gradi intermedi per cui il *servus* di un determinato *dominus* poteva essere a sua volta *dominus* di un altro *servus* di rango inferiore.

È certamente significativo e illuminante il fatto che le fonti antiche ci informino come i *servi* disponessero nelle città etrusche di case «private e comode» cui corrispondevano, secondo quanto ci documenta l'archeologia, tombe proprie intercalate nelle necropoli a quelle delle grandi famiglie gentilizie.

Il rapporto clientelare intercorrente fra capofamiglia e capofamiglia coinvolgeva, con l'individuo, l'intero nucleo familiare per cui alle relativamente poche famiglie «aristocratiche» faceva corona una quantità di famiglie clienti per le quali, secondo quanto s'è appena detto, si può concludere con H.H. Scullard, che «le più benestanti potevano ritenersi appartenenti ai *domini* e quelle meno ricche una sezione privilegiata della classe inferiore».

Sia che si trattasse di *domini* sia che si trattasse di *servi*, alla base della società etrusca era in ogni modo la famiglia, di tipo tradizionale, monogamica e fondamentalmente patriarcale. E ciò non soltanto alle origini, nell'età del ferro, quando il villaggio non è altro che la sede di più famiglie, ognuna residente in una propria abitazione e impegnata in attività che consentono di assicurare la vita a tutti i suoi membri, ma anche in prosieguo di tempo quando i vincoli dell'unità familiare vengono sottolineati dall'adozione di un «nome di famiglia», e fino alle ultime fasi della civiltà etrusca quando tuttavia presso la classe aristocratica assume grande importanza e sembra prendere il sopravvento la *gens*, ossia il gruppo «suprafamiliare» (che tuttavia è pur sempre un'unione di famiglie che si riconoscono in una medesima «schiatta»).

Il governo della famiglia era prerogativa del *paterfamilias* e la discendenza dei figli era patrilineare: il nome individuale seguito dal patronimico con cui, unicamente, si designano, in un primo tempo, i vari membri sta a sottolineare, oltre la discendenza, la *patria potestas* cui il portatore del nome era sottoposto. La donna col matrimonio entrava a far parte della famiglia del marito all'interno della quale, come s'è già detto, godeva di una posizione di particolare dignità e rispetto (e anche di una certa autonomia), evidenziate dalla conservazione del nome della famiglia di provenienza e dalla pressoché costante menzione del suo nome stesso (matronimico), accanto a quello del marito (patronimico), nella formula onomastica dei figli.

Tornando alle questioni riguardanti la società, una volta recuperata al suo interno una certa articolazione, è da dire che la definizione di un simile assetto può essere fatta risalire al «momento» in cui si consolida nel mondo etrusco quel tipo di società urbana che tra il VII e il VI secolo a.C. corrisponde al definirsi stesso della città e, in particolare, al suo configurarsi come città-stato. E che tale esso si perpetua – in forza del conservatorismo insito nella mentalità etrusca – fino alla fine dell'indipendenza dell'Etruria. Le sue origini risalgono tuttavia a una fase ancora più antica che inizia col primo emergere, nell'ambito della società indifferenziata dei villaggi dell'età del ferro, di un ceto aristocratico che s'afferma con l'appropriazione di sostanze personali, da parte di singoli individui, attraverso iniziative che vanno dallo scambio e dal baratto all'attività predatoria e di rapina. Il riflesso di questo fenomeno si coglie ancora oggi nelle tombe, a più deposizioni, che si distaccano dalla massa e i cui corredi funebri si distinguono per la quantità e la ricchezza delle suppellettili e degli oggetti di lusso provenienti dall'Oriente e dal mondo greco.

Il processo di differenziazione sociale si sviluppa nel corso del secolo VII a.C. in concomitanza con la progressiva unificazione dei villaggi con la quale si pongono le premesse per la nascita delle città, e il ceto emergente, che s'ingrandisce e s'arricchisce sempre più attraverso nuove forme di sfruttamento e di divisione del lavoro, si definisce come classe dominante identificando le ricchezze private con il potere e «facendo convergere su di sé – come scrive G. Colonna – le strutture giuridiche e istituzionali della comunità». Nascono allora i potenti nuclei di famiglie gentilizie che s'impadroniscono anche con la forza di grandi proprietà terriere, sulle quali finisce per fondarsi il loro rango, e organizzano attorno a sé i gruppi «clientelari» formati da cittadini che, rinunciando alla pienezza dei propri diritti, si pongono sotto la loro tutela ricevendone protezione e assistenza in cambio di prestazioni e servizi, che vanno dai lavori agricoli all'attività artigianale alla milizia privata.

Sulla base di quest'assetto ogni comunità riconosce la figura di un «capo», esponente di un nucleo gentilizio, che detiene le leve economiche e concentra nelle sue mani il potere politico e religioso esteriormente rappresentato da simboli di prestigio (armi e insegne, seggio, carro da parata) che seguono il detentore anche nella tomba. Questa si adegua ancora una volta alla situazione assumendo l'aspetto del tumulo monumentale che sormonta un complesso di più camere sepolcrali scavate nella roccia con «architetture» imitanti gli interni delle case. Ma la trasformazione sociale e la nascita delle *gentes* si riflette anche nell'onomastica personale dove la vecchia formula del nome individuale seguito dal patronimico muta in quella del doppio nome in cui al nome individuale (o «prenome») s'aggiunge il nome di famiglia ereditario (e questo viene formato con l'apposizione di un suffisso di derivazione a un nome individuale che è quello del capostipite nella cui discendenza si riconoscono tutti coloro che appartengono alla stessa famiglia).

Sullo scorcio del secolo VII, nei grandi centri dell'Etruria meridionale costiera ormai divenuti città, l'assetto sociale sembra modificarsi con un ulteriore sviluppo. Mentre infatti nei centri minori e in quelli dell'Etruria interna e settentrionale permangono le forme dell'organizzazione gentilizia che durerà ancora a lungo fin oltre la metà del secolo VI, nel seno delle grandi comunità urbane prende corpo, al di fuori della classe dominante, e anzi in contrapposizione ad essa, un nuovo ceto: in certo senso una sorta di «classe intermedia» che finirà col costituire d'ora in avanti il nucleo fondamentale della popolazione cittadina.

Essa nasce e si forma con il progredire delle attività produttive artigianali e manifatturiere (ceramistica, bronzistica), ma anche agricole, e delle attività imprenditoriali e mercantili, di compravendita e di esportazione di prodotti lavorati a livello «industriale», sia per vie interne che sul mare. Su queste attività che alla città fanno capo e che l'autorità politica cittadina protegge, garantisce e sviluppa si basa la nuova prosperità del secolo VI, meno

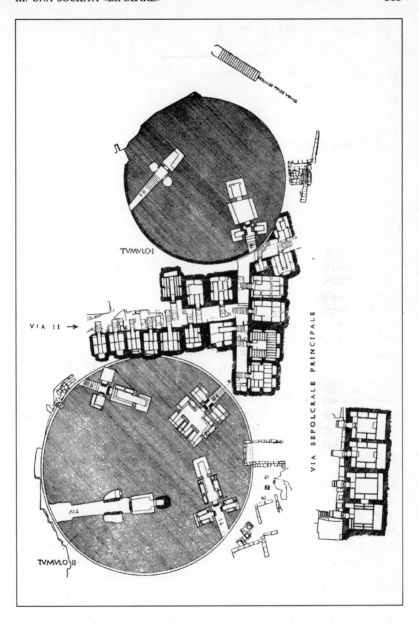

Cerveteri, necropoli della Banditaccia: particolare della planimetria con due grandi tumuli e file di tombe a camera costruite.

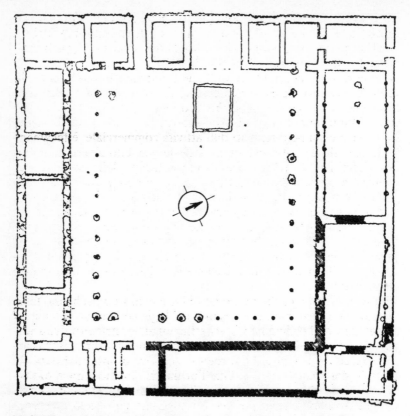

Murlo (Siena): planimetria del complesso palaziale.

vistosa e fastosa (e anche meno concentrata) di quella del secolo
precedente dominata dall'impronta «orientalizzante», ma più solida e meglio distribuita, improntata al gusto «ionico» e greco-orientale in genere.

Per sua stessa natura la nuova classe è composita e varia, aperta
ad accogliere nel suo seno elementi di diversa provenienza, e perciò s'inseriscono in essa, integrandovisi, anche mercanti e artigiani
stranieri, soprattutto greci (ma anche italici) come documenta l'o-
nomastica personale (e come, del resto, è adombrato nella stessa
«leggenda» dell'arrivo da Corinto a Tarquinia dell'esule Demarato
con un seguito di artigiani, già verso la metà del secolo VII a.C.).
Verso gli stranieri essa è comunque ampiamente rivolta anche grazie all'insediamento di questi negli empori e negli stabilimenti fissi
che vengono loro concessi presso gli scali portuali delle città.

Come sempre, anche questa novità trova il suo riflesso nella tipologia tombale e, stavolta, nelle strutture stesse delle necropoli: ai
tumuli delle sepolture gentilizie si affiancano infatti e subentrano
le tombe «a dado», costruite in serie, secondo un unico schema

che prevede una camera sepolcrale (o anche due) preceduta da un vestibolo, e riunite in gruppi a formare degli «isolati» regolari sui quali si basano le pianificazioni dei nuovi «quartieri» cimiteriali ordinati con planimetrie ortogonali.

L'importanza che, nel momento determinante in cui la città diventa città-stato, assume l'assetto della società con l'affermarsi della nuova classe, il cui potere economico era basato piuttosto che sui beni immobili (e in primo luogo la proprietà della terra) sul denaro e sui beni ricavati dall'attività commerciale, è facilmente desumibile dal fatto che quel medesimo assetto divenne, in pratica, definitivo. Tanto più gravi sono le lacune delle nostre conoscenze a proposito dei tanti aspetti in cui la nuova società si scompone e a riguardo delle molteplici implicazioni che toccano, fra l'altro, la sopravvivenza dell'aristocrazia agraria e i suoi rapporti con la classe «intermedia», anche in ordine all'organizzazione clientelare e alla stessa distinzione dei *domini* e dei *servi* e alle lotte sociali del periodo finale della storia etrusca, l'incremento degli schiavi e la formazione di una classe di «liberti» ossia di ex schiavi emancipati.

Per supplire in qualche modo a tali lacune gli studiosi hanno fatto ricorso alle presumibili e verosimili analogie col mondo romano, a cominciare dall'ordinamento «costituzionale» attribuito dalla tradizione a Servio Tullio (un re che appartiene alla serie di monarchi etruschi di Roma e il cui regno si colloca proprio nel periodo centrale del secolo vi a.C.). Quell'ordinamento che mirava fondamentalmente all'organizzazione dell'esercito, del quale faceva parte ogni cittadino che disponesse di adeguate possibilità economiche, prevedeva una divisione della popolazione secondo il censo (e la conseguente capacità di servire in armi lo Stato e di fornire altri tributi) e l'esclusione dei proletari nullatenenti dagli obblighi militari e perciò dal godimento dei pieni diritti di cittadinanza. Sulla base del censo i cittadini erano raggruppati, in ordine decrescente di ricchezza, in cinque classi, ognuna delle quali era divisa in centurie e attraverso queste partecipavano alle assemblee dei comizi per l'approvazione delle leggi e l'elezione dei magistrati. Un'altra divisione era poi eseguita sulla base dei distretti territoriali (o tribù) distinte in rustiche e urbane e attraverso le quali si procedeva alla leva militare.

Sempre sulla scorta di esempi noti al mondo romano sono stati prospettati i criteri e i modi dell'assorbimento nella società urbana delle comunità gentilizie sopravviventi nel territorio e smantellate dalle città, con il riconoscimento ai «capi» (accolti nel Senato) dei diritti e delle prerogative di classe e ai loro «clienti» dei diritti civili sostanziati da un'assegnazione di terra.

Nessun paragone è invece possibile istituire tra mondo etrusco e mondo romano a proposito dei contrasti che lungamente opposero tra loro la classe aristocratica e il ceto imprenditoriale e mercanti-

le (sostanzialmente corrispondente a quella che a Roma era la
«plebe») e che, superati a Roma, poco prima della metà del secolo
IV (367/66 a.C.), con il pieno e definitivo riconoscimento da parte
del patriziato dei diritti civili e politici ai «plebei», rimasero in
Etruria praticamente irrisolti. E fu questo l'aspetto senza dubbio
più importante (e, da un certo punto di vista, caratterizzante) della
società etrusca dell'ultimo periodo, diversamente presente nelle
due grandi aree storiche del sud e del nord.

Le conseguenze della grave crisi, prima di tutto mercantile ed
economica, che s'abbatté sulle città meridionali all'inizio del secolo V toccarono più direttamente proprio il ceto imprenditoriale e
mercantile che viveva dei traffici e dei commerci e che vide im-
provvisamente stroncata ogni possibilità non soltanto di emancipazione sociale ma di pura e semplice sopravvivenza. Sicché, mentre
la vecchia aristocrazia agraria cercò di fronteggiare la crisi con la
ristrutturazione delle attività agricole che le consentirono di rifiorire e di riprendere il sopravvento, l'assetto sociale rimase definitivamente bloccato sulla bipolarità classe dominante-ceti subalterni.

Nelle città dell'Etruria centro-settentrionale, invece, il ceto mercantile, meno colpito dalla crisi «tirrenica» e anzi favorito nelle
sue attività dall'espansione verso l'Italia padana, poté continuare a
prosperare. Al punto che, con una presa di coscienza cui forse non
fu estraneo l'esempio della pacificazione romana tra patrizi e plebei, esso tenterà più volte e variamente di insorgere (almeno a
partire dalla metà del secolo IV, come sappiamo per esempio ad
Arezzo) per rivendicare i suoi diritti, dando vita a veri e propri
movimenti «popolari». Questi saranno protagonisti delle lotte sociali che nel IV e nel III secolo sconvolgono la vita delle città (come
a Volsini dove provocarono l'intervento romano conclusosi con la
distruzione della città) e che nel II secolo arrivano, almeno in qualche caso (ad esempio a Chiusi e a Perugia), al conseguimento di
concreti anche se parziali risultati, in concomitanza con una nuova
sistemazione della terra e il ripopolamento delle campagne.

Tra questi risultati è da ascrivere il riconoscimento dei diritti civili a masse di cittadini che, pur essendo liberi, di quei diritti non
godevano, e forse anche la diffusione dell'emancipazione servile e,
quindi, l'origine di quella che, sulla base dei consueti riferimenti al
mondo romano, è possibile definire la «classe» dei liberti: gli ex
schiavi liberati. Nell'uno e nell'altro caso, il mutamento di stato
giuridico e sociale è rispecchiato e indicato dall'onomastica e, in
particolare, dall'assunzione da parte dei beneficiati di un «nome di
famiglia» da aggiungere a quello individuale che fino a quel momento era stato l'unico in loro possesso. Mentre però i già liberi
formano questo nuovo elemento onomastico ricorrendo a un qualsiasi nome individuale, i liberti lo traggono dal nome individuale
dell'ex padrone: in entrambi i casi esso è, comunque e significati-

vamente, al di fuori del sistema dei nomi «gentilizi» tradizionali che restano appannaggio esclusivo delle famiglie aristocratiche.

L'orientamento e la struttura della società, le sue evoluzioni e trasformazioni si rispecchiano, evidentemente, nell'assetto istituzionale a livello di regime politico e di forme di governo. Purtroppo, una documentazione soddisfacente – soprattutto per quel che riguarda le città dell'Etruria meridionale – ci è disponibile quasi soltanto a partire dal secolo IV a.C. Per i periodi precedenti ci si deve quindi basare in gran parte, per via indiretta, sui parallelismi col mondo greco e romano e sulle frammentarie, episodiche e talvolta apparentemente contraddittorie informazioni degli autori antichi.

Certamente al tempo dell'aggregazione protourbana dei villaggi dell'età del ferro la massima carica politica delle città e degli Stati nascenti è rappresentata dal «re» in cui si sublima, come scrive M. Cristofani, la figura del capo della comunità che attorno ad essa si organizza; ma senza che si possa dire con esattezza se questi sia da considerare un sovrano a vita o a termine o piuttosto una sorta di «magistrato supremo» con poteri assoluti (il *princeps civitatis* delle fonti latine). Tale re, secondo gli scrittori antichi, si sarebbe chiamato in etrusco «lucumone» e come simbolo del suo potere avrebbe avuto particolari insegne che, sempre secondo quegli scrittori, sarebbero state «la corona d'oro, il trono d'avorio, lo scettro con un'aquila alla sommità, il chitone di porpora intessuto d'oro e il mantello, sempre di porpora, ornato di ricami». Le stesse fonti ci dicono che sarebbe stato uso etrusco «far precedere il re da un littore, che portava una scure tenuta insieme da un fascio di verghe» e che tutte le insegne e i simboli regali sarebbero stati assunti dai Romani (verosimilmente durante il periodo della monarchia etrusca dei Tarquini).

Il potere monarchico, espressione dell'aristocrazia agraria, potrebbe essersi modificato nel corso del secolo VI a.C. in concomitanza col definitivo assestamento della città-stato e l'affermarsi della classe «media». Sulla scorta di quanto sappiamo essersi verificato nel mondo greco (sia della madrepatria che delle colonie d'Italia) e mentre le fonti ci parlano piuttosto confusamente della sopravvivenza (o forse, del ritorno) del re almeno in alcune città (come Veio e Cere) fino all'inoltrato secolo V, è molto probabile che, in altre città dell'Etruria meridionale e centrale, alla monarchia di tipo tradizionale si sia sostituita una sorta di «signoria» (qualcosa come la «tirannia» greca): il governo personale di «capitani di ventura» che, impadronitisi colla forza del potere, lo avrebbero esercitato proprio con l'appoggio della classe «media» e contro il sistema dello Stato aristocratico.

Quello che è certo – e il fenomeno s'inquadra in un contesto internazionale che riguarda, con sviluppi e soluzioni sostanzialmente analoghi, il mondo etrusco e quello greco, quello latino e fenicio-cartaginese – è che tra il vi e il v secolo gli ordinamenti politici delle città etrusche subiscono una crisi che sfocerà nella costituzione di nuove forme di governo di tipo repubblicano. Gli studiosi discutono se ciò possa essere avvenuto attraverso un'innovazione improvvisa o piuttosto con una sorta di evoluzione continua che dal progressivo svuotamento dell'istituto monarchico, e magari anche attraverso fasi di poteri personali e di dittature militari, giunse all'attribuzione (e alla divisione) dei poteri a magistrati elettivi e temporanei scelti tra i membri di una ristretta cerchia di famiglie dominanti.

Verso la fine del secolo v a.C. la repubblica oligarchica è la forma istituzionale prevalente e destinata rapidamente a generalizzarsi. Al vertice dello Stato c'è una magistratura suprema cui compete il potere politico giusdicente, eletta, probabilmente ogni anno, tra gli esponenti di una classe di governo che gli autori latini chiamano *principes* e che nel loro insieme (*ordo principum*) costituiscono un'assemblea corrispondente al Senato romano. Non è dato sapere con certezza se la suprema magistratura – che poteva essere ricoperta anche più volte e veniva indicata dal termine *zilath* (o *zilach*) corrispondente al latino *praetor* – fosse unica o collegiale.

A favore dell'unicità potrebbe essere addotto l'uso che gli si attribuiva dell'eponimato, ossia dell'indicazione ufficiale dell'anno col nome del magistrato in carica (così come avveniva a Roma coi due consoli). Tuttavia, la constatazione che il titolo di *zilath* è spesso accompagnato (per esempio a Tarquinia) da un attributo (*marunuchva, eterau, parchis, cechaneri*) che induce a supporre una diversità di funzioni, fa propendere per l'esistenza di un vero e proprio «collegio» all'interno del quale uno dei membri (forse quello eponimo) poteva anche essere in posizione di preminenza: una sorta di «presidente» (eventualmente designato col termine *zilath* privo di attributo). Quanto alle specifiche competenze degli eventuali altri membri, si può pensare, a titolo di esempio, che lo *zilath marunuchva* sia stato il magistrato a capo dei *marunu* (forse corrispondenti ai *quaestores* latini) e che lo *zilath eterau* abbia avuto compiti specifici nei riguardi dei giovani (se *etera* significa giovane) o dei *servi* o dei clienti (se invece il termine *etera* fosse da ricollegare, sebbene con minori probabilità, a quelle particolari categorie sociali).

La magistratura superiore doveva essere affiancata in ogni caso da magistrature secondarie cui erano demandati compiti di carattere amministrativo: lo fanno pensare altri titoli come quello appena ricordato di *maru* (*marniu, marunuch*) evidentemente corrispondente a quello dei *marones* umbri, che alcuni hanno supposto equivalente al latino *quaestor* altri ad *aedilis* e che doveva indicare gli addetti alle finanze, quello di *purth* (*purthne, eprthne*) che è stato addirittura rivendicato come il titolo di più alto grado; e altri ancora molto più incerti e discussi.

Non è da escludere che le varie cariche fossero ordinate e ricoperte in successione, come a Roma, nell'ambito di una vera e propria «carriera» (*cursus honorum*) e che questa fosse poi menzionata nelle iscrizioni funerarie alcune delle quali sembrano redatte nella forma, anche metrica, degli *elogia* latini.

A conferma, infine, dell'importanza della carica di *zilath* sta la sua presenza anche a livello di magistratura «nazionale» all'interno della Lega per la quale è documentato lo *zilath mechl rasnal* (corrispondente al latino *praetor Etruriae*) che era certamente il magistrato federale eletto annualmente nell'assemblea delle città-stato (*concilium Etruriae*) al santuario di Voltumna.

All'ordinamento della società è direttamente legato il mondo della produzione e il complesso delle attività agricole, artigianali e mercantili che nella società si esplicano e in essa trovano organizzazione e incentivazione.

Si è già detto come all'origine, al tempo delle comunità dei villaggi, tutta la produzione si risolvesse al livello di un'economia di sussistenza all'interno della cerchia familiare. La situazione cambiò radicalmente quando, sotto la spinta dei modelli coloniali greci, l'intraprendenza di coloro che, sostituendosi all'autorità paterna divennero i capi delle nuove comunità aggregate e organizzate in senso gentilizio, portò a una progressiva divisione del lavoro e alla conseguente differenziazione delle forme di produzione. Le quali rimasero definitivamente fissate coll'avvento della società urbana e la nascita della città-stato in un modello «specializzato» imperniato sui tre «momenti» fondamentali dell'agricoltura, dell'artigianato e del commercio.

Dell'identificazione del potere economico (cioè in pratica di chi detiene i mezzi di produzione) con quello politico, del rapporto tra la «classe dei proprietari» e i ceti subalterni dei lavoratori, del ruolo della città-stato e dell'autorità pubblica nel garantire e perpetuare con l'assetto sociale quello economico ad esso legato s'è già parlato nelle pagine precedenti. Resta da dire, in rapida sintesi, degli aspetti principali dei tre «momenti» sui quali l'economia etrusca era fondata.

Il «momento» primario e cardine della produzione era costituito dall'attività agricola. Al possesso della terra è legata la medesima concezione della proprietà privata e l'origine stessa della civiltà urbana. Lo dimostrano le leggende che riconducevano a personaggi semidivini (come la ninfa *Vegoia*) o mitici (come Tarconte, il «fondatore» di Tarquinia) la scienza della divisione dei campi e le prime effettive delimitazioni di questi, come riflesso sulla terra dell'ordine cosmico. Lo conferma la stessa sacralità e inviolabilità dei cippi di confine il cui largo uso, attestato anche dalle iscrizioni, s'estendeva dalle proprietà private (*tular alfil* = i confini [dei terreni] degli Alfi) ai territori delle città (*tular spural* = i confini della città) a quelli del territorio «nazionale» (*tular rasnal* = i confini dell'Etruria). Lo dimostrano, ancora, i riti di fondazione delle città concordemente attribuiti dagli antichi agli Etruschi (e il cui atto fondamentale era costituito dalla perimetrazione effettuata con l'aratro dal vomere di bronzo che tracciava il solco lungo il quale sarebbero state elevate le mura) e le offerte delle primizie della terra gettate nella fossa sacrificale (*mundus*) che sarebbe diventata il centro ideale dei culti cittadini.

In realtà, l'uso e la tecnica della misurazione e delle delimitazioni dei campi debbono essere riportati (dopo l'iniziale fase dello sfruttamento naturale) all'inizio del processo di urbanizzazione, in concomitanza con l'organizzazione della produzione e del lavoro in senso «specializzato». È molto probabile che ciò sia derivato dall'insegnamento proveniente dai modelli importati in Italia dai coloni greci. Tant'è vero che il nome dello strumento usato per le operazioni di misurazione e di divisione, la «groma», non è altro che il nome greco (*gnoma*) etruschizzato con il tipico passaggio *gn* – *gr* degli imprestiti greci in etrusco) e poi passato identico al latino che, senza la mediazione etrusca, avrebbe dovuto conservare la forma greca *gnoma*.

Quanto importante e curato fosse lo sfruttamento dell'agricoltura stanno a provarlo le lodi degli autori antichi che celebravano le campagne etrusche per la loro ricchezza (*opulenta Etruriae arva* = i campi grassi dell'Etruria), attribuita insieme alla fertilità naturale e alla sapiente opera dell'uomo. La quale (ancora alla fine del secolo II a.C laddove non s'era estesa la piaga del latifondo) si esplicava nell'ambito e nei termini della media proprietà e della piccola fattoria a conduzione familiare integrata dalla manodopera servile, del tutto autosufficiente anche nelle infrastrutture.

S'è già visto come sulle risorse dell'economia agraria cui si era nuovamente rivolta l'aristocrazia si dovette, tra il V e il IV secolo, il fiorire dei centri interni dell'Etruria meridionale e la stessa sopravvivenza delle grandi città private dei traffici mercantili. E come alla generale crisi dell'agricoltura fossero legate le lotte sociali degli ultimi tempi della nazione etrusca.

L'agricoltura etrusca era essenzialmente basata sui cereali (grano, orzo, farro) e i legumi; sugli alberi da frutta e, a seguito della loro importazione in Italia da parte dei coloni greci, sulla vite e l'olivo la cui produzione era largamente destinata all'esportazione (dopo l'iniziale importazione di vino e di olio in Etruria da parte di Fenici e Greci).

All'attività agricola era strettamente connessa quella dell'allevamento, largamente praticata fin da epoca molto antica nei riguardi di bovini, ovini, suini; di asini e cavalli e poi di animali da cortile e anche delle api.

Passando alle attività artigianali, al primo posto deve essere menzionata quella della ceramica. Legata dapprima ai sistemi produttivi propri dell'economia di villaggio, con la fabbricazione ad uso domestico di vasi lavorati a mano, con un impasto d'argilla poco depurata, forme di tradizione preistorica e decorazioni di tipo geometrico incise o graffite prima della cottura, anche l'attività ceramistica ebbe un salto di qualità al momento e in conseguenza dell'impatto con la colonizzazione greca, a partire dalla seconda metà del secolo VIII a.C.

Al magistero dei ceramisti greci – concretizzatosi oltre che nell'importazione anche nell'impianto da parte di costoro, nelle principali città etrusche, di botteghe specializzate dove si creano scuole locali – si debbono l'introduzione dell'uso del tornio, l'impiego dell'argilla figulina depurata e impermeabilizzata, la diffusione di nuove forme e la decorazione dipinta con colori minerali. Della diretta derivazione della nuova ceramica dai modelli greci fanno fede i nomi che molti vasi riprodotti localmente assumono con un semplice adattamento del nome greco: *qutum* da *kothon* (la brocca), *aska* da *askòs* (piccolo otre), *thina* da *deinos* (olla) ecc.

Tra i modelli imitati, dapprima dominano quelli della ceramica corinzia (largamente importata nel secolo VII e nei primi decenni del VI), con fabbriche di vasi «etrusco-corinzi» particolarmente attive a Vulci tra gli ultimi decenni del VII e la metà del VI secolo a.C.; poi quelli della ceramica greco-orientale (soprattutto ionica) nella seconda metà del secolo VI; quindi, sebbene in misura assai più ridotta, quelli della ceramica attica a figure nere e a figure rosse nel secolo V dai quali deriverà, cessate le importazioni e anche attraverso l'intermediario della ceramica «italiota» della Magna Grecia, tutta la produzione locale del secolo IV (a Vulci, Chiusi, Perugia, Volterra), poi soppiantata dalla più comune produzione di vasi a vernice nera di derivazione ellenistica con elementi di decorazione anche figurata a rilievo o stampigliata. Intanto, a partire dalla metà del secolo VII, prende vita (con inizio a Cere) una produzione ceramica «nazionale» – quella del bucchero – che continuerà per più di un secolo e mezzo, con vasi, dalle forme derivate dal vasellame metallico greco, fabbricati a pareti estremamente sottili con finissimo impasto nerastro e colore nero lucido in superficie (che poi si arricchiranno, appesantendosi, nella fase finale della produzione, soprattutto a Chiusi, di decorazioni plastiche applicate comportanti anche scene figurate).

L'altra preminente attività artigianale degli Etruschi è costituita dalla metallurgia e, in particolare, dalla produzione dei bronzi lavorati. Derivata da una tradizione già affermata nella tarda preistoria (età del bronzo) al livello di fabbricazione di utensili, armi e oggetti d'ornamento personale, l'attività metallurgica si stabilizza e si sviluppa con il formarsi dei grandi centri d'aggregazione protourbana e la specializzazione delle attività produttive, soprattutto nelle zone più ricche di giacimenti metalliferi (e in particolare di rame e di stagno, i due minerali che, nella proporzione rispettivamente dell'86 e del 14 per cento, formavano la lega del bronzo).

La tecnica di lavorazione più diffusa è quella dello sbalzo, con la martellatura a freddo delle lamine appositamente preparate e unite fra loro dapprima con l'impiego di piccoli chiodi ribattuti, pure di bronzo, e poi mediante saldatura. Con tale tecnica si producono largamente grandi vasi e recipienti d'uso domestico, arredi e suppellettili, rivestimenti ornamentali ecc. sui quali, nel corso del secolo VII, si diffondono i motivi decorativi propri dello stile «orientalizzante» e nel secolo VI le figurazioni dell'arte «ionica» poi, a partire dal V, quando si aggiunge l'uso dell'incisione e del graffito (negli specchi, nelle ciste ecc.), quelli dell'arte classica ed ellenistica.

L'altra tecnica di lavorazione è quella della fusione che, già impiegata in epoca molto antica per la produzione di armi e utensili e piccole figurine umane e animali, si perfeziona, e si diffonde a partire dal secolo VI con l'uso del procedimento «a cera perduta», per la produzione di raffinati ed eleganti oggetti d'alto livello artistico (statuine, candelabri, tripodi) e, infine, di grandi statue, che contribuiscono ad affermare la fama di bronzisti di cui gli Etruschi godettero in tutta l'antichità (di notevole interesse, in proposito, la notizia relativa al bottino di duemila statue di bronzo fatto dai Romani durante il saccheggio del santuario di Voltumna, presso Volsini, nel 264 a.C.).

Altri settori dell'artigianato artistico riguardano la lavorazione ad intaglio, in rilievo, dell'avorio e dell'osso e, ad incisione, delle pietre dure per sigilli e anelli e, finalmente, la lavorazione dei metalli preziosi. Fiorita come produzione d'élite specialmente nel periodo che va dalla metà del secolo VII alla fine del VI a.C. (principalmente a Cere, a Vulci, a Vetulonia), questa seppe raggiungere livelli d'ineguagliabile perfezione con l'uso, quasi sempre congiunto, delle tecniche dello sbalzo, della filigrana e della granulazione (consistente quest'ultima nell'applicazione di un pulviscolo di minuscoli granelli d'oro saldati tra loro sulla superficie di laminette o su figurine ricavate a sbalzo).

Naturalmente da tenere in conto è pure l'artigianato del cuoio e delle fibre vegetali, delle stoffe e del legno del quale ben poco è però possibile dire per l'incomparabile perdita dei prodotti. Ma rientra nel grande campo dell'artigianato – secondo la concezione degli antichi e le stesse caratteristiche del lavoro e le finalità delle opere eseguite – la produzione delle terrecotte volte in particolare all'abbellimento dei santuari e dei templi (con i rivestimenti fittili delle strutture architettoniche ma anche con i donari e gli oggetti votivi). E anche qui basterà ricordare la fama di coroplasti che si fecero gli Etruschi i quali nella modellazione della creta, facile e di rapida esecuzione, poterono dare libero sfogo alle loro naturali e

caratteristiche tendenze per la spontaneità e l'espressività, l'immediatezza e la ricerca d'effetto.

Quanto agli artigiani, la loro figura e la loro posizione sociale
seguono l'evolversi della generale organizzazione socio-economica
delle comunità nell'ambito delle quali si trovano via via ad operare. Perciò dalla fase iniziale degli artigiani-mercanti che lavorano
nelle comunità tribali senza particolari vincoli con esse, si passa a
quella degli artigiani che lavorano nell'ambito delle «clientele»
gravitanti nell'orbita dei gruppi gentilizi al servizio dei «capi» e che
godono tuttavia di una certa posizione di preminenza, anche da un
punto di vista per così dire culturale (rivelata dalle frequenti firme
che appaiono sui prodotti), e, finalmente, alla fase delle categorie
specializzate all'interno delle comunità urbane per le quali è possibile pensare (sulla scorta di quanto sappiamo circa il mondo romano e per le età più recenti) all'esistenza di vere e proprie «cor-
porazioni» di mestieri.

Passando ora alle attività commerciali, cui per tanta parte è da
riconnettere lo sviluppo stesso (e poi il declino) dell'Etruria, sarà
sufficiente richiamarsi con qualche ulteriore precisazione a quanto
già detto proprio a proposito delle vicende che portarono a quello
sviluppo (e poi a quel declino).

S'inizia con quelle forme di commercio «primitive» del baratto e
dello scambio (per esempio tra materie prime e prodotti lavorati)
legate all'intraprendenza individuale e tipiche del periodo preurbano quando nessuna «autorità» pubblica aveva ancora provvedu-
to ad emanare norme di regolamentazione. In tale contesto va sottolineata la forma dello scambio come «dono» attuata attraverso
rapporti di reciprocità (accordi, amicizie, matrimoni, alleanze) che
intercorrono ad alto livello tra i «capi» e gli esponenti dei gruppi
egemoni e ha per oggetto prodotti di lusso e di prestigio ma anche
alimenti pregiati (come il vino e l'olio). Va poi ricordata l'attività
predatoria (che alimenta una vera e propria economia di rapina,
eloquentemente rispecchiata nelle fonti greche che insistono sulla
«pirateria» degli Etruschi) la quale integra spesso in maniera predominante quella di scambio e alla quale è soprattutto da attribuire l'accumulo e la difforme distribuzione della ricchezza così come
la connotazione sociale e il potere di coloro che quella ricchezza
detengono.

Tutte queste attività (salvo sopravvivenze di tipo individuale e
«spontaneo») vengono meno dal momento in cui le città si organizzano con istituzioni politiche e norme che provengono dall'autorità costituita. Ne consegue una generale regolamentazione e
una sistemazione dei commerci, sempre basati sul principio dello
scambio, nell'ambito di attività imprenditoriali di ampio respiro,
non più occasionali ma sistematiche e continuative, e appannaggio
di una vera e propria «classe mercantile» che da esse trae origine e

sviluppo. Tali attività, sostenute da un'intensa produzione di tipo «industriale» destinata all'esportazione, a partire dalla prima metà del secolo VI a.C, si appoggiano alla presenza (e ai servizi) di sempre più numerosi e attrezzati «empori» o «fondachi» creati dalle grandi città come sedi del commercio ufficiale presso i propri scali portuali (come quello recentemente scoperto a *Graviscae*, porto di Tarquinia) e ai quali accedono, stabilendovisi legalmente, i mercanti stranieri.

Nasce così una politica commerciale che porta all'espansione e all'apertura di sempre nuovi mercati, al controllo di posizioni strategiche e di grandi vie di penetrazione. Essa è alla base e s'identifica con la grande politica internazionale che è fondamentalmente una politica di difesa degli interessi mercantili delle varie città-stato nel Tirreno e nel bacino del Mediterraneo occidentale e che porta agli scontri coi Greci e agli accordi con Cartagine sanciti da trattati «internazionali» che contemplano fors'anche la spartizione di reciproche sfere d'influenza.

S'è già detto come tutto questo sistema politico-economico sia entrato in crisi in seguito alla sconfitta navale subita dagli Etruschi ad opera dei Siracusani, nel 474 a.C., nelle acque di Cuma (di poco posteriore a quella subita ad opera degli stessi Siracusani, dai Cartaginesi ad Imera, in Sicilia, nel 480). Si può aggiungere che quando le città-stato dell'Etruria meridionale perdono la capacità di tutelare la propria navigazione e i propri commerci, mentre declinano le attività «legali», rifioriscono quelle piratesche che continueranno ad alimentare la cattiva fama degli Etruschi ancora nel IV e nel III secolo a.C.

È appena il caso di ricordare che al declino commerciale delle città marittime della costa tirrenica (con la sola eccezione di Populonia che continua a sfruttare le risorse minerarie dell'isola d'Elba e forse a mantenere propri «fondachi» sulle coste orientali della Corsica) subentra l'ascesa delle città interne e settentrionali. Le quali applicano verso il nord i princìpi e i sistemi dell'organizzazione economica che aveva già fatto la fortuna delle consorelle meridionali e che ora s'impernia sull'attività dell'emporio di Spina (autentica «città mercantile») alle foci del Po. È verso di essa che dalla fine del secolo VI a.C. e per tutto il V e una parte del IV convergono gli interessi delle città etrusche (e dei Veneti) e quelli di Atene (e di Corcira) e fanno capo le nuove grandi vie commerciali che sono, da un lato, quelle marittime dell'Adriatico e, dall'altro, quelle interne, specialmente fluviali, del Po e dei suoi affluenti attraverso le quali i prodotti di bronzo lavorato etruschi e le ceramiche attiche giungono nei territori dei Liguri e dei Celti anche oltre i valichi alpini.

A testimoniare dell'ultima fase di fioritura dei commerci etruschi, autonomamente condotti e inquadrati in una politica ancora «sovrana» sta, in questo periodo, la comparsa della moneta. Sporadiche e forse «private» emissioni monetali s'erano già avute in Etruria in età arcaica come quelle, ad esempio, in oro e in argento coniato, a Populonia e a Vulci subito dopo la metà del secolo VI a.C. Ma è alla fine del secolo IV che si hanno regolari emissioni ad opera delle città-stato. Con tali emissioni l'autorità pubblica interviene a regolare e controllare direttamente (e anche a garantire) uno strumento ancora di scambio (più che di vero e proprio pagamento) ma fino a quel momento rappresentato da pezzi di bronzo grezzo, fuso, di peso determinato e in qualche caso contrassegnati dalla presenza di un simbolo, con evidente valore premonetale.

Le città che battono moneta facendo figurare il loro nome sui pezzi, sono Tarquinia e Volterra, con serie fuse di bronzo, Vetulonia e Populonia, con serie coniate di bronzo e d'argento. Non è da escludere che l'iniziativa possa aver rivestito un valore politico nei confronti di Roma che nello stesso periodo aveva dato corso alla propria monetazione regolare.

La circolazione delle monete etrusche è tuttavia generalmente limitata ai territori soggetti alle singole città e non oltrepassa il III secolo a.C. (forse fino allo scoppio della guerra annibalica). A partire da questo secolo per le vicende politiche e militari che segnano in Etruria l'avvento di Roma (la quale, ponendo sotto il suo dominio diretto tutta la fascia costiera tirrenica dalla foce del Tevere all'Argentario, metterà fine tra l'altro all'effimera ripresa di un'attività commerciale sul mare cui avevano dato vita, nella seconda metà del secolo IV, alcune delle città meridionali) tutta l'attività commerciale degli Etruschi viene progressivamente ridotta nell'ambito del nuovo «sistema romano». La dimensione di sempre più largo respiro mediterraneo che questo verrà via via assumendo non sarà senza vantaggio per le città etrusche ancora formalmente indipendenti e alleate di Roma. Ne fanno fede le notizie che ci parlano, ad esempio, di Arezzo come di un rinomato e prospero centro produttore ed esportatore di armi (così come lo sarà poi, alle soglie dell'età imperiale, della celeberrima ceramica «aretina»). Le prospettive sono però, anche in questo caso, quelle che, esorbitando dai limiti geografici e temporali dell'Etruria, toccano ormai la realtà dell'Italia romana.

IV. Una lingua «diversa»

La situazione di isolamento in cui l'etrusco si trova rispetto alle altre lingue più o meno conosciute del mondo antico (e quindi l'impossibilità di inquadrare per similitudine e per confronto i vari e singoli fatti linguistici che pur si constatano in uno schema e in una logica che siano a noi familiari) è, come s'è già avuto modo di vedere, la causa principale della nostra sostanziale mancata conoscenza di esso. Ma è anche un segno che porta a rilevare, prima di tutto (e sia pur in senso negativo), come la principale caratteristica di questa lingua stia nella sua «diversità», proprio secondo quanto evidenziava, al tempo di Augusto, lo storico Dionigi d'Alicarnasso quando scriveva che gli Etruschi parlavano un idioma «non simile a quello di alcun altro popolo».

Che l'isolamento, come s'è detto, non sia da considerare in senso assoluto (soprattutto nei confronti delle lingue geograficamente vicine all'etrusco storico) e che taluni indizi ci facciano persino intravvedere l'esistenza di altri possibili idiomi dell'antichità in qualche modo affini (e dei quali si sono però perse le testimonianze) non cambia il valore e il peso della constatazione di fondo: in particolare non reca alcun contributo pratico alla conoscenza della lingua etrusca. Valga il caso, peraltro eccezionale, di quel famoso documento epigrafico che va sotto il nome di «stele di Lemno».

Si tratta di un'iscrizione di trentatré parole incisa su una lastra funeraria di pietra (databile alla seconda metà del VI secolo a.C. e ritrovata nell'isola egea di Lemno o Mitilene) attorno al profilo di un guerriero, evidentemente il defunto. L'iscrizione è redatta in lettere alfabetiche di tipo greco ma la lingua è quella che doveva essere parlata nell'isola prima che, verso il 500 a.C., gli Ateniesi vi introducessero la loro. Tale lingua presenta notevoli affinità con l'etrusco (sia nel campo lessicale sia in quello morfologico), al punto che per le due lingue deve essere riconosciuta una «parentela tipologica» e forse anche «genetica», ossia in pratica, un'origine comune (a parte la successiva evoluzione che esse subirono, indipendentemente, ciascuna per proprio conto). Rimane però il fatto che, essendo la lingua di Lemno, documentata da quest'unica testimonianza, del tutto sconosciuta, la situazione di isolamento dell'etrusco non cambia. E non cambia l'impossibilità di trarre lumi dall'esterno per conoscere dell'etrusco la struttura, ossia il suo modo di essere e di funzionare (oltre che, naturalmente, il vocabolario).

Evidentemente, esso appartiene a un ceppo linguistico a noi ignoto. E a ben poco serve parlarne come di una sopravvivenza di uno strato linguistico assai remoto e ritenerla il relitto di uno degli idiomi parlati nell'area indo-mediterranea prima dell'espansione degli Indoeuropei; oppure pensare ad esso come a una lingua appartenente a un ramo dell'indoeuropeo comune precocemente staccatasi dal ceppo originario; o, infine, come di un idioma da ricollegare ad altre lingue mediterranee (in specie egeo-anatoliche) sostanzialmente non indoeuropee e sviluppatesi ai margini dell'area indoeuropea. Si tratta di pure esercitazioni teoriche, vincolate all'astratto dualismo dei concetti «indoeuropeo» e «anindoeuropeo» che non portano ad alcun risultato concreto e soddisfacente.

Più valido, se mai, anche sul piano metodologico – come osserva il Pallottino – è fermarsi ad indagare sul processo di formazione della lingua etrusca, a proposito del quale si può dire che l'opinione prevalente degli studiosi è che si debba respingere l'idea di una formazione mista della struttura dell'etrusco e che questa debba essere invece ricollegata a una «individualità linguistica unitaria», a prescindere da quelle che possono essere state – e sono certamente state – nel tempo, le acquisizioni esterne, le innovazioni e gli sviluppi successivi. Ma tutto ciò riguarda il futuro degli studi.

Al punto in cui ci si trova, riconosciuto che ignoriamo la lingua, non possiamo che rilevare come ciò non abbia tuttavia impedito l'acquisizione, per vie diverse, di tutto un complesso di nozioni e di conoscenze su di essa (nei suoi vari aspetti fonetici, morfologici e lessicali) che valgono in qualche modo ad attenuare uno stato di fatto così deficitario.

Il settore in cui le nostre conoscenze sono certamente più soddisfacenti (senza dubbio il meglio conosciuto in assoluto) è quello che riguarda il sistema fonetico. Ciò è dovuto alla circostanza che il «codice» di segni (o «grafemi») corrispondente alla sequenza dei suoni caratteristici della lingua è formato di lettere alfabetiche direttamente derivate dall'alfabeto greco. Grazie a ciò, non soltanto possiamo dire di conoscere tutti i suoni fondamentali dell'etrusco (sostanzialmente uguali a quelli del greco e del latino) ma anche certe peculiarità distintive della sua fonetica che risultano, per esempio, dall'assenza dei suoni corrispondenti alla vocale *o* e alle consonanti occlusive sonore *b*, *d*, *g*; dalla presenza di diversi suoni aspirati (χ, ϑ, φ e *h* limitata per lo più all'inizio di parola); dalla coesistenza di due suoni di sibilanti (*s*, *š*) resi rispettivamente con i segni del sigma greco (Σ) e del sade fenicio (M); dalla mancanza di suoni consonantici doppi (salvo quello espresso dalla doppia *n* arcaica). Sappiamo inoltre di frequenti mutamenti di vocali (*a* e *i* in *e*, *u* in *v* semivocalica), soprattutto nella flessione dei nomi; di fenomeni di «armonia vocalica», ossia di assimilazione di vocali in sillabe vicine; del generale prevalere di un unico timbro vocalico.

Si possono aggiungere alcuni fenomeni che appartengono all'evoluzione e alle trasformazioni della lingua dalle fasi più antiche a quelle più recenti, tra i quali si collocano: l'attenuarsi dell'individualità della vocale atona determinato dalla forte accentuazione della sillaba iniziale (un'altra peculiarità dell'etrusco) e risoltosi nella caduta della vocale stessa, con una conseguente notevole riduzione del vocalismo più antico e la formazione di complessi gruppi consonantici; la «sonorizzazione» delle consonanti liquide e nasali precedenti le vocali cadute; la tendenza alla monottongazione, ossia alla riduzione dei dittonghi a una sola vocale e il passaggio dei dittonghi *au*, *eu*, in *av*, *ev*; la tendenza al passaggio dalle occlusive sorde alle aspirate e, in parte, dalle aspirate alle spiranti (*c* in χ, *t* in ϑ, *p* in φ e poi in *f*) ecc.

Molto più parziali, superficiali e frammentarie sono invece le conoscenze che riguardano il settore della morfologia, quello che attiene all'organizzazione formale del sistema linguistico. In questo campo si può dire che la caratteristica forse più rilevante dell'etrusco è rappresentata dall'ampio e fondamentale uso dei suffissi, cioè di quegli elementi (o «morfemi») che, aggiunti e giustapposti agli elementi radicali delle parole, servono a modificare il significato di queste e a specializzarne il valore. Il fenomeno, che nei suoi meccanismi e aspetti particolari è tutt'altro che chiaro, sembra per certi versi avvicinare l'etrusco alle lingue agglutinanti, specialmente quando si manifesta con una vera e propria proliferazione o cumulo di suffissi: così per esempio nel caso della cosiddetta «rideterminazione morfologica» (quando si ribadisce la funzione sintattica di una parola già espressa con un apposito suffisso mediante l'aggiunta di un altro suffisso di valore analogo), nel caso del doppio genitivo, o genitivo del genitivo (quando s'aggiunge un secondo suffisso genetivale a un nome già al genitivo ma in coppia con un altro al nominativo nel momento in cui anche questo passa al genitivo), e, ancora nel caso del doppio genitivo sul genitivo rideterminato, del locativo sul genitivo, del genitivo sul plurale ecc.

In parte legati o mescolati col sistema dei suffissi, ma senza che si possano stabilire regole generali, sono la formazione del femminile, dei plurali e dei collettivi, dei derivati di tipo aggettivale e avverbiale, della «declinazione nominale» (con la contrapposizione tra un caso «tematico», o «nominativo», e casi obliqui caratterizzati da desinenze o suffissi indicanti funzioni genetivali, di appartenenza o di attribuzione ma anche locative, strumentali, di comodo ecc.).

Conoscenze più o meno sicure, ma pur sempre episodiche e lacunose, a seconda dei casi, si hanno a proposito dei pronomi personali, dei pronomi e degli aggettivi dimostrativi e di altre particelle di tipo pronominale, dimostrativo, relativo, indefinito ecc. Qualco-

alfabeto modello	VII-V sec.	IV-I sec.	trascrizione e valori fonetici

Alfabeti etruschi.

sa, ma non molto, si può dire per gli avverbi o le espressioni avver-
biali e le congiunzioni e le particelle di collegamento tra le parole
e le frasi, anche di tipo enclitico.

Controverse e comunque assai oscure sono poi le cognizioni riguardanti il verbo per cui si discute, ad esempio, se esso avesse un
carattere nominale oppure una struttura passiva. Si conoscono tuttavia numerose radici e diverse forme caratterizzate ancora una
volta da suffissi che, con sfumature a volte difficilmente precisabili, specificano funzioni diverse specialmente del passato.

Da ultimo, una conoscenza ormai acquisita con notevole margine
di sicurezza, è quella che riguarda il sistema numerale e i nomi dei
numeri almeno per quel che concerne le prime sei unità. In particolare, il sistema numerale appare di tipo decimale e le cifre vengono indicate – come in latino – con segni tratti almeno in parte
dall'alfabeto.

Appena un accenno è possibile fare per le questioni relative alla
sintassi, cioè alle funzioni proprie della struttura della frase (costruzione, ordine delle parole, stile dei testi ecc.) sempre a causa
della sostanziale ignoranza delle caratteristiche strutturali della
lingua cui s'aggiunge la brevità e la modestia dei testi conservati.
Le conoscenze in proposito si limitano a poco più che delle im-
pressioni che sembrano far pensare all'uso di frasi brevi, piuttosto
coordinate che subordinate e costruite in maniera apparentemente
analoga a quella, per esempio, del latino (con il verbo in fondo, il
«genitivo» prima del nome reggente ecc.).

La realtà negativa della diversità e dell'isolamento della lingua si
riflette evidentemente anche sulle possibilità delle nostre conoscenze lessicali, cioè del vocabolario. Ma questo è un problema
diverso da quello della conoscenza della lingua e tocca più propriamente le questioni «ermeneutiche», ossia quelle che riguardano l'interpretazione dei testi. Nonostante tutto, e anche in considerazione della già ricordata povertà del materiale disponibile, i
risultati raggiunti in questo campo sono tutt'altro che trascurabili,
a parte la certezza, ormai scontata, di riconoscere a prima vista il
carattere etrusco di un testo (il che, dopo tutto, significa che della
lingua sono stati pur sempre acquisiti almeno gli aspetti esteriori e
le caratteristiche più significative e qualificanti).

Si è dunque arrivati non solo a riconoscere tutti i nomi personali
o mitologici, ma a interpretare rettamente, o con estrema probabilità, un centinaio di vocaboli comuni (e molti loro derivati) e a
spiegare le più semplici e usuali formule dedicatorie e funerarie.
Talché si può affermare che la maggior parte dei testi che possediamo – non soltanto quelli minori e più brevi, formati di nomi
propri e di formule stereotipe, ma anche quelli più lunghi e complessi – si legge e si traduce perfettamente o, nella peggiore delle
ipotesi, quantomeno si capisce.

Del resto, le «leggende» e le «didascalie» incise o dipinte accanto a personaggi rappresentati sugli specchi o sulle pareti dipinte delle tombe; le indicazioni di proprietari, donatori e offerenti che compaiono su vasi e piccoli bronzi, e, soprattutto, le iscrizioni funerarie formate nella stragrande maggioranza dei casi, come s'è detto, di alcuni pochi elementi fissi, furono chiare fin quasi dalle origini della ricerca etruscologica.

Molto meno chiare, e anzi piuttosto oscure o perlomeno incerte, permangono invece, nelle iscrizioni funerarie più ampie e complesse, le parti che ricordano episodi della vita e della «carriera» politica del defunto oppure quelle che indicano oggetti, fatti, riti e cerimonie del mondo funerario. Sicché, anche se si è in grado di riconoscere e di distinguere queste stesse parti con sufficiente approssimazione, non è però ancora possibile scendere a precisazioni ad esempio sul valore dei titoli sacerdotali, politici, amministrativi o sull'esatto significato di particolari termini tecnici. Lo stesso si può dire per le iscrizioni di carattere religioso, che sono poi in gran parte «votive» e anch'esse basate su brevi formule stereotipe: non ci sono, in genere, difficoltà di traduzione, ma le oscurità e le incertezze permangono forti quando le formule semplici ed elementari diventano più complesse. In modo speciale nelle iscrizioni che sono più propriamente sacrali e che contengono prescrizioni liturgiche e indicazioni di cerimonie, di offerte, di sacrifici ecc.

Un caso tutto particolare, che riguarda la conoscenza di singole parole, è quello costituito dalle cosiddette «glosse», ossia, per l'appunto, parole occasionalmente citate nei testi greci e latini (oppure intenzionalmente inserite in «glossari» o vocabolari) e delle quali gli stessi autori che le riferiscono danno la traduzione o almeno la spiegazione in greco o in latino. Ce ne sono giunte una sessantina, alcune nella forma originaria intatta (che talvolta trova pure riscontro in iscrizioni etrusche), altre appena modificate con terminazioni greche o latine.

Finalmente, sono da ricordare i cosiddetti «imprestiti lessicali», cioè quelle parole presenti in etrusco ma tratte dal greco o da altre lingue tra quelle parlate in Italia e adattate alla fonetica etrusca. Tra queste, in particolare, quelle che si riferiscono all'onomastica personale e ai nomi mitologici e di divinità, ma non mancano i nomi comuni specialmente di oggetti e in particolare di vasi (già ricordati) o altro. Valgano come esempio, i nomi del vino (*vinum*, come in latino, dal greco *oinos*) e dell'olio (*eleiva* pure dal greco *elaiva*).

Molti di questi imprestiti risalgono ad un'età piuttosto antica e rivestono pertanto anche un altro significativo valore. Essi infatti (e in particolare quelli derivati dalle lingue italiche come l'osco-umbro o il latino) ci provano che la lingua etrusca, qualunque siano il «luogo di provenienza» e le connessioni, nel momento in cui essa ci viene documentata dalle più antiche testimonianze giunte fino a noi, era ormai da molto tempo ambientata in Italia.

A proposito di queste testimonianze, è da dire che le più antiche iscrizioni etrusche conosciute (ritrovate a Cere e poi a Tarquinia) risalgono agli inizi del secolo VII a.c. e mostrano un sistema grafico, desunto come s'è detto dall'alfabeto greco, già pressoché pienamente adattato alle esigenze fonetiche della lingua. E da questo si può arguire che l'adozione dell'alfabeto, e quindi l'inizio della scrittura, debbono risalire al secolo precedente.

Sull'introduzione in Etruria dell'alfabeto, gli antichi, concordi nella derivazione greca, fornivano versioni diverse che vanno da quelle che chiamano in causa i Pelasgi e gli Aborigeni, in epoca preistorica, a quella che attribuisce l'insegnamento della scrittura agli Etruschi al corinzio Demarato, padre di Tarquinio Prisco, verso la metà del secolo VII a.C.

Gli studiosi sono oggi unanimi nel ritenere che l'alfabeto sia stato introdotto nell'Italia centrale tirrenica in concomitanza con la più antica colonizzazione greca (se non in una fase ancora precoloniale). In particolare che gli Etruschi dovettero riceverlo, nel corso dell'VIII secolo a.C. dai coloni Euboici che, nella prima metà dello stesso secolo, avevano fondato, in Campania, Pitecusa nell'isola di Ischia e Cuma sulla terraferma. L'alfabeto greco che fece da modello a quello etrusco, anche se non è da trascurare qualche possibile «presenza» dell'alfabeto corinzio, è, infatti, del tipo «occidentale» qual era, per l'appunto, quello euboico-calcidese.

Quanto all'utilizzazione pratica dell'alfabeto modello, che compare come tale in una serie di «alfabetari» datati a partire da poco prima della metà del secolo VII, essa dovette essere preceduta da un elaborato processo di adattamento alle necessità e alle caratteristiche della pronuncia etrusca. Non tutte le ventisei lettere dell'alfabeto greco vennero infatti usate o quanto meno impiegate nel loro valore fonetico originario. Come si è già accennato, alcune lettere rimasero del tutto inutilizzate perché non corrispondenti a suoni esistenti nella lingua etrusca (come nel caso della vocale o, del beta e del delta). Altre furono impiegate diversamente, come il gamma che non fu preso per indicare la gutturale sonora g ma la gutturale sorda c – analogamente a quanto fecero i latini – o come la lettera in forma di χ la quale, mentre negli alfabeti greci «orientali» ha il valore di chi e in quelli «occidentali» (e in latino) il valore di csi, nelle poche iscrizioni etrusche arcaiche in cui s'incontra, vale come semplice sibilante.

Rimasero invece entrambe le lettere indicanti le sibilanti: M (che va letta quindi come s) e S, corrispondenti rispettivamente al sade e allo scin fenici, usati in etrusco per due suoni affini (e perciò talvolta confuse tra loro) ma sostanzialmente distinti. Aggiunta ex novo fu, d'altra parte, alla fine della serie alfabetica e in epoca più recente (verso la metà del secolo VI), una lettera per indicare la F (diversa dall'aspirata *phi* e originariamente resa con le lettere *vh*) e per la quale fu usato un segno a otto (8) d'origine incerta ma che alcuni studiosi pensano di riferire all'area sabina.

In pratica, si può dire che la serie alfabetica etrusca venne definitivamente fissata nel corso del VI secolo a.C. Ne abbiamo testimonianza in un «alfabetario» proveniente da Roselle, e databile alla seconda metà di quel secolo, in cui compare per la prima volta la serie alfabetica «modificata», priva cioè delle lettere rifiutate e compreso il nuovo segno a otto. A partire da questo momento non si registrano più differenze tra l'alfabeto delle iscrizioni e quello «modello» eccettuate quelle che, in prosieguo di tempo, si andarono determinando con alcune variazioni nella forma delle lettere. Proprio sulla base di tali variazioni grafiche (che in qualche caso sono anche abbastanza notevoli) è possibile distinguere due «tipi» di alfabeti etruschi: quelli «arcaici», usati nelle iscrizioni tra il VII e il V secolo, e quelli «recenti», usati nelle iscrizioni tra il IV e il I secolo a.C.

Oltre questa distinzione di carattere cronologico, è possibile farne un'altra di carattere geografico che in parte interferisce con la prima e si potrebbe definire di tipo «dialettale». Tale distinzione si basa sull'uso e sull'evoluzione grafica di lettere particolari (specialmente le sibilanti) e riguarda tre sistemi alfabetici caratterizzanti un'area meridionale (Cere e Veio), un'area centrale (Tarquinia, Vulci, Volsini) e un'area settentrionale (tutte le altre città dell'Etruria propria).

Diffusosi rapidamente in tutta l'Etruria con le varianti «areali» di cui s'è appena detto, e con un sicuro anticipo nell'area centromeridionale rispetto a quella settentrionale, l'alfabeto etrusco fu trasmesso, a sua volta abbastanza precocemente, nelle zone etruschizzate dell'Italia e anche al di fuori di esse. Così, nella prima metà del secolo VI, esso arriva nell'Etruria campana (probabilmente dall'area centrale nella penisola sorrentina, via mare, e dall'area meridionale, via terra, nella zona di Capua, donde passerà, nel secolo V, agli Osci); nella seconda metà dello stesso secolo VI giunge nell'Etruria padana (e particolarmente in Emilia, dall'area settentrionale) mentre, tra il VI e il V secolo, esso viene adottato con qualche variante e con l'aggiunta della o dai Veneti. Una chiara dipendenza dal sistema alfabetico etrusco è pure riconoscibile nella scrittura degli Umbri anteriormente al secolo III.

È appena il caso di rilevare come – accanto all'indiscussa priorità cronologica dell'uso della scrittura in Etruria (anche nei confronti del mondo latino che pure utilizza abbastanza precocemente una scrittura derivata dallo stesso modello greco autonomamente assunto e sviluppato) – la trasmissione dell'alfabeto, e quindi dello strumento di comunicazione e di registrazione scritta da parte degli Etruschi ad altre popolazioni dell'Italia antica pur parlanti lingue diverse, denoti una supremazia anche di carattere culturale che spiega il ruolo «civilizzatore» svolto dall'Etruria.

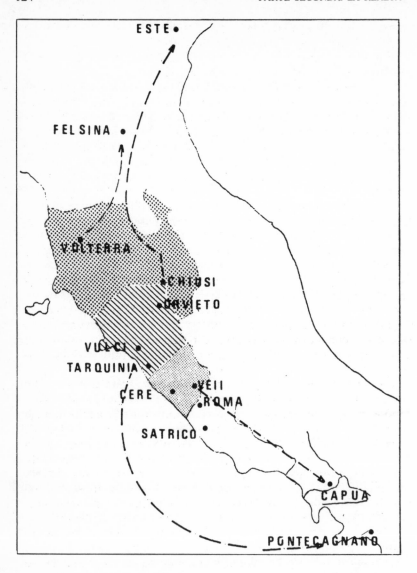

Diffusione dell'alfabeto etrusco in Italia.

La scrittura etrusca che noi conosciamo esclusivamente da testi epigrafici – cioè dalle iscrizioni (con la sola eccezione del «libro di tela» della Mummia di Zagabria) – ci si presenta quanto mai varia e mutevole. Ciò dipende almeno in parte dal carattere per lo più privato e, comunque, piuttosto modesto dei documenti, mancando, tranne rari casi, veri e propri testi di tipo monumentale e «ufficiale». Si deve però anche tener conto dell'evoluzione, nel tempo, della forma delle lettere e, nello spazio, dei diversi sistemi «areali» dei quali s'è appena fatto cenno, e, inoltre, del lungo periodo di circa sette secoli nel corso del quale le variazioni nel modo di scrivere dovettero essere abbastanza consistenti. E non si possono nemmeno escludere varietà di tradizioni grafiche e «calligrafiche», differenziate nel tempo ma anche contemporanee, legate a particolari «scuole» o mode (come quella che si riscontra nel corso del VI secolo, caratterizzata da lettere allungate e ravvicinate tra loro) o ad ambienti speciali (santuari, «cancellerie» ecc.). Senza dire della grande varietà delle basi scrittorie che vanno dalle superfici di bronzo degli specchi alle grandi pareti di tufo delle tombe monumentali.

Ci sono tuttavia delle caratteristiche di fondo ben chiare, a cominciare dal sistema stesso di scrittura. Esso seguì costantemente, fino alla fine della civiltà etrusca, l'originario andamento da destra verso sinistra (sinistrorso o «retrogrado») ereditato dalla scrittura greca (nella quale però esso scomparve fin dal secolo VII) e documentato anche nelle più antiche iscrizioni latine. Gli esempi di direzione opposta (destrorsa o «progressiva») sono in etrusco molto rari, sia in epoca arcaica sia in epoca recente, limitati a periodi e a tradizioni precise e spesso determinati da esigenze legate al tipo di oggetto su cui si doveva scrivere. Abbastanza frequente è invece il caso di lettere (principalmente la *a* e la *s*) che in un'iscrizione sinistrorsa sono tracciate con andamento destrorso.

Nessuna distinzione del tipo delle nostre maiuscole fu mai usata, come in tutte le scritture dell'antichità, per lettere iniziali di frasi o di nomi propri. Nel periodo più antico, tranne rarissime eccezioni, le parole sono scritte di seguito, senza alcuna separazione tra loro (il che rende molte volte difficile la lettura e spesso soltanto ipotetica la distinzione delle parole stesse). Invece, a partire dalla seconda metà del VI secolo, si diffonde, anche se non regolarmente, l'uso dell'interpunzione, ossia la separazione delle parole mediante segni divisori di solito costituiti da punti (uno o due ma anche tre nelle iscrizioni più antiche e persino quattro, sovrapposti uno all'altro).

Un tipo tutto particolare d'interpunzione, d'origine ancora discussa, è quello detto «sillabico» che si riscontra durante il secolo VI nell'area meridionale: la sua funzione non è quella di dividere le parole ma di sottolineare, all'interno delle stesse, determinate «posizioni» di certe lettere come le vocali isolate e le consonanti in chiusura di sillaba. L'interpunzione sillabica (a parte una certa sopravvivenza nell'Etruria campana nella prima metà del V secolo) si esaurisce rapidamente e cessa del tutto con il prevalere dell'interpunzione tra le parole.

La diffusione della scrittura avviene in Etruria quando già si è avuta la prima differenziazione sociale ed è già emersa la classe gentilizia: essa si compie inizialmente proprio all'interno di questa classe, in funzione elitaria, e rimane piuttosto circoscritta, assai si-

gnificativamente, all'uso di indicare la proprietà degli oggetti soprattutto di pregio e il nome di chi li ha donati. In seguito, a partire dalla seconda metà del secolo vi, in concomitanza con l'affermarsi della società urbana, la diffusione si fa più ampia e si accele-
ra anche all'interno della classe «media» e l'insegnamento (che doveva avvenire attraverso esercitazioni grafiche con l'ausilio degli
alfabetari e degli abecedari) passa dalla figura del capofamiglia a
vere e proprie «scuole» legate alla casta sacerdotale e nell'ambito
dei grandi santuari. Assumono così grande importanza gli «scribi»,
cioè gli scrivani, ai quali era affidata la redazione dei testi sacri e la
cura degli archivi templari presso i quali dovettero formarsi sistemi
«colti» di scrittura e particolari stili grafici.

Nell'ambito della città-stato, tuttavia, dovette assumere presto un
certo ruolo anche l'uso «pubblico» della scrittura, soprattutto in
funzione politica, e, anche in questo caso, sembra essere stato essenziale il ruolo degli scribi. Questi (come ci mostrano delle
rappresentazioni figurate) accompagnavano i magistrati in veste di
segretari e dovevano essere addetti alla registrazione di atti uf-
ficiali e alla memorizzazione di fatti inerenti all'attività e al prestigio dei magistrati stessi (rimanendo di competenza dei sacerdoti
e dei loro scribi – come sappiamo avveniva in Roma – la registrazione dei grandi eventi sotto forma di cronaca sintetica redatta,
anno per anno, con riferimento ai nomi dei magistrati eponimi).

Quanto alla durata dell'uso della scrittura etrusca, essa varia a
seconda delle zone e in relazione al diffondersi, sia pur graduato e
differenziato, della lingua e, quindi, della scrittura latina. In generale l'uso si mantiene più a lungo nell'Etruria settentrionale e certamente, anche se ormai sporadicamente, fino agli inizi del i secolo
d.C., mentre d'altra parte, nell'Etruria meridionale, la scrittura latina compare in iscrizioni «private» di carattere funerario già nel ii
secolo a.C. (Sulla durata della lingua orale invece si può dir poco
ma considerando le ultime epigrafi funerarie, che per la loro stessa
natura sono indizio e riflesso della lingua parlata, certamente l'e-
trusco deve essere considerato come una «lingua morta» già nella
seconda metà del secolo i d.C., anche se si può pensare a una qualche sua sopravvivenza come lingua «religiosa» presso talune comunità di sacerdoti e in qualche liturgia particolare).

Per quel che riguarda infine il materiale scrittorio usato dagli
Etruschi, si può dire che esso era in tutto uguale a quello in uso
presso gli altri popoli antichi del bacino del Mediterraneo. A parte
quindi le iscrizioni incise o dipinte sulla roccia e le pareti tufacee
delle tombe o sulla pietra e il marmo di cippi, stele, sarcofagi ecc.
e quelle incise o graffite su vasi, specchi e oggetti vari e su piccole
e sottili lamine metalliche (di piombo, bronzo, argento e oro), gli
scritti usuali, brevi, «di tutti i giorni», se così si può dire, erano
incisi o meglio graffiti con stili appuntiti su tavolette di legno (o
d'osso o avorio) spalmate di cera e spesso riunite insieme con pic-

cole «cerniere» a gruppi di due, tre ecc. (dittici, trittici ecc.) sempre riutilizzabili lisciandone la superficie cerata.

I testi lunghi e destinati alla conservazione erano invece incisi su tavole di bronzo; i «libri» veri e propri erano scritti o dipinti con penne o piccoli pennelli e inchiostri rossi e neri su lunghe strisce, forse anche di papiro, ma più sicuramente di pelle (sul tipo delle pergamene) e soprattutto di tela di lino (*libri lintei* come erano chiamati in latino). Su queste strisce si scriveva in colonne affiancate, a cominciare dall'estremità destra; poi ogni striscia veniva chiusa a formare un rotolo (il *volumen* dei Romani) che si riapriva per la lettura via via da destra verso sinistra tenendolo fermo con la mano destra e svolgendolo con la sinistra.

Nessuna opera di letteratura etrusca, nemmeno in frammenti, è giunta purtroppo fino a noi. Ma questo non significa che se ne debba escludere l'esistenza. L'assenza di testimonianze dirette della letteratura – cioè insomma di libri – può essere spiegata con la semplice considerazione che le opere etrusche originali andarono progressivamente perdute e distrutte durante l'età imperiale romana quando, non essendo più alcuno in grado di leggerle e di capirle, nessuno si preoccupò di conservarle e di copiarle (come accadeva invece in continuazione per le opere scritte in greco e in latino). Sulla fine dei libri etruschi potrebbe darci un'idea l'unico avanzo di un testo «letterario» giunto fino a noi; quello della cosiddetta «Mummia di Zagabria»; un libro contenente norme e prescrizioni liturgiche per un «calendario sacro» appartenuto a una piccola comunità etrusca trasferitasi in Egitto tra il II e il I secolo a.C. e che, una volta esaurita (per un motivo qualsiasi) la sua funzione di «prontuario» e rimasto abbandonato, fu utilizzato in quanto tela di lino e, tagliato a strisce, impiegato per avvolgere in bende una mummia attorno alla quale fu nel secolo scorso ritrovato.

A confermare la convinzione che una letteratura etrusca, quale che essa fosse, sia effettivamente esistita, ci sono diverse testimonianze indirette, sia nel ricordo degli scrittori romani sia nelle citazioni e nelle «tracce» rimaste in tante opere della letteratura greca e latina. È però ovviamente difficile dire fino a che punto essa si sia sviluppata, quali furono i generi coltivati, se sia assurta a livelli paragonabili a quelli di altre letterature più o meno contemporanee, quanto sia stata originale o invece frutto di imitazione (ad esempio di quella greca) ecc.

Il genere più importante dovette essere senza dubbio quello religioso, riflesso letterario dell'elaborazione dottrinaria che dette luogo (secondo quanto sappiamo, per esempio da Cicerone) a un complesso di testi sacri: un'autentica «sacra scrittura». Questi testi erano ritenuti antichissimi e in parte addirittura riferiti alle rivelazioni e agli insegnamenti di personaggi divini. La loro natura era certamente eterogenea e il contenuto e la forma altrettanto vari (è possibile che in alcuni si alternassero parti poetiche e parti in prosa rigidamente descrittiva e didascalica). Proprio sulla base di quello che doveva essere il contenuto si sa che erano suddivisi in tre grandi gruppi fondamentali: *Libri haruspicini* e *Libri fulgurales*, che trattavano dell'interpretazione, rispettivamente, delle viscere degli animali e dei fulmini, *Libri rituales* che riguardavano le norme di comportamento nelle varie circostanze della vita pubblica e privata.

Degli stessi *Libri rituales* facevano parte i *Libri acherontici* sul mondo dell'oltretomba e i riti di salvazione, i *Libri fatales*, sui destini e i limiti della vita degli uomini e dei popoli e sulla suddivisione del tempo; gli *Ostentaria* sull'interpretazione dei prodigi.

Certamente riflesso di concezioni e pratiche molto antiche, tutti questi libri sacri, per il loro stesso carattere sistematico e normativo, dovettero essere redatti, nella loro stesura definitiva, in una fase piuttosto avanzata (se non addirittura finale) della civiltà etrusca, a cura degli ambienti sacerdotali legati a quelle oligarchie che, abbandonate le velleità di iniziative politiche ed economiche, ripiegarono, al loro declino, sugli interessi per la tradizione e i costumi nazionali. È interessante ricordare come, soprattutto nel I secolo a.C., dei libri sacri degli Etruschi si siano fatte a Roma, versioni e compendi in latino e come una sorta di grande «vulgata» sia ricordata ad opera dell'aruspice Lucio Tarquizio Prisco la cui opera (tramandata col nome di *Libri tarquitiani*) era ancora utilizzata nel IV secolo d.C.

Per effetto di queste traduzioni la letteratura sacra degli Etruschi era ben conosciuta in ambiente romano e fu largamente utilizzata nelle loro opere (talvolta, come s'è accennato, con vere e proprie citazioni) da molti autori (Varrone, Censorino, Seneca, Plinio, Macrobio, Marziano Capella, Servio, Festo ecc.) cui dobbiamo tutto quello che conosciamo ora di essa. Non è tuttavia da escludere che echi diretti se ne possano cogliere in qualche testo originale, come ad esempio in quello sopra ricordato della «Mummia di Zagabria» o in quello della cosiddetta «Tegola di Capua» che debbono essere messi in relazione con qualche parte dei *Libri rituales*.

Quanto all'esistenza di generi «profani» (quelli cioè volti a fini di istruzione, di commemorazione, di esaltazione, di diletto ecc.), a parte la considerazione che la letteratura sacra doveva avere, accanto a una fondamentale ispirazione religiosa, un certo carattere di natura giuridica e didascalica e perfino «scientifica», c'è da ricordare che gli antichi ci attestano esplicitamente come gli Etruschi coltivassero le lettere e le scienze naturali. E c'è da mettere nel giusto rilievo la precisa testimonianza di Tito Livio (IX, 36, 3) il quale ricorda come un tempo fosse consuetudine presso le migliori famiglie romane di inviare i giovani a Cere per essere «educati nelle lettere etrusche così come ora – dice lo storico – si istruiscono nelle lettere greche». Il che vuol dire che presso gli Etruschi i

Romani non imparavano a leggere e scrivere ma studiavano grammatica e letteratura, proprio come poi presero a fare presso i Greci. L'espressione liviana «lettere etrusche» non può quindi significare altro che «letteratura etrusca».

Anche nel caso dei generi profani si deve pensare a una loro diffusione soltanto in epoca relativamente tarda e, come a Roma, dietro il preponderante influsso della letteratura greca (tanto che qualche studioso ha avanzato l'ipotesi che i testi fossero addirittura scritti in greco, nuovamente secondo un preciso parallelismo con la letteratura latina più antica). Comunque siano andate le cose, è certo che Varrone parla dell'esistenza di *Tuscae historiae* cui egli stesso deve aver attinto e che dovevano essere quasi certamente di tipo «annalistico» (come le «storie» romane) visto anche che l'imperatore «etruscologo» Claudio paragonava agli annalisti, cioè agli storici latini, gli *auctores tusci*.

Lo stesso Varrone ricorda poi un certo *Volnius* che, forse nella seconda metà del II secolo a.C., avrebbe scritto tragedie in etrusco, il che ci darebbe la prova dell'esistenza di una poesia drammatica. Mancano invece anche soltanto indizi per la poesia epica e quella mitologica ma non si può certo escludere la possibilità che un certo patrimonio di racconti e di leggende fosse tramandato attraverso canti epici e poemetti e che alla larga diffusione dei miti greci (anche con intrusioni di elementi indigeni), quale risulta dalle opere d'arte figurata, abbia corrisposto di riflesso qualche tipo di narrazione scritta.

Allo stesso modo si può ragionevolmente supporre – sia pure come tarda trasposizione scritta di una fiorente tradizione orale – l'esistenza di carmi conviviali e di farse popolaresche pensando a paralleli con le famose «satire fescennine» dei Latini originarie della città falisca di Fescennio che era contigua al territorio propriamente etrusco e fortemente etruschizzata, e, infine, quelle di elogi conviviali e funebri, forse anche di tipo poetico, pensando a certe lunghe iscrizioni tombali redatte probabilmente in forma metrica e da ricollegare in qualche modo a quelle «storie di famiglia» che certamente esistevano (come nella Roma della tarda repubblica) e potevano essere redatte in forma letteraria.

V. Una religione «ritualistica»

Si è già parlato – a proposito della letteratura – dell'esistenza e della straordinaria importanza di un complesso di «libri sacri» in cui, come in un'autentica *summa*, sappiamo che fu raccolto, verso la fine della civiltà etrusca, tutto l'insieme delle dottrine e delle norme che presiedevano e regolavano il complicato mondo della religiosità etrusca. Definita in latino col nome di *disciplina* e da noi conosciuta soltanto attraverso le citazioni, i ricordi e le utilizzazioni che di essa fecero gli autori romani, questa *summa* non fu che l'elaborazione finale e la codificazione ultima di concezioni e pratiche rimaste fondamentalmente inalterate dai primordi della vita etrusca. Ne sono indizio la stessa già ricordata attribuzione dei principali gruppi di libri alla «rivelazione» di personaggi di natura semidivina come Tagete (*Tages*) figlio di Genio e di Giove, alla cui «predicazione» erano fatti risalire i *Libri haruspicini* (chiamati anche *Tagetici*), sull'arte della divinazione attraverso il fegato degli animali, e come la ninfa Vegoia (*Lasa Vecu* o *Vecuvia*) cui era ricondotta l'origine dei *Libri fulgurales* (o *Vegonici*), sulla dottrina dei fulmini.

Ne sono, ancor più, incontrovertibile prova tutti gli aspetti salienti della *disciplina* stessa che, dalla natura indeterminata e sfuggente della divinità alla presenza schiacciante di forze soprannaturali, dalla preoccupazione di conoscere la volontà divina all'aspettativa passiva del suo attuarsi, dalla fede nell'efficacia magica del rito alle pratiche divinatorie, si configurano come tratti di una religiosità ancestrale che finiscono col qualificare la religione etrusca come una religione «primitiva» (e da ciò le meraviglie e l'impressione degli storici greci e romani imbevuti della mentalità razionale del mondo classico).

La concezione della divinità appare dominata dalla misteriosa presenza di esseri soprannaturali, vaghi e imprecisati nel numero, nel sesso, nelle attribuzioni, nelle apparenze, che ha fatto sospettare la possibile credenza originaria in una «entità divina», manifestantesi occasionalmente e in vari modi, e volta a volta concretizzantesi in spiriti, divinità, gruppi di divinità. A questa concezione potrebbe anche risalire l'idea di quella forza vitale e generativa che era il «genio»: singola divinità o prototipo di un gran numero di spiriti (maschili e femminili), collocati tra il mondo degli uomini e quello degli dèi, che accompagnavano gli esseri umani e quelli divini e popolavano anche il mondo dei morti rappresentando di ogni essere il principio vitale.

Su questa concezione s'innesta e in parte si sovrappone assai precocemente, nel periodo «orientalizzante» (tra VIII e VII secolo a.C.), l'influenza di temi religiosi orientali e greci e soprattutto l'idea antropomorfa della divinità greca che, anche col concorso della diffusione dei racconti mitologici, porta come conseguenza ultima all'assimilazione delle divinità locali con gli dèi dell'Olimpo e, prima ancora, all'antropomorfizzazione delle divinità stesse (o, forse meglio, all'accelerazione di un processo di individualizzazione, di personalizzazione e «umanizzazione» già parzialmente in atto). Questo processo sembra compiuto in Etruria sul finire del secolo VII e certamente nei primi decenni del secolo VI (proprio mentre a Roma, secondo Varrone, si cominciava a raffigurare gli dèi in statue di culto!) quando è definitivamente documentata una serie di corrispondenze tra le divinità indigene e quelle del *pantheon* greco.

Così il dio *Tin* (o *Tinia*) è assimilato a *Zeus* (Giove, come lo *Jupiter* o *(D)iove* latino-italico), la dea *Uni* a *Hera* (Giunone, come la *Iuno* latina); e così *Turan* ad Afrodite (Venere), *Turms* a *Hermes* (Mercurio), *Nethuns* a Poseidone (Nettuno), *Menerva* ad *Athena* (Minerva), *Maris* ad *Ares* (Marte) ecc. Altre divinità sono invece direttamente «importate» dalla Grecia (come *Aritimi*, Artemide; *Apulu/Aplu*, Apollo; *Hercle*, Ercole); altre ancora, viceversa, anche importanti e chiaramente definite, non trovano confronto con quelle greche, evidentemente per il loro significato e l'importanza strettamente locali. Tali sono ad esempio *Northia*, probabilmente dea del fato, e soprattutto Voltumna (*Veltuna* o *Veltha*, in latino *Vertumnus*), il dio «nazionale» dell'Etruria, che Varrone definisce *deus Etruriae princeps*, onorato nel santuario federale di Volsini.

Accanto a tutte queste divinità – certamente le maggiori – continuano tuttavia ad esistere entità soprannaturali e divinità minori tipicamente indigene, per lo più oscure e misteriose, spesso riunite in gruppi (o «collegi») di nove o dodici membri: tali sono gli *dei superiores et involuti* e gli *opertanei* (avvolti nelle tenebre e «nascosti»); gli *dei consentes* o *complices* (forse in etrusco *Aiser Thufltha*) consiglieri di *Tinia*, in numero di dodici. All'idea delle riunioni collegiali probabilmente non sono estranee suggestioni di provenienza greca e greco-orientale (che tuttavia s'innestano agevolmente nella tradizione locale) e ad essa si riportano altri raggruppamenti, occasionali e relativi a certe funzioni, come quello dei nove *dei fulguratores* (che erano altrettante divinità maggiori cui *Tinia* poteva delegare la sua prerogativa di scagliare i fulmini), oppure stabili e legati a particolari affinità come quelli delle «triadi» che pure riguardavano divinità maggiori (ed erano comuni al mondo italico e a quello romano dove potrebbero essere state introdotte al tempo della mo-

narchia dei Tarquini) e quelli delle «diadi», cioè le coppie di una
divinità maschile e di una femminile (come gli dèi infernali Ade e
Persefone, in etrusco *Aita* o *Eita* e *Phersipnai*) oppure di gemelli
(come i Dioscuri, figli di Giove, venuti dalla Magna Grecia).

La natura essenzialmente misteriosa del divino ha forse impedito
il nascere in Etruria di una vera e propria mitologia ma non è da
escludere che qualche possibile tentativo di organizzare in cicli or-
ganici spunti di leggende indigene (come quelle legate a Ercole, al
gigante Caco o al mostro Volta) sia stato soffocato dal precoce
diffondersi della mitologia greca, sicché il poco che è forse riconoscibile può essere il frutto di una tarda elaborazione nella quale si
mescolano elementi greci ed elementi locali (come quelli concernenti, ad esempio, la vicenda di *Tages* apparso a Tarquinia tra le
zolle della terra al leggendario Tarconte), in parte fors'anche derivati da ricordi più o meno alterati di fatti storici.

La patina greca alla concezione della divinità non impedì invece
che da questa continuasse a dipendere un altro degli aspetti fondamentali della religione etrusca, il più contrastante nei confronti
della religione greca e di quella romana: quello del rapporto intercorrente tra gli dèi e gli uomini. La convinzione di una costante
influenza delle forze soprannaturali sul mondo e sulle azioni umane, il senso assillante di questa influenza, oscura e soverchiante,
per cui ogni fatto o fenomeno della vita era ricondotto a un intervento diretto della divinità, unitamente alla preoccupazione di destini e scadenze improrogabili, non potevano che condurre all'annullamento completo della personalità umana dinanzi al volere divino. Il rapporto tra l'uomo e la divinità, come è stato giustamente
osservato, non è quindi altro che un eterno monologo della divinità stessa cui l'uomo, privato della possibilità d'agire autonomamente, risponde con un comportamento regolato da un complesso
minuzioso di norme che ha come punto di partenza la ricerca scru-
polosa della volontà divina e come fine l'altrettanto scrupoloso
adeguarsi ad essa.

Da ciò deriva l'estrema importanza delle arti divinatorie fondate
sull'osservazione e l'interpretazione di speciali «segni» che si manifestavano con la caduta dei fulmini, con certe particolarità nelle
viscere degli animali sacrificati, e in modo particolare nel fegato,
con l'apparizione di fenomeni o il verificarsi di eventi insoliti di
qualsiasi genere e variamente prodigiosi. Tutti questi segni (tra i
quali non figurano quelli di tipo oracolare tanto importanti nella
divinazione greca e sono piuttosto trascurati quelli connessi col
volo degli uccelli che erano invece alla base della più antica divinazione «augurale» romana) erano ritenuti espressione diretta della
volontà degli dèi, manifestazione della soddisfazione e della colle-
ra divina, presagi del futuro; in ogni caso, «avvertimenti» dai quali
era impossibile prescindere.

A tal punto ogni avvenimento o fenomeno era inteso e spiegato come intervento diretto della divinità, che Seneca poté giungere a questa interessante e per noi assai significativa constatazione (*Quaestiones naturales*, II, 32, 2): «Tra gli Etruschi, i più abili fra gli uomini nell'arte d'interpretare i fulmini, e noi, c'è questa differenza. Noi pensiamo che il fulmine scocca perché c'è stata una collisione di nuvole; secondo loro, la collisione s'è verificata per consentire al fulmine di scoccare. Riferendo ogni cosa alla divinità, essi sono convinti non già che i fulmini diano dei segnali nel momento che si producono ma che quelli si producono perché hanno qualcosa da mostrare».

L'arte divinatoria che, soprattutto per quanto riguarda l'epatoscopia (o aruspicina, ossia l'osservazione del fegato degli animali), trova importanti precedenti nel mondo orientale, segnatamente mesopotamico, assume in Etruria un ruolo talmente spiccato da diventare una caratteristica «nazionale» (sì da contribuire all'accreditarsi di quella fama di «religiosissimi», della quale s'è già detto, che gli Etruschi ebbero presso gli antichi) e da formare uno degli argomenti principali della «sacra scrittura» costituente la *disciplina etrusca*. Essa è strettamente legata al principio della corrispondenza occulta tra macrocosmo e microcosmo, cioè tra mondo celeste e mondo terrestre: un principio che costituisce forse il cardine di tutta la religione etrusca. I due mondi sono intimamente collegati in una sorta di partecipazione mistica e si corrispondono nell'ambito di un preciso e preordinato sistema unitario nel quale ha importanza fondamentale la definizione e la divisione dello spazio.

Queste riguardano prima di tutto il cielo o meglio la volta celeste (*templum coeleste*) che era immaginata suddivisa in sedici caselle sulla base dell'orientamento determinato dai quattro punti cardinali idealmente congiunti tra loro da due rette perpendicolari: quella nord-sud e quella est-ovest chiamate, rispettivamente, secondo la terminologia latina che riflette fedelmente la dottrina etrusca, *cardo* e *decumanus*. Facendo centro sul punto d'incrocio tra le due rette e volgendosi verso sud, tutto lo spazio che dalla linea «orizzontale» est-ovest era compreso verso mezzogiorno costituiva la «parte anteriore» (*pars àntica*), quello verso settentrione, la «parte posteriore» (*pars postica*); tutto lo spazio che dalla linea «verticale» nord-sud era compreso verso est costituiva la «parte sinistra» (o *orientalis*), considerata di buon auspicio, quello verso ovest la «parte destra» (o *occidentalis*), ritenuta sfavorevole. Partendo dalla quadripartizione di base si ottenevano, quattro per ogni quadrante, le sedici caselle nelle quali erano collocate le dimore o sedi delle diverse divinità (*deorum sedes*) secondo un sistema di ubicazione cosmica che le fonti letterarie romane, sebbene non del tutto chiare, ci consentono di ricostruire in modo da ritenere, col Pallottino, «che le grandi divinità superiori, fortemente personalizzate e tendenzialmente favorevoli, si localizzavano nelle

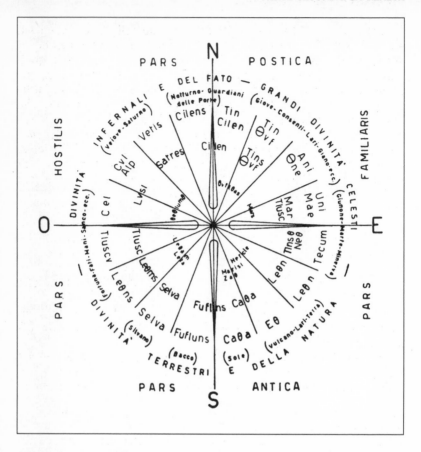

Schema di suddivisione della volta celeste secondo la dottrina etrusca.

plaghe orientali del cielo, soprattutto nel settore nordest, le divinità della terra e della natura si collocavano verso mezzogiorno; le divinità infernali e del fato, paurose ed inesorabili, si supponevano abitare nelle tristi regioni dell'occaso, segnatamente nel settore nordovest, considerato come il più nefasto».

Tenendo presente la ripartizione della volta celeste, era facile riconoscere, dalla posizione dei «segni» che si manifestavano in cielo (fulmini, prodigi), da quale divinità provenisse il «messaggio» e se esso fosse di buono o di cattivo auspicio. Mentre le caratteristiche intrinseche del «segno» (nel caso dei fulmini: forma, colore, effetti e giorno della caduta) aiutavano a precisarne la natura, secondo una casistica complessa e complicata, e a specificarne il valore di annuncio, di richiamo, di comando ecc. Sempre a proposito del fulmine, che era considerato il «segno più importante» (*auspicium maximum*) e che era prerogativa del dio *Tinia* (il quale poteva lanciarlo, oltre che dalle tre sedi che egli stesso occupava, anche da tutte le altre e poteva inoltre delegare la sua funzione ad altre divinità che Seneca ci dice in numero di nove, tra le quali Giunone, Minerva, Marte, Saturno e Vulcano), il primo ad apparire nel cielo (sempre stando a quello che ci dice Seneca) era interpretato come un avvertimento (*fulmen praesagum*), il secondo, che poteva essere scagliato solo previo accordo degli *dei consentes*, era dimostrazione di ira e aveva lo scopo di impaurire (*fulmen ostentorium*), il terzo (*fulmen peremptorium*), pure scagliato col consenso degli *dei superiores et involuti*, era motivo di «annientamento» e di «trasformazione» («devasta tutte le cose su cui cade e trasforma ogni stato di cose, sia pubbliche che private»).

Quanto alla divinazione attraverso l'*haruspicina*, si deve dire che, in base al principio della corrispondenza, la divisione della volta celeste era immaginata come riflessa nel fegato degli animali che veniva esaminato con l'aiuto di speciali «modelli», in terracotta o in bronzo (come quello del II secolo a.C. che riproduce il fegato di una pecora ritrovato presso Piacenza), dove erano incise la caselle con i nomi delle divinità: segni particolari, eventuali malformazioni o altro, rilevati nel fegato in corrispondenza delle caselle registrate nel «modello», davano praticamente le stesse indicazioni offerte dai «segni» celesti.

Sempre in base al principio della corrispondenza, la divisione del cielo aveva precisi riscontri anche sulla terra dove si rifletteva non soltanto nel fegato degli animali (come s'è appena detto) ma su

Trascrizione delle ripartizioni e dei nomi di divinità incisi sul modellino di fegato ovino da Settima presso Piacenza.

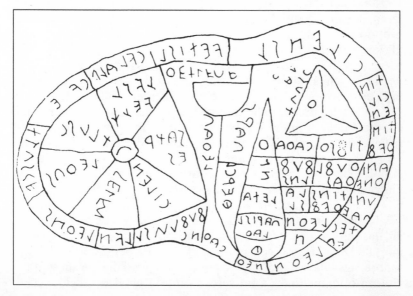

qualsiasi parte della superficie terrestre volta a volta individuata, delimitata e «consacrata». In essa, purché sussistessero le condizioni dell'orientamento e della partizione secondo il modello celeste, era trasferito il concetto di «spazio sacro» (*templum*) e questo poteva essere un santuario o anche semplicemente un altare oppure un'intera area urbana. Ma le regole della partizione sacra venivano anche osservate nelle suddivisioni dei campi (donde la già ricordata importanza e «sacralità» dei cippi di confine) le quali erano pur sempre concepite come dipendenti dalla volontà degli dèi.

In una profezia attribuita alla ninfa Vegoia si predicevano per l'inizio del nono «secolo» etrusco (cioè al principio del I secolo a.c.) gravi disastri come conseguenza di violazioni di confini e di passaggi di proprietà e anche se dovette trattarsi di una «storiella» messa in giro ad arte dagli ambienti conservatori preoccupati delle continue minacce di riforma agraria proposta a Roma dai tribuni della plebe, la sua credibilità non poteva che essere legata ai princìpi e ai concetti appena esposti. Ai quali deve essere anche ricollegata l'origine rituale del tempio (inteso questa volta come edificio) derivato dalla sovrapposizione della cella a una «terrazza augurale» dove la stessa cella corrispondeva alla «parte posteriore» dello spazio sacro e il pronao colonnato alla «parte anteriore» (donde l'orientamento abituale dei templi rivolto verso sud o verso sudest).

La mistica unità del mondo celeste e del mondo terrestre doveva estendersi verosimilmente fino a comprendere anche il mondo sotterraneo nel quale, almeno in una fase dottrinale più evoluta e tarda, era localizzato il regno dei morti, definito come uno «spazio» proprio e a sé stante.

Prima tuttavia che s'affermasse la concezione dell'al di là, evidentemente per influsso delle credenze escatologiche greche, le idee degli Etruschi a proposito dei morti erano alquanto diverse. Anche in questo caso si trattava di idee e concezioni, comuni del resto a tutte le civiltà preclassiche del mondo mediterraneo, riconducibili alla sfera del «primitivo», efficacemente testimoniate dalle caratteristiche delle tombe e soprattutto dall'uso di deporre in esse un «corredo» personale per il defunto. Quest'uso documenta l'idea (e si potrebbe dire la fede) della continuazione, dopo la morte, di una qualche particolare «attività» (verosimilmente di tipo magico) e, a questa collegata, quella di una sopravvivenza del defunto, o meglio della sua «individualità» o «entità vitale», comunque immaginata, nella tomba stessa e in qualche modo congiunta alle spoglie mortali. Di qui la pratica o piuttosto l'esigenza per i superstiti di garantire, agevolare e prolungare per quanto possibile questa sopravvivenza ottemperando a un vero e proprio obbligo religioso, non

disgiunto dal timore di punizioni qualora esso fosse disatteso o trascurato.

In concreto, tale obbligo si assolveva e si esplicava in vari modi
legati anche al rango sociale del defunto e alle possibilità materiali
dei suoi eredi: si andava perciò dal rivestire il cadavere dei suoi
abiti e dei suoi ornamenti e gioielli e dal deporre accanto ad esso
armi, strumenti e poi cibi e bevande all'accompagnarlo con figurine riproducenti familiari e servitori; dal foggiare la tomba nell'a-
spetto della casa e arricchirla di arredi e oggetti (veri o riprodotti
in figurazioni) al dotarla di scene dipinte raffiguranti «momenti»
di vita, fino a riprodurre l'immagine del defunto (o della parte essenziale di esso, il volto, attraverso una «maschera») per ancorare
ad essa il suo «spirito» minacciato dal naturale disfacimento del
corpo.

Le stesse cerimonie funebri (anche anniversarie) erano concepite
e attuate in funzione di questa ideologia funeraria. Se, infatti, è
possibile pensare che alcune di esse (come ad esempio il banchetto
davanti alla tomba) fossero destinate piuttosto ai vivi che ai morti,
quasi a rinsaldare i vincoli familiari degli eredi e ad esorcizzare,
con un'espressione di vita, l'idea della morte, è certo che altre – e
forse le più numerose e importanti – specialmente i giochi, le gare
sportive e i combattimenti cruenti, erano espressamente dedicate
ai defunti con l'intento di trasmettere loro, magicamente, la vitalità (e lo stesso sangue) che esse esprimevano e sprigionavano.

L'antichità e la forza di queste credenze sono palesi, nonostante
tutto, anche nel rito funebre della cremazione (esclusivo durante il
periodo più antico della cultura «villanoviana» e sopravvissuto in
qualche caso in periodi più recenti) che sembra apparentemente
contraddire ad ogni idea di rapporto tra lo «spirito» e il corpo:
mentre questo viene infatti distrutto nel rogo funebre, le ceneri
sono deposte – insieme ad un corredo di oggetti – in urne a forma
di casa o in vasi il cui coperchio ha spesso la foggia di un elmo che
rappresenta, sia pure in maniera soltanto allusiva, la realtà fisica
del morto (per non dire dei caratteristici «canopi» chiusini, vasi
ossuari antropomorfi nei quali si rappresentavano le fattezze del
defunto, o, addirittura, delle statue-cinerario).

È appena il caso di aggiungere che la credenza in una sopravvivenza materiale del defunto nel luogo della sua sepoltura provocò
un notevole sviluppo, sia dal punto di vista ideologico sia dal punto di vista rituale, del culto dei morti e della tomba medesima concepita come «luogo sacro». E ciò fu tanto più favorito dal precoce
costituirsi dei gruppi gentilizi che in quel culto e nella ostentazione
delle sue forme più vistose, nella qualità e nella ricchezza dei corredi funebri, nella monumentalità delle tombe, riponevano una
parte non secondaria del loro prestigio e della loro affermazione
di nobiltà e di potenza.

Quando, per effetto delle suggestioni greche, a partire dal v secolo a.C., si definisce, sostituendosi alle credenze primitive, il concetto di uno speciale «mondo dei morti», questo si configura sul modello dell'Averno greco: un luogo appartato e sotterraneo, regno delle «ombre», governato dalle divinità degli Inferi, popolato di «demoni» e di spiriti di personaggi mitici e di antichi eroi. Per conseguenza la sorte dell'«anima» è il soggiorno senza fine in questo mondo e la morte dà luogo ad un viaggio dell'«anima» stessa per raggiungerlo (la discesa agli «Inferi»). Il soggiorno è però concepito in senso essenzialmente pessimistico: esso è triste e senza speranza, uguale per tutti, dominato dallo spavento che incutono i demoni infernali e i tormenti che essi infliggono alle anime.

Le figure dei demoni sono in parte desunte dal mondo greco, in parte si riconducono ad eredità locali. Le tante rappresentazioni, in pittura e in scultura, ci mostrano il demone femminile *Vanth*, alato e con in mano il rotolo del destino, che sembra ricordare la dea greca del fato, l'implacabile Moira; la furia *Culsu*, anch'essa alata e provvista di una fiaccola; poi soprattutto i demoni maschili: *Charun*, una sorta di deformazione semibestiale del greco Caronte (da cui direttamente deriva il nome etruschizzato) e *Tuchulcha* dal volto mostruoso, con naso adunco e becco di rapace, le orecchie d'asino e i capelli di serpenti, e dalle carni di colore livido.

Di fronte a una concezione così negativa, che parrebbe materializzare l'angoscia della morte (e che taluno ha voluto ricollegare, quasi ne fosse il riflesso, al periodo di crisi e di decadenza dell'Etruria), è possibile che si siano diffuse, ancora una volta per tramite greco, e comunque in età etrusco-romana, particolari dottrine di salvazione comportanti la possibilità per le anime di conseguire uno stato di beatitudine (o addirittura di «deificazione») attraverso speciali riti di suffragio e cerimonie con sacrifici e offerte agli dèi infernali (e questo potrebbe essere stato l'oggetto principale di quei libri della *disciplina* chiamati «acherontici»). È possibile che tutto ciò sia da attribuire in particolare all'influsso e alla stessa diffusione delle concezioni escatologiche e delle pratiche di culto contemplate nelle dottrine orfiche e dionisiache (visto che il culto di Dioniso/Bacco, in etrusco *Selvans/Fufluns*, è largamente attestato anche in rapporto col mondo funerario), ma è da presumere che, comunque, come scrive il Pallottino, le speranze di salvazione siano da ricollegare «al concetto delle operazioni magico-religiose, proprie di una spiritualità primitiva, piuttosto che dipendere da un superiore principio etico di retribuzione del bene compiuto in vita».

Non è d'altra parte da respingere l'idea che concezioni e pratiche derivanti dalle religioni «misteriche» siano state adottate volentieri dalle grandi famiglie per ribadire e perpetuare, in periodo di decadenza e di lotte sociali, la propria dignità storica, la nobiltà delle origini e il loro prestigio proprio attraverso l'esaltazione di quel «culto per gli antenati» (possibilmente assimilati ad entità divine:

gli *dei animales*, cioè provenienti dalle «anime», ricordati dallo scrittore cristiano Arnobio nel IV secolo d.C.) in cui si erano riversate e trasformate le antiche forme di obblighi rituali verso i morti (e da ciò, anche, la trasformazione delle grandi tombe gentilizie in autentici «sacrari» della famiglia o, piuttosto, della «schiatta»).

S'è già detto, a proposito del senso di subordinazione dell'uomo alla divinità, e quindi del suo adeguamento al volere divino, dell'importanza, anche ai fini pratici, che nella religione e nella vita degli Etruschi rivestivano le norme di comportamento, sia degli individui sia delle comunità. Tali norme si traducevano in una serie impressionante di pratiche religiose, di cerimonie, di riti che, rigidamente codificati e meccanicamente ripetuti, divennero facilmente, per ciò stesso, puro e semplice formalismo. E fu quest'aspetto tutto esteriore della religiosità etrusca che – insieme ai tratti di spiccato primitivismo delle concezioni ideologiche e di inalterato conservatorismo di motivi e di credenze che altri popoli superarono abbastanza rapidamente – maggiormente colpì e impressionò gli antichi. Mentre ha fatto parlare i moderni, della civiltà etrusca, da questo punto di vista, come di un'«antica e matura civiltà cerimoniale».

La normativa per le operazioni e le pratiche di culto era anch'essa parte integrante della *disciplina* (oggetto dei *libri rituales*) e toccava aspetti non soltanto religiosi ma anche «civili», al punto che il commentatore dell'*Eneide*, Servio, poteva affermare che ogni azione umana doveva essere compiuta «in conformità alla disciplina etrusca». Essa si concretizzava caso per caso nella puntuale determinazione dei luoghi, dei tempi, dei modi nei quali e coi quali l'azione (o quello che gli Etruschi chiamavano «servizio divino», forse *aisuna*, *aisna*, da *ais* = dio) doveva compiersi, delle divinità cui essa era dedicata e delle persone cui essa competeva.

I luoghi dovevano essere circoscritti, delimitati e consacrati; i tempi regolati dalla successione cronologica delle feste e delle cerimonie elencate in speciali «calendari sacri»; i modi rispettati fin nei minimi particolari al punto che, ove si fosse trascurato o sbagliato un solo gesto, tutta l'azione avrebbe dovuto ricominciare da capo.

Quanto alle forme più propriamente di culto, esse non erano sostanzialmente diverse da quelle in uso presso gli altri popoli dell'antichità (come non erano diversi, in generale, i santuari, i templi, gli altari). Nelle funzioni dovevano trovare ampio spazio la musica e la danza, le preghiere (d'invocazione, di espiazione, di perdono ecc.), le offerte incruente, sia di liquidi (come soprattutto il vino) sia di cibi, il sacrificio di animali (distinti, a quanto pare, da quelli destinati alla consultazione delle viscere), i doni votivi. Questi ultimi dovevano rappresentare una pratica molto diffusa soprattutto a livello di religiosità popolare, ma doni votivi erano offerti nei santuari anche dalle pubbliche autorità, dalle comunità cittadine e dagli Stati. Eseguiti per lo più in serie con matrici a stampo, in terracotta o in bronzo (e venduti negli stessi santuari), consistevano, nella grande maggioranza dei casi, in statuine raffiguranti le divinità venerate o gli stessi devoti e offerenti, oppure parti del corpo umano, figure di animali (come sostituzione delle vittime); in «modellini» di templi e altri edifici sacri (pure in sostituzione di costruzioni reali), in grandi statue, edicole e sacelli fino ad arrivare ai templi veri e propri.

Per quel che concerne gli addetti alle pratiche del culto, si trattava di sacerdoti, talvolta strettamente collegati alle magistrature pubbliche, spesso riuniti in «collegi» o «confraternite», comunque vari e diversi per funzioni e specializzazioni e, in base a queste, distinti da speciali costumi e attributi che ne indicavano anche esteriormente la sfera di competenza. Particolare importanza avevano quelli incaricati delle pratiche divinatorie, custodi delle teorie dottrinali ed esperti di tutte le tecniche d'interpretazione. Tra questi, in primo luogo, gli Aruspici (dal latino *haruspex*, in etrusco certamente *netsvis*) addetti alla consultazione delle viscere degli animali, e i *fulguratores* (in etrusco probabilmente *trntnvt fruntac*) a quelle dei fulmini. Attributo più o meno comune di essi e segno distintivo della loro funzione era il «lituo», un bastone dall'estremità superiore ricurva; costume proprio degli Aruspici, il mantello frangiato e il berretto conico.

Per concludere, si è avuta già l'occasione, parlando della durata della lingua etrusca, di accennare alle sopravvivenze, anche in epoca imperiale romana, di certe forme di culto e della verosimile continuità di un certo linguaggio liturgico (ancora in età costantiniana, cioè nel IV secolo d.C., è documentata a Tarquinia l'esistenza di un *ordo sexaginta haruspicum*, un collegio di sessanta aruspici, e nella stessa epoca venivano ancora consultati, sia pure nella versione latina, come s'è già ricordato, i *libri tarquitiani*). C'è da aggiungere che, pure dal punto di vista della religione, la civiltà etrusca, anche per via di aspetti originariamente comuni e di tendenze unitarie, svolse un ruolo non secondario di trasmissione culturale (di idee, di immagini, di cerimonie) nei confronti di altre popolazioni italiche.

Ciò in particolare nei confronti dei Romani e fin dal tempo della «comunità culturale» etrusco-romana del secolo VI a.C., ma soprattutto sul finire della repubblica, quando fu attuata la già ricordata *vulgata* in latino dei libri sacri, quando i maestri dell'aruspicina vivevano e insegnavano la loro arte a Roma e quando, infine, come ci dicono le fonti, i grandi personaggi della politica romana erano usi consultare aruspici etruschi che tenevano al proprio seguito (salvo a non ascoltarli, come fece Cesare nei confronti di quell'aruspice Spurinna che gli prediceva la tragica fine delle idi di marzo). Non a caso, nel 47 d.C., l'imperatore Claudio, in un discorso sul collegio degli aruspici manifestava – come ricorda lo Heurgon – la sua volontà di lottare di fronte all'invasione delle superstizioni straniere, per la salvaguardia «della disciplina più antica d'Italia», fondando la sua politica sull'esempio del passato, al tempo in cui «i grandi dell'Etruria, sia spontaneamente, sia per istituzione del Senato, avevano mantenuto e diffuso questa scienza nelle famiglie».

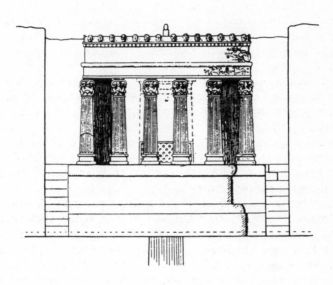

VI. Un'arte «condizionata»

Un discorso sull'arte etrusca richiede un chiarimento preliminare che valga a precisarne i termini e a circoscriverne la legittimità, e deve partire dal presupposto che, in ogni caso, parlare di arte etrusca è diverso che parlare, ad esempio, di arte greca. Se, infatti, per arte si deve intendere (come comunemente s'intende) un'espressione chiaramente individuabile e definibile in blocco, nelle sue caratteristiche e peculiarità e nel suo progressivo, autonomo e organico svolgimento, si potrebbe addirittura affermare (contrariamente a quello che si fa per l'arte greca) che una vera arte etrusca non è mai esistita.

Piuttosto, è esistito un «modo di operare artistico» degli Etruschi, più o meno coerente e unitario nel tempo, che contraddistingue un complesso di manifestazioni – nel campo dell'architettura, della scultura, della pittura e delle cosiddette arti minori – nel quale è impossibile riconoscere una linea di fondo, un discorso teorico, uno sviluppo conseguenziale. Mentre è invece possibile riconoscervi, di volta in volta, un «modo di comportarsi» in base a determinate esigenze e soprattutto di reagire a sollecitazioni diverse (spesso d'origine esterna) che è poi riconducibile a una particolare visione o meglio identificabile come espressione di un particolare atteggiamento. Sicché, invece che di arte etrusca (e non sembri una questione meramente nominalistica) è preferibile parlare di «arte degli Etruschi».

In quest'arte, comunque la si voglia intendere, appare determinante quello che potremo chiamare il «condizionamento» del magistero greco. Il quale fu sempre presente nel campo della cultura figurativa etrusca, in maniera diversa a seconda delle epoche, e tuttavia operante, sia che esso abbia dato luogo a fenomeni di partecipazione (come nel periodo «arcaico») o di sudditanza (come nel periodo «ellenistico»), sia che esso abbia provocato, più o meno inconsciamente, fenomeni di ripulsa e di rigetto – o, più semplicemente, di incomprensione (come nel periodo «classico») – e di contrapposizione (come spesso, nel fondo, e con maggiore evidenza quando meno era sentito l'influsso greco).

D'altra parte, è anche vero che, proprio nei momenti d'incomprensione e di contrapposizione all'arte greca, emergono certe particolari «tendenze» – quali possono essere definite quelle che portano alla spontaneità e all'immediatezza, alla disorganicità e all'espressività, all'enfatizzazione e alla tensione drammatica, al conservatorismo e all'incoerenza – attraverso le quali, anche se in maniera episodica e discontinua, la disponibilità etrusca all'espressione artistica ha trovato una sua via propria. Al punto che ora possiamo assumerle, in qualche modo, come distintive dell'arte etrusca o, piuttosto, del modo di fare arte da parte degli Etruschi.

Esse non potevano certo condurre all'impostazione di fondo dei problemi della forma artistica – anzi nemmeno al proporsi, in sede teorica, di alcun problema formale –, non potevano certo fare «scuola» e nemmeno porsi in maniera logica e coerente di fronte al fenomeno dell'arte greca. Furono però alla base di quel modo di reagire da parte degli artisti etruschi alle sollecitazioni e di scegliere i «modelli» secondo il proprio gusto e la propria sensibilità e in funzione di obiettive necessità. Queste ultime particolarmente importanti e per tanti versi addirittura vincolanti (una sorta di ulteriore condizionamento) legate come furono al tipo di struttura sociale fondamentalmente aristocratica e inoltre alla sfera religiosa e alle concezioni sull'oltretomba.

Si può aggiungere che quelle stesse tendenze, favorite e accentuate da un peculiare gusto per il particolare e il concreto della vita quotidiana, portarono gli Etruschi a trascurare certe forme d'espressione artistica. O, quanto meno, a relegarle in secondo piano, e a prediligere – con risultati spesso di notevole perfezione tecnica e non di rado di elevato valore formale – la coroplastica, ossia l'arte della creta, e la bronzistica (ad essa connessa) e le arti cosiddette minori (la piccola plastica, la toreutica, l'oreficeria) così come gli oggetti d'uso e le decorazioni.

Talché, accettando una distinzione moderna non sempre valida per il mondo antico, si deve arrivare all'altra conclusione che, in definitiva, per il mondo figurativo degli Etruschi sarebbe più esatto parlare di artigianato che di arte: un artigianato che non riesce mai a spogliarsi di un certo carattere incolto e popolaresco, ma che può assurgere ad espressione artistica originale con l'emergere di particolari individualità e il realizzarsi di felici improvvisazioni.

Fatte queste premesse e sottolineata, proprio sulla base di esse, la grande difficoltà di svolgere un discorso di carattere generale (ché le singole opere andrebbero esaminate e valutate ciascuna per se stessa o, quanto meno, nell'ambito di più o meno definiti «momenti» e fasi artistiche), si può passare a una sintetica esposizione dell'attività artistica etrusca proprio in ordine a determinati periodi e cominciando dal periodo che potremmo chiamare delle origini.

Le più antiche esperienze figurative del mondo etrusco, individuabili in questo periodo, tra il IX e il VII secolo a.C., partecipano, parallelamente a quelle di altri popoli della Penisola, all'elabora-

zione di schemi e motivi sostanzialmente dominati dalle tradizioni
d'origine preistorica e dai riflessi delle grandi civiltà dell'Oriente.
In una prima e più antica fase, sono le tendenze d'origine preistorica a prevalere conferendo a tutta la produzione una caratteristica impronta di tipo «primitivo» e quasi fuori del tempo che è
frutto di un gusto spontaneo, estroso e vivace e che si risolve in
forme sommarie e schematiche, «antistilistiche» e persino «astratte». Si tratta ancora e soltanto di oggetti d'arte minore, di uso comune o di destinazione funeraria, di ceramiche e di piccola plastica in terracotta e in bronzo, di suppellettili di vario tipo. Tutti
questi oggetti appaiono decorati con motivi geometrici tendenzialmente astratti e schematici e con figurine rozzamente abbozzate,
ingenue e sommarie ma estremamente vivaci ed espressive. Documenti significativi sono vasi plastici di semplice impasto, cinerari o
di uso comune, vasi di bronzo (come quello da Bisenzio al Museo
di Villa Giulia), arredi (come il carrello «bruciaprofumi» pure di
bronzo e sempre da Bisenzio) e gli esempi più antichi dell'originale serie dei «canopi» di Chiusi – i caratteristici vasi ossuario foggia-
ti in figura umana – dalle forme geometrizzate e dai volumi com-
patti ma talvolta non privi di attente notazioni naturalistiche.
Su questo fondo di tradizioni preistoriche vengono ad innestarsi,
già sul finire del secolo VIII e poi a svolgersi per tutto il secolo VII,
suggestioni e motivi di derivazione orientale che caratterizzano la
seconda fase delle origini detta, per l'appunto, «orientalizzante». Le
novità sono originate e sollecitate dal grande flusso di importazioni
di oggetti e di motivi stilistici e decorativi – e poi anche di artigiani –
da Cipro e dalla Palestina, dalla Siria, dalla Mesopotamia, dall'Egitto e persino dalle regioni centroasiatiche dell'Armenia e dell'Urar-
tu. Queste importazioni, massicce e continue, frutto della navigazione e dei commerci dei Fenici e dei Greci (e poi degli stessi Etruschi),
danno luogo progressivamente a una larga produzione di imitazione
caratterizzata da un'adesione pronta, immediata ed esuberante ai
modelli e al gusto che giungono d'oltremare e da una tecnica raffinata ed esperta, non di rado fastosa e di sapore «barbarico» nel tratta-
mento del bronzo, dell'avorio, dell'argento e dell'oro.
Ne sono eloquente testimonianza i fantastici corredi sepolcrali
delle grandi tombe «principesche» di Preneste (Barberini e Ber-
nardini ai Musei Pigorini e di Villa Giulia) e di Cere (Regolini-
Galassi, al Museo Gregoriano del Vaticano) e delle tombe «a cir-
colo» di Vetulonia (al Museo archeologico di Firenze). E, all'interno di questi corredi, soprattutto i grandi bronzi e in particolare le
oreficerie che denotano un'improvvisa e ineguagliabile fioritura e
uno splendore forse mai più raggiunti: con l'esuberante e fantastico sviluppo dei motivi ornamentali, figurati, animalistici, vegetali e
geometrici, con l'impiego perfetto e variato delle diverse tecniche
dell'incisione e dello sbalzo, della granulazione e della filigrana.
Con la cultura «orientalizzante», facendo proprio per la prima

volta un linguaggio figurativo proveniente d'oltremare, l'Etruria entra a far parte dell'area della civiltà artistica del mondo mediterraneo. Ma la partecipazione si limita, come s'è detto, quasi esclusivamente all'imitazione con una sorta di compiaciuto indugiare nel riprodurre gusto e motivi fine a se stessi, senza che si vada formando alcuna valida tradizione artistica locale. E ciò non sarà senza conseguenze per il futuro anche immediato e soprattutto nei confronti della Grecia dove, proprio in questo periodo, con il superamento sempre più deciso e cosciente delle formule «orientalizzanti», vengono gettate le basi di quella che sarà, tra breve, la grande arte greca.

Così – come opportunamente rileva il Pallottino – incapace di formarsi una visione originale e senza l'appoggio di una propria tradizione, l'Etruria finisce con il cadere a poco a poco, inevitabilmente e inesorabilmente, nell'orbita delle esperienze artistiche greche le quali, già presenti e operanti come tramite di diffusione delle elaborazioni proprie della civiltà del Vicino Oriente, si faranno via via sempre più forti e affascinanti, tali da condizionare per sempre, come s'è già accennato, positivamente o negativamente, ogni sviluppo della produzione artistica degli Etruschi.

Le prime influenze della grande arte greca si avvertono in Etruria già nello scorcio del VII secolo a.C., durante la tarda età «orientalizzante», e provengono in particolare dalle esperienze di ambiente cretese e peloponnesiaco, soprattutto corinzio. Proprio dietro questa iniziale sollecitazione nascono in Etruria la pittura murale e la grande scultura in pietra. Ne sono testimonianza, per la pittura, le ormai svanite decorazioni della Tomba Campana di Veio, per la scultura, le statue maschili e femminili, purtroppo frammentarie, provenienti dal Tumulo della Pietrera di Vetulonia (al Museo archeologico di Firenze) e quella del centauro da Vulci (al Museo di Villa Giulia): nelle une e nelle altre, gli influssi dell'arte «dedalica» di Creta e di quella peloponnesiaco-corinzia sono evidenti pur accanto a notevoli reminiscenze di modelli orientali e a stretti legami con più antiche tradizioni locali.

Nello stesso tempo fiorisce a Vulci la prima scuola di pittura vascolare etrusco-corinzia (seguita poi dalle altre che si sviluppano a Cere, a Veio, a Tarquinia), mentre a Cere nasce la ceramica «nazionale» del bucchero.

Esauritasi completamente la fase «orientalizzante» e ormai preponderante l'influenza dell'arte greca, al periodo delle origini succede quello che, in puntuale parallelismo con quanto accade nel mondo greco, si suole denominare dell'«arcaismo». Esso prende l'avvio, nei decenni immediatamente precedenti la metà del VI secolo a.C., con l'arrivo in Etruria di nuovi straordinari fermenti d'arte provenienti dalle regioni orientali del mondo greco e, in particolare, dai centri ionici dell'Asia Minore che soppiantano rapidamente gli iniziali apporti cretesi e corinzi.

Tali fermenti – che giungono anche attraverso i vasi dipinti importati dalla Ionia o addirittura prodotti da artisti ionici operanti in Etruria (come il «maestro delle hydriae ceretane») – diffondono il gusto per le composizioni sbrigliate e dinamiche, per le figure molli e carnose, dai volti arguti, le teste schiacciate, i profili sfuggenti, le chiome fluenti e per i contorni curvilinei e i volumi arrotondati con scarse notazioni plastiche e largo impiego del graffito lineare in superficie. A un simile gusto gli artisti etruschi aderiscono subito con particolare entusiasmo, come a un qualcosa del tutto congeniale al proprio temperamento. Esso viene così immediatamente acquisito, assimilato, rivissuto ed elaborato in un complesso di manifestazioni dall'impronta sostanzialmente unitaria e, se non proprio del tutto originale, almeno viva e vitale, tale comunque da poter essere giustamente designata, con una felice e significativa espressione, «ionico-etrusca».

Con questo vigoroso impeto di partecipazione diretta e attiva l'Etruria, lungi dal rimanersene soltanto recettiva e perciò passiva e dal diventare una «provincia» dell'arte greca si colloca pienamente e profondamente in una più vasta unità circumellenica e si caratterizza come una delle «regioni» che nell'ambito di questa unità (pur sfaccettata in modo multiforme e vario) concorrono all'elaborazione dell'arte arcaica «internazionale».

Come opere altamente rappresentative di questo periodo possono essere indicate il sarcofago-cinerario «degli sposi» da Cere al Museo di Villa Giulia, in terracotta, e le pitture della Tomba del Barone a Tarquinia, databili a poca distanza l'uno dall'altra tra il 520 e il 510 a.C. Pur nella diversità della materia e dei mezzi espressivi, queste opere hanno in comune la composizione armoniosa e raffinata, il senso ritmico e l'eleganza, la resa dei particolari con l'accentuata rappresentazione volumetrica delle masse larghe e definite da superfici continue, la morbidità delle linee dai contorni sinuosi, la stilizzazione dei volti lisci e ovali dai profili acuti, gli occhi a mandorla, la bocca atteggiata nel caratteristico sorriso «arcaico».

Ma, accanto a queste opere, se ne possono menzionare innumerevoli altre: nel campo della pittura (che si rivela, con documenti di notevole interesse, tra le manifestazioni più elevate e nobili di tutta la produzione figurata degli Etruschi) le lastre di terracotta da Cere e i grandi complessi delle camere sepolcrali tarquiniesi, dalla Tomba dei Tori a quella degli Auguri, dalla Tomba delle Leonesse a quella della Caccia e della Pesca; nel campo della scultura, soprattutto la plastica funeraria, con i rilievi su pietra (cippi, urne, stele) di Fiesole e di Chiusi e quella, di varia destinazione, in bronzo (la cui perfezione tecnica e raffinatezza di stile divennero famose nella stessa Grecia), con le lamine decorate a balzo provenienti dal territorio perugino e da assegnare con molta probabilità a botteghe ceretane e con i pezzi fusi (tripodi, candelabri, statuine, arredi) della «scuola» di Vulci.

Nell'ambito cronologico e fondamentalmente stilistico della grande fioritura artistica del periodo dell'arcaismo, proprio allo scadere del vi secolo, si colloca la famosissima statua dell'Apollo di Veio, considerata da molti emblematica della produzione artistica etrusca, oggetto di appassionanti discussioni e cardine di ogni discorso sull'arte degli Etruschi e, anzi, occasione all'inizio della disputa sulla sua originalità.

L'Apollo (insieme alle altre statue più o meno frammentarie – di Ercole, di Ermes, della dea con bambino – ritrovate con esso e che avevano fatto parte della fastosa decorazione acroteriale di un tempio) rappresenta per molti versi un capitolo a sé nel complesso e multiforme mondo della produzione figurata etrusca. In esso, infatti, la stessa arte «ionico-etrusca», che pur ne costituisce il sostrato e il motivo di fondo, anche se già largamente temperato dagli influssi provenienti da nuovi modelli più propriamente ionico-attici, appare del tutto superata o meglio rivissuta con profonda e intensa originalità e come trasfigurata nei suoi stessi elementi. Sicché la statua si pone assolutamente al di fuori di ogni inquadramento schematico, inconfondibile e nuova, unica e irripetibile. Il suo stile è vigoroso e tagliente, decisamente lontano dalle morbidità proprie del gusto ionico, e ne scaturisce perciò un'immagine straordinariamente efficace, tutta pervasa di vibrante tensione, sottolineata dal gusto per la linea elegante e incisiva e al tempo stesso ricca di forza: espressione insieme di potenza fisica e di impeto dinamico non disgiunti da una sorta di rarefatta astrazione da cui emerge il profilo del volto raffinato e arguto.

Quanto alle altre figure del gruppo, diverse eppure identiche nella formula e nel rendimento (e specialmente a quella femminile forse più raffinata anche se meno coerente), e alle altre terrecotte del rivestimento templare (soprattutto le antefisse) ancor più svincolate da ogni costrizione ma di sicura e semplice eleganza, esse dimostrano, al tempo stesso, una grande libertà d'espressione e un medesimo stile fortemente individuale. Ed è questo stile – che ha fatto, a ragione, parlare di un «maestro dell'Apollo» (senza dubbio, la più alta e originale personalità a noi nota dell'arte in Etruria) – che fa sì che le statue veienti ci si presentino quasi come un fenomeno isolato «che non sembra – come ha scritto il Mansuelli – in qualche modo preparato e anticipato». Esse quindi, pur rappresentando un punto fermo nella produzione artistica degli Etruschi, non costituiscono un termine d'arrivo, la conclusione di un processo. Ma non sono nemmeno il punto di partenza per un «nuovo corso», rimanendo sostanzialmente isolate, senza echi o riflessi rilevanti anche nelle opere minori più o meno contemporanee e in quelle seguenti. E può essere questa una testimonianza estremamente eloquente dell'incapacità degli artisti etruschi di trasformare in «scuole» gli spunti originali e di organizzarli quindi in un processo creativo coerente e unitario.

La partecipazione più o meno diretta alle esperienze figurative greche continua in Etruria anche nei primi decenni del secolo v, fin verso il 470 a.C., quando all'influenza ionica si sostituisce quella attica, o meglio, quella nuova feconda serie di esperienze, specie in riferimento ai problemi dell'anatomia e dello scorcio, detta dello «stile severo» che si era andata elaborando già verso la fine del secolo vi principalmente in Attica e nel Peloponneso e che segnerà in breve il passaggio dall'arte arcaica a quella classica.

Le innovazioni formali (che giungono soprattutto per il tramite della ceramica attica a figure rosse) appaiono evidenti, sia pure con un certo attardamento, nella produzione etrusca di questo periodo: nel disegno e nella tecnica, nelle composizioni e nell'iconografia e, in modo particolare, nella rappresentazione della figura umana resa naturalisticamente nella sua anatomia, nel suo movimento e, per la prima volta, nello scorcio.

Ne sono testimonianza, come sempre, le pitture sepolcrali (come quelle della Tomba delle Bighe e della Tomba del Triclinio a Tarquinia), le terrecotte templari (come il grande altorilievo di Pyrgi) e, in generale, la statuaria in pietra e in bronzo, i rilievi in pietra, gli specchi incisi di bronzo, le gemme, le oreficerie.

Man mano però che ci si inoltra nei decenni del secolo, quella sorta di spontaneo e felice incontro con la civiltà figurativa greca che aveva trovato la sua massima espressione nella fase «ionica», si va rapidamente dissolvendo e, ancor prima della metà dello stesso v secolo, la produzione artistica etrusca perde il «passo» rispetto a quella greca e si fa estranea alla vicenda di quella: l'unità col mondo ellenico si rompe e l'Etruria rimane isolata per una lunga e incerta battuta d'arresto.

La rottura della «comunità arcaica» segna l'inizio di un nuovo periodo della storia dell'arte etrusca che si potrebbe definire «di mezzo» e che dura fino all'inoltrato secolo iv. Essa fu senza dubbio dovuta – sul piano pratico – alla grave crisi politico-economica che si abbatté, proprio nella prima metà del v secolo, in particolare sulle città dell'Etruria meridionale e si configura – come del resto per altre parti d'Italia – in un periodo di depressione, di recessione, di decadenza. Ma, proprio mentre in Grecia, con un processo di straordinaria portata per la storia dell'arte universale, si andava affermando il trionfo della classicità, la rispondenza alle grandi novità dell'arte greca da parte del mondo figurativo etrusco, per sua natura fondamentalmente anticlassico e conservatore anche per convinzioni religiose, venne rapidamente affievolendosi, per cessare quindi completamente, soprattutto per motivi di incomprensione.

All'esperienza civile dell'Etruria mancavano infatti, come osserva il Pallottino, persino le premesse «per realizzare e intendere una visione "etica" del mondo, una perfetta idealizzazione dell'immagine umana, una legge dell'armonia delle forme» così come fu, alla base, per ogni manifestazione della creazione classica. Talché, anche se fosse rimasta per altri versi in diretto rapporto con la Grecia, l'Etruria non avrebbe potuto seguire la grande maestra, come pure aveva fatto altra volta, con spontanea, naturale e feconda adesione.

D'altra parte, venuta meno la «comunione» con l'arte greca, gli artisti etruschi non furono nemmeno capaci di porsi da soli un qualsiasi problema formale e di svilupparlo quindi consapevolmente in maniera autonoma e conseguente. E per la loro produzione non trovarono altra strada che quella del ripiegamento su se stessi, sulle tradizioni del passato e in specie sui motivi e le formule dell'esperienza «arcaica», sia pure aggiornate dalle concezioni ispirate all'arte dello «stile severo».

I caratteri di questo fenomeno di attardamento e di ripiegamento, che dureranno per tutta la seconda metà del secolo v (dando l'impronta a una fase detta perciò del «subarcaismo») e che resteranno a lungo riconoscibili anche nel successivo secolo iv, sono evidenti nella pittura funeraria (come nelle tombe tarquiniesi del Letto funebre e della Nave), nelle terrecotte votive e nei piccoli bronzi (statuine, candelabri, specchi incisi), nelle tipiche statue-cinerario di pietra di Chiusi e nei più antichi sarcofagi figurati pure di pietra. In alcune di queste opere, tuttavia, e sempre più via via che si scende nel tempo e si ristabiliscono i contatti col mondo greco, non mancano di affiorare qua e là spunti di influenze classiche. Ma sono soltanto riflessi, sporadici e stentati, dei princìpi formali e dei temi compositivi della grande arte dei maestri del v e del iv secolo, non certo sufficienti a dare origine a una qualsiasi trasformazione del gusto cui continuano ad opporsi quei motivi di connaturata insensibilità e di sostanziale estraneità allo spirito classico dei quali s'è già detto.

Piuttosto, riaffiorano in questo periodo quelle caratteristiche più genuine della sensibilità etrusca, a sfondo individualistico e «popolaresco», che avevano contraddistinto le lontane origini protostoriche e che ora, venuto a mancare il grande afflato vivificatore dell'arte greca, tornano a manifestare la loro vitalità. Sicché il «clima» artistico finisce col qualificarsi per via di una sostanziale commistione di elementi in cui si ritrovano, contemporaneamente, reminiscenze arcaizzanti, riecheggiamenti classici e tradizioni locali. Tutto ciò è particolarmente evidente nella prima metà del iv secolo quando, in coincidenza con la ripresa politica ed economica dell'Etruria meridionale, rifioriscono botteghe e produzione artistica e si rinnovano i contatti col mondo greco che è ora particolarmente rappresentato dalla Sicilia (Siracusa) e dalla Magna Grecia (Taranto). Tra le opere più significative: le terrecotte architettoniche del tempio del Belvedere di Orvieto (o Volsini), le pitture della Tomba Golini pure ad Orvieto e della Tomba dell'Orco a Tarquinia, i grandi bronzi della Chimera di Arezzo e del Marte di Todi (di bottega volsiniese) che rinverdiscono l'antica fama dei bronzisti etruschi.

Il notevole rinnovamento delle manifestazioni artistiche dà origine a quello che si può considerare un nuovo periodo dell'arte etrusca – il periodo finale – che dalla metà circa del secolo IV arriva fino al I a.C. Esso sarà caratterizzato dall'adozione degli schemi e delle formule dell'arte greca tardo-classica e poi, soprattutto e più lungamente, ellenistica. Ma si tratterà di un'adozione formale, frutto d'una adesione superficiale che accoglie ogni novità nelle sue apparenze esteriori piuttosto che nella sua essenza e nella sua intrinseca sostanza. E ciò, nonostante che nell'arte dell'Ellenismo siano presenti alcune importanti componenti – quali il rifiuto dei canoni classici e la libertà strutturale, il senso del realismo e del colorismo e l'enfatizzazione «barocca» – che gli Etruschi avrebbero potuto sentire come congeniali alle proprie sensibilità e alle proprie tendenze e che furono, indubbiamente, ad essi più comprensibili e accettabili.

Salvo sporadiche eccezioni, la produzione artistica di questo periodo è frutto dell'imitazione, più o meno riuscita, e della replica più o meno fedele, di schemi e di motivi che rimangono irrimediabilmente «stranieri». Gli intenti sono quasi esclusivamente decorativi; al processo creativo si sostituisce la «moda» (che riguarda quindi piuttosto la storia del gusto e del costume che il mondo dell'arte vera e propria): si tratta di una autentica «sudditanza» che si esaurisce in un generale eclettismo e che ampiamente (anche se un po' schematicamente) giustifica l'attribuzione all'Etruria della qualifica di «provincia» dell'arte greca.

Gli esempi si trovano, numerosi e cospicui, nell'architettura (con elementi greci usati incoerentemente in funzione prevalentemente ornamentale) e nella decorazione fittile delle strutture templari (con i grandi altorilievi frontonali a soggetto mitologico), nelle sculture a rilievo dei sarcofagi e delle urne, nelle pitture tombali e nelle incisioni degli specchi. Restano (e sono le cose certamente più vive e interessanti) le espressioni legate alle tendenze più propriamente «etrusche» che si manifestano nell'apparire improvviso, in singole opere (o addirittura in singole parti di esse, specialmente nel campo della plastica funeraria) di motivi e soluzioni stilistiche in deciso contrasto con i modelli greci, contrassegnate dalle strutture compatte e geometrizzanti, dalle forme «incompiute», dalle sproporzioni accentuate, dall'esasperazione di particolari espressivi: caratteri tutti che vanno assai oltre le libertà pur concesse dall'Ellenismo greco e che s'inquadrano nel campo del tutto libero e svincolato da ogni regola e canone delle «reazioni individuali». Le quali trovano la loro più singolare e genuina espressione nella produzione dei tardi sarcofagi fittili di Tuscania, ricchi di effetti plastici illusionistici, ottenuti con l'affondarsi nella creta di solchi continui e con improvvisi ritocchi a stecca, che hanno fatto parlare, non senza suggestiva efficacia, di un'arte «da pasticceri».

Il discorso tocca così anche il settore del «ritratto» favorito dal diffondersi dell'uso di rappresentare i defunti sdraiati sui coperchi dei sarcofagi e delle urne (dove l'attenzione è rivolta quasi esclusi-

Ricostruzione grafica della collocazione originaria delle statue acroteriali del gruppo dell'A-pollo (terzo da sinistra) sul tetto del tempio del santuario di Portonaccio a Veio.

vamente alla testa mentre il corpo viene modellato in maniera spesso del tutto approssimativa) in cui – al di là delle recezioni dalla ritrattistica greca – rinunciando alla coerenza organica delle forme naturali, si tende al massimo della concretezza espressiva. Non già per una ricerca di tipo fisionomico ma per rispondere all'esigenza di una rappresentazione allusiva del personaggio in cui l'evidenziazione individuale sfuma nella genericità di un «tipo» sia pur fortemente caratterizzato.

A partire dal II secolo a.C., ormai completamente sottomessa l'E-truria all'egemonia romana e integrata in un sistema che riguarda tutta l'Italia, la progressiva generale ellenizzazione della Penisola, mediata da Roma, rende sempre più difficile parlare, pur con tutti i limiti di cui s'è detto, di un'autonoma esperienza artistica etrusca. Piuttosto si potrà parlare della possibilità di un fenomeno «italico» di reazione all'influenza greca nel quale l'esperienza etrusca con-fluisce con tutto il peso delle sue peculiari tendenze. E questo an-che se nelle città che godono ancora di una certa capacità d'iniziati-va (Chiusi, Arezzo, Perugia, Volterra) una pur fiorente produzione – quale quella, ad esempio, delle urnette cinerarie – può ancora, per tutto il I secolo a.C., essere legittimamente definita etrusca, e non soltanto per ovvi motivi di carattere storico-topografico. Cio-nonostante, i caratteri fondamentalmente unitari della produzione artistica italico-ellenistica (segnatamente centro-italica) si accen-tuano e, mentre l'Etruria conclude definitivamente il suo glorioso ciclo storico, l'esperienza figurativa degli Etruschi volge al termine consegnando le sue eredità alla nuova arte dell'Italia romana.

VII. Una fine «romana»

La caduta di Veio, all'inizio del secolo IV a.C., segna il primo vistoso e drammatico «cedimento» dell'Etruria nei confronti di Roma. A partire da essa, prende avvio uno scontro «globale» tra Etruschi e Romani che, con uno stato di belligeranza pressoché ininterrotto e una serie di guerre aperte e spesso fieramente combattute, si protrasse per circa centocinquant'anni occupando tutto il secolo IV a.C. e i primi decenni del III e si concluse con la sconfitta dell'Etruria.

Protagoniste e vittime dello scontro sono, da parte etrusca, soprattutto le città meridionali e centrali, mentre quelle settentrionali sono impegnate a difendere i loro interessi contro la pressione dei Galli dilagati nella regione compresa tra le Alpi e gli Appennini e con i quali combattono nel corso del IV secolo le città dell'Etruria padana soccombendo definitivamente, sullo scorcio del secolo, quando cadono in mano ai «barbari» Felsina e Spina. Il pericolo celtico riguarda però in generale tutta l'Etruria (tanto che molte città si cingono ora di nuove mura) fin da quando, ancora agli inizi del IV secolo, una scorreria di Galli respinta da Chiusi e battuta da Cere (che tuttavia subiscono saccheggi e devastazioni dei loro territori) si rivolge infine contro Roma occupando e depredando la città. Né è cessata la minaccia di Siracusa che è nuovamente in fase espansiva sotto il «tiranno» Dionigi e la cui flotta compie ripetute scorrerie contro le città etrusche costiere (come nel caso del sacco di Pyrgi, nel 384 a.C.) e poi dal Tirreno passa all'Adriatico sconvolgendovi gli interessi (e gli affari) etrusco-ateniesi.

Distrutta Veio ed emarginata Cere, che continua ad essere legata a Roma da formali accordi di buon vicinato (dei quali Roma stessa si gioverà al tempo del sacco dei Galli per mettere in salvo nella città amica sacerdoti e cose sacre), l'irriducibile antagonista dei Romani è Tarquinia. In ripresa, anche per la fioritura dei centri agricoli del suo entroterra, la città per tutta la prima metà del IV secolo è impegnata ad affermare e mantenere la sua supremazia nella Lega intervenendo anche pesantemente negli affari interni di altre città (come Cere e Arezzo). È dunque essa che si contrappone a Roma (a sua volta ripresasi dalla catastrofe gallica) rispondendo alla sua minaccia, insieme alla alleata Faleri, con una guerra combattuta fra il 358 e il 353 e conclusa – nonostante i tentativi delle fonti romane di far apparire Tarquinia sconfitta – con una tregua quarantennale che, intanto, sancisce lo *status quo*. La lotta riprende soltanto verso la fine del secolo quando però Roma, conclusa vittoriosamente, nel 338 a.C., la guerra contro le città della Lega Latina e contro i Volsci, nel Lazio, e assicuratasi nuove risorse e un grande potenziale bellico con l'espansione in Campania a spese dei Sanniti, potrà rivolgersi al fronte etrusco con ben altre prospettive.

L'iniziativa è questa volta di Volsini con la quale sono altre città (la stessa Tarquinia, Vulci, Arezzo) e, in pratica e per la prima volta, tutta la Lega, ma la nuova guerra etrusco-romana, uscendo dai limiti ristretti e circoscritti del conflitto locale, s'inserisce ormai in una più vasta dimensione italica che riguarda il destino di tutta la penisola nei confronti dell'espansionismo di Roma. Gli eserciti etruschi, fra il 311 e il 309, sono ripetutamente sconfitti e mentre le città settentrionali (Arezzo, Cortona, Perugia) entrano in trattative coi Romani che s'arrogano il diritto d'intromettersi nelle loro vicende interne (come nel caso di Arezzo dove nel 302 un intervento militare romano pare abbia messo fine a una sedizione contro la potente famiglia dei Cilni), Tarquinia, nel cui territorio si erano svolte le campagne di guerra contro Roma, è costretta a cedere e a riconoscere la supremazia della più potente nemica rinnovando la tregua e forse accettando un patto d'alleanza che, di fatto, la poneva in condizioni di sudditanza.

Quando, all'inizio del III secolo, con la battaglia di Sentino (nelle Marche) del 295 a.C., Roma annienta la grande coalizione italica formatasi contro di essa durante la terza guerra sannitica, le città etrusche che hanno preso parte allo scontro con una certa sostanziale unità d'intenti, nonostante rinnovati e disperati tentativi di resistere, sono costrette una dopo l'altra a cedere. Nel 283 a.C. al lago Vadimone, presso Orte, gli eserciti etruschi, rinforzati per l'occasione da forti contingenti di Galli, combattono l'ultima grande battaglia che si conclude con l'ultima, definitiva sconfitta. Vulci e Volsini s'arrendono, le città settentrionali (con le quali Roma tratta sempre separatamente ignorandone i legami confederali) si affrettano a stringere o a rinnovare i trattati di pace. Tutte sono infine costrette a sottoscrivere patti associativi (*foedera*) in forza dei quali Roma riconosce ad ognuna una formale indipendenza e lo stato giuridico di «alleate» in cambio della rinuncia alla guerra e ad autonome azioni di politica «internazionale» e con l'impegno del reciproco aiuto in caso di pericolo (il che, di fatto, si ridurrà alla continua richiesta da parte di Roma di contingenti militari per le sue guerre future).

Le condizioni dovettero essere peraltro ancora più gravose per le città meridionali, che più direttamente e a lungo si erano opposte a Roma ed erano state impegnate nelle guerre contro di essa, sia per l'imposizione di particolari tributi e possibili controlli sulla pubblica amministrazione sia per alcune gravi menomazioni territoriali. Così Tarquinia e Vulci (e la stessa Cere che nel frattempo era stata ridotta al rango di «prefettura» e praticamente incorporata nello Stato romano) subiscono la confisca del territorio costiero dove Roma fonda una serie di colonie «marittime» (*Fregenae, Alsium, Pyrgi, Castrum Novum, Graviscae, Cosa*), quasi tutte nei luoghi stessi dov'erano i porti che tanto avevano contribuito all'antica ricchezza e potenza delle città che ora ne erano private.

La definitiva consacrazione del nuovo ordine imposto da Roma si ebbe con un altro evento drammatico, tale da reggere il confronto con quello che con la distruzione di Veio, al principio del secolo precedente, aveva dato inizio alla dissoluzione dell'Etruria. A dimostrare che l'indipendenza era poco più che una finzione giuridica e che la residua sovranità era dagli stessi Etruschi ritenuta un fatto puramente formale – vera e propria «sovranità limitata» – nel 265 a.C. Volsini chiese l'intervento di Roma. O meglio lo chiesero gli esponenti dell'oligarchia allontanati dal potere da una «rivolta servile» che nel travaglio sociale conseguente ad ogni periodo di guerra aveva portato la classe subalterna a impadronirsi delle leve di comando. L'intervento di Roma, che proprio sulle vecchie oligarchie ad essa asservite aveva fondato il suo sistema di potere e di controllo, fu immediato e drastico. Un breve assedio si concluse infatti con la conquista e la distruzione della città e con la deportazione della popolazione in una nuova sede (*Volsinii novii*) presso il lago di Bolsena.

La distruzione della «capitale morale» dell'Etruria, sede della Lega e del santuario federale del *Fanum Voltumnae* violato e saccheggiato fu l'evento finale che sancì il fatto compiuto dell'irreversibile egemonia romana. Comincia così l'ultimo periodo della storia etrusca: quello dell'Etruria «federata» la quale sarà, a sua volta, parte, di quella più grande «federazione» romano-italica organizzata da Roma nella penisola sottomessa e nella quale i rapporti e i vincoli d'alleanza non sono reciproci tra i vari Stati contraenti ma riguardano ognuno di essi, singolarmente, e la città egemone. Questa storia non sarà più, così, come per l'innanzi, la storia a sé stante di una nazione libera e indipendente. Pur conservando intatta la maggior parte dei suoi fattori istituzionali e culturali, essa diventa storia parziale di un mondo più vasto che è quello dell'Italia progressivamente unificata da Roma. La storia etrusca finirà quindi col confondersi con la storia stessa di Roma o meglio con quella che viene comunemente chiamata storia «romana» e che è invece, più propriamente, storia dell'Italia che s'avvia a diventare romana.

Per poco più di un secolo e mezzo (dalla prima metà del III all'inizio del I a.C.) le antiche città-stato dell'Etruria rimarranno così saldamente legate a Roma con un sistema che, a parte le limitazioni di fondo che esso stesso comporta, consente loro di continuare a vivere a livello «municipale» una vita regolata e ordinata secondo il ritmo e le usanze della tradizione nazionale, in un'atmosfera di sostanziale conservazione, solo di tanto in tanto turbata dalle violenze delle lotte sociali.

Durante tutto questo periodo la situazione dell'Etruria «federata» si può riassumere a grandi linee, nel modo seguente. Le regioni meridionali sono sotto l'immediato controllo di Roma, parzialmente annesse o ridotte a sudditanza e, se ancora formalmente autonome, limitate e circoscritte e opportunamente sorvegliate. Il possesso diretto di Roma si estende per tutto il territorio di Veio e per quello costiero di Cere. La parte restante di questo, compresa la città capoluogo, è ridotta a prefettura e governata da un magistrato inviato direttamente da Roma. Gli abitanti godono della cittadinanza romana ma senza diritti politici e, privati quindi della facoltà di votare nei comizi, dipendono in tutto dalle decisioni delle assemblee e dei magistrati di Roma salvo che per i piccoli affari interni d'ordine giudiziario e religioso.

Tarquinia e Vulci sussistono come Stati autonomi ma privati del territorio costiero e degli sbocchi al mare e Vulci anche di una parte del retroterra dove sorgono la «prefettura» di Statonia e la colonia romana di Saturnia. Resta Volsini, o meglio la «nuova» Volsini trasferita sulle rive del lago di Bolsena, con un territorio forse rimasto integro nei suoi antichi confini ma depauperato da particolari condizioni e «smilitarizzato» nella zona della distrutta capitale.

Nell'Etruria settentrionale sono praticamente intatti tutti i vecchi Stati di Chiusi, Cortona, Perugia, Arezzo Fiesole, Volterra, Populonia e Roselle. Essi conservano integra la propria fisionomia politico-giurisdizionale (compreso il diritto di monetazione) col governo delle assemblee e dei magistrati tradizionali che continuano ad essere espressi dalla vecchia classe dirigente dell'oligarchia gentilizia.

Quanto alla Lega che nell'ultimo periodo delle guerre contro Roma aveva finalmente rappresentato un organismo unitario cui avevano fatto capo le città impegnate in quelle guerre, e soprattutto le meridionali che l'avevano gravemente compromessa agli occhi dei Romani, è impensabile che essa potesse continuare anche soltanto a simboleggiare l'unità nazionale delle città etrusche federate con Roma. E, del resto, la distruzione del santuario di Voltumna, a Volsini, aveva rappresentato, non soltanto di riflesso, la fine «politica» dell'organismo. Non è tuttavia da escludere la sopravvivenza di un qualche ruolo di natura meramente religiosa come fu poi, sicuramente, in età imperiale quando ogni sospetto di natura politica era da tempo ovviamente tramontato.

In questa situazione, «pur nutrendo la comprensibile illusione che il passato glorioso non sia morto e nulla di sostanziale sia nel frattempo mutato – osserva il Pallottino – l'Etruria aderisce quasi istintivamente alla nuova realtà delle cose. Non ne comprende forse la portata; o tanto meno ne divina gli sviluppi; vi partecipa però senza forti resistenze e con una specie d'impegno coscienzioso che sembra oscillante tra l'amicizia fedele per Roma e la generale indifferenza verso il mondo estraneo alla cerchia della nazione». D'altro canto, «nella pienezza della sua gigantesca politica mediterranea, Roma sembra non occuparsi eccessivamente delle faccende interne dei vicini settentrionali, quasi rispettandone il tacito e dignitoso declino...».

Dopo la sua pacificazione e mentre, sostituitasi Roma a Cartagine nel dominio dell'Alto Tirreno dopo la prima guerra punica (264-241 a.C.), anche la Corsica, antica meta dell'espansione etrusca, era passata sotto il dominio romano, l'Etruria fu per qualche tempo e in due riprese, prima della seconda guerra punica e subito dopo, naturale e utilissima base per le operazioni militari romane dirette contro le popolazioni dell'Italia settentrionale: i Liguri e i Galli. Nessun affidamento poterono invece fare i Romani sulle flotte dei loro alleati Etruschi proprio nel grandioso duello con Cartagine che doveva riempire di sé il secolo III a.C., essendosi dissolta senza lasciare traccia quella potenza marinara che dell'Etruria era stato motivo dominante nel periodo dello splendore.

Contro i Liguri che avevano sempre resistito ad ogni tentativo di penetrazione etrusca, il punto di partenza delle spedizioni romane fu il territorio di Pisa e l'intervento si risolse prima di tutto nella conquista del munitissimo porto di Luni (238 a.C.) dove prese vita un grande emporio etrusco-romano poi completato, nel 177 a.C., dalla fondazione di una colonia.

Contro i Galli non fu che la ripresa di quelle lotte in cui Etruschi e Romani erano stati a lungo impegnati contro un nemico comune e che, temporaneamente interrotte dagli Etruschi all'inizio del III secolo, al tempo delle grandi coalizioni antiromane cui gli stessi Galli avevano partecipato, si riaccesero nella seconda metà dello stesso secolo III. Nel 225 a.C. i Galli, con una poderosa incursione, penetrarono in Etruria, fors'anche con l'intento di sollevare contro Roma i suoi ancor recenti «alleati» e furono invece da questi affrontati con un esercito che però presso Chiusi subì una rovinosa disfatta. Le conseguenze sarebbero state certamente assai gravi se in aiuto degli Etruschi non fossero accorsi i Romani i quali, dapprima, con uno dei due eserciti consolari giunto dall'Adriatico, costrinsero i Galli a ritirarsi lungo la valle dell'Ombrone verso il mare, poi, con l'intervento dell'altro esercito consolare richiamato dalla Sardegna, annientarono completamente i barbari nella sanguinosa battaglia di Talamone. Dopo di che, passati alla controffensiva, iniziarono la conquista della Pianura Padana.

Intanto, l'importanza che l'Etruria aveva assunto per Roma come regione di passaggio e di accesso all'Italia settentrionale, unitamente alle naturali conseguenze della pacificazione, aveva determinato nella regione un notevole incremento dei traffici (soprattutto militari) cui tenne dietro un necessario adeguamento delle vie di comunicazione. La rete di strade (in parte naturali, in parte completate artificialmente) che già collegava tra loro i grandi e piccoli centri dell'Etruria fu così sviluppata e perfezionata con nuovi tracciati e opportuni allacciamenti che portarono alla creazione di alcune grandi vie che, tra loro collegate, partivano da Roma attraversando tutto il territorio etrusco: l'antico itinerario costiero che aveva già servito gli scali portuali delle città marinare, divenne la via Aurelia condotta in un primo tempo fino a Luni; l'itinerario interno che attraversava il territorio di Veio, Volsini, Chiusi, Cortona e Arezzo, divenne la via Cassia prolungata trasversalmente lungo la valle dell'Arno fino a Pisa; quello intermedio che congiungeva i centri del retroterra ceretano e tarquiniese con Saturnia, Roselle e Vetulonia, divenne la via Clodia.

Lo sviluppo della rete viaria ebbe tra le sue conseguenze quella di favorire la fioritura dei piccoli centri interni la cui fortuna, peraltro di non lunga durata, fu legata allo sfruttamento delle risorse agricole alle quali, come si è già avuto modo di dire, si rivolsero le famiglie della vecchia nobiltà che abbandonando le città esposte ai turbamenti interni, preferirono «rifugiarsi» nelle campagne. Il fenomeno fu soprattutto caratteristico dell'Etruria meridionale dove i grandi centri urbani – che anche per questo furono condannati a più rapida decadenza – erano in preda a una profonda crisi della quale i sussulti e le lotte sociali furono al tempo stesso causa e conseguenza. Il motivo, come già s'è visto, va ricercato nella struttura aristocratica dell'organizzazione socio-economica la quale – come scrive il Torelli – «nonostante il rinnovamento della fine del v-inizi del secolo IV, si era rivelata inadeguata a fronteggiare i problemi di una dinamica sociale carica di tensioni e ulteriormente privata di un sostegno commerciale efficiente».

Il fenomeno non ebbe invece rilevanza nell'Etruria settentrionale dove anzi le città-stato di Chiusi, Cortona, Perugia, Fiesole, Volterra e soprattutto Arezzo, che meno duramente avevano patito l'avvento di Roma e che più realisticamente questo avvento avevano accettato come un ineluttabile destino cercando di adeguarvisi nel mondo migliore, poterono sviluppare con grande fervore un complesso di attività (agricole, industriali e commerciali) che le consentirono di raggiungere una notevole prosperità sempre più favorita dalla «pace romana» e dall'espansione della città egemone che finiva col riflettersi vantaggiosamente anche su di esse.

Nell'ultimo ventennio del secolo III l'adesione etrusca a Roma fu messa a dura prova dall'invasione cartaginese dell'Italia durante la seconda guerra punica (218-202 a.C.). L'impresa di Annibale – che peraltro toccò l'Etruria soltanto marginalmente con la discesa dell'esercito invasore lungo la valle Tiberina – e, in particolare l'impressione suscitata dalla tremenda disfatta subita dai Romani nel 217 alla battaglia del Trasimeno (e quindi in territorio etrusco), parvero per un momento risvegliare sopiti desideri di rivincita. Tanto più che questi poterono alimentarsi col ricordo non del tutto perduto dell'antica solidarietà etrusco-cartaginese (anche se ciò aveva riguardato pressoché esclusivamente quelle città meridionali che erano ormai completamente decadute ed emarginate). Ci furono quindi dei movimenti di simpatia nei confronti di Annibale, vennero perfino coniate monete con la figura dell'elefante e l'agitazione arrivò al punto da costringere Roma a rinforzare i suoi presidi militari stanziati in Etruria (209/208 a.C.).

Alla fine, però, prevalse ovunque il partito lealista guidato dalle oligarchie dominanti e l'alleanza fu rispettata. Non solo, ma tutte le principali città etrusche fornirono un forte contributo alla resistenza e poi alla riscossa romana soprattutto partecipando in maniera massiccia, nel 205 a.C., all'allestimento della grande spedizione africana di Scipione. Lo storico Tito Livio ricorda in proposito espressamente (xxviii, 47) come esse fornissero aiuti «ognuna secondo le proprie possibilità» (e l'elenco che egli ci ha tramandato è anche un'utile fonte d'informazione sulle risorse e la produzione delle varie città). In particolare, Cere fornì frumento per i marinai e viveri di vario genere, Tarquinia tela di lino per le vele delle navi; Roselle, Chiusi e Perugia legname per la costruzione degli scafi e frumento; Populonia ferro, Volterra frumento e pece per le calafature, Arezzo, che più d'ogni altra era stata sospettata di simpatie filopuniche, grandi quantità di armi delle sue fabbriche rinomate (tremila scudi e altrettanti elmi, centomila lance e giavellotti e poi scuri, falci, marre e altri strumenti e attrezzi da lavoro) oltre a centoventimila moggi di grano e rifornimenti d'ogni genere da riempire quaranta navi da guerra.

A distanza di nemmeno un secolo dagli ultimi disperati tentativi di proseguire la loro guerra «nazionale» e ad appena sessant'anni dalla distruzione di Volsini, l'Etruria recava così tutto il peso del suo rilevante contributo alla definitiva affermazione romana nel Mediterraneo. E forse non hanno del tutto visto male coloro che hanno voluto riconoscere in questo gli effetti di un'incipiente presa di coscienza unitaria «italica» da parte degli Etruschi, sia pure sotto il segno di Roma.

Il contributo delle città etrusche continuò ad essere peraltro rilevante durante tutto il ii secolo a.C. nelle numerose guerre esterne che Roma condusse in Macedonia e in Grecia, in Asia Minore, ancora contro Cartagine, in Africa e in Spagna, e quindi alla creazione dell'Impero. Anche se quelle guerre e le conquiste che ne derivarono finirono per certi aspetti col ritorcersi contro di esse – come, del resto, contro tutta l'Italia – provocando gravi contraccolpi d'ordine economico e sociale. Come s'è già accennato in altra parte, si verificò infatti nel corso del secolo un progressivo deterioramento e infine un radicale mutamento del tradizionale assetto produttivo della Penisola, con particolare riguardo a quella che era la principale risorsa economica rappresentata dall'attività agricola basata sulla piccola proprietà contadina a conduzione familiare: la massiccia invasione di manodopera servile risultante dal continuo afflusso di schiavi catturati nei paesi conquistati dell'Oriente e dell'Occidente mise dappertutto in crisi quell'attività e rovinò anche la fiorente economia agricola etrusca.

Ancora una volta furono le regioni dell'Etruria meridionale, più deboli e prive d'altre risorse, a subirne le conseguenze più gravi. Le terre furono infatti progressivamente abbandonate e si diffusero i latifondi quasi esclusivamente popolati dagli schiavi mentre i vecchi proprietari e i contadini in genere rifluirono verso le città andando a ingrossare le fila di quella plebe urbana diseredata e senza stabile occupazione che già aveva creato problemi e turbamenti rimasti tuttora irrisolti. È certamente sintomatico che quando a Roma, nel 133 a.C., Tiberio Gracco s'adoperò per correggere la situazione dell'agricoltura italica, abbia preso a modello proprio il miserevole stato delle campagne etrusche per perorare l'approvazione della sua riforma agraria. La quale, dopo gli iniziali tentativi d'applicazione, fu stroncata dalla reazione della classe senatoria che in Etruria trovò l'appoggio di quegli esponenti della *nobilitas* che dello sfruttamento delle campagne avevano fatto, come s'è già detto, la loro attività principale e che ora, di fronte alla crisi, mentre accrescevano le loro proprietà terriere, non trovarono di meglio che trasferirsi a Roma. E qui, mettendo a frutto vecchi rapporti di colleganza e di amicizia, con il conseguimento della cittadinanza e attraverso «unioni familiari» per via di matrimoni e adozioni, riuscirono facilmente a integrarsi nell'ambito della classe dirigente.

La situazione non cambiò altrettanto radicalmente nei distretti dell'Etruria settentrionale dove i molti piccoli proprietari terrieri, anche se travagliati dalla crisi generale, cercarono di fronteggiarla difendendo le loro posizioni. Sicché quando, nel 91 a.C., il tribuno Livio Druso si provò a riprendere con nuove proposte i programmi graccani di riforme scontrandosi con la rinnovata opposizione oligarchica, furono proprio essi a organizzare una «marcia su Roma» per manifestare con la loro protesta l'avversione a ogni progetto innovatore.

Ma una crisi più generale, intanto, precipitava investendo ogni aspetto dell'ordinamento romano dell'Italia e prima di tutto il suo *status* politico e giuridico. All'inizio del i secolo a.C. la sopravvivenza nella Penisola di tanti minuscoli «Stati» formalmente autonomi nel cuore di quello che era ormai diventato un grande Impero, aveva tutto il sapore (e presentava tutti gli inconvenienti) dell'anacronismo storico. Il geniale sistema «federativo» escogitato da Roma non era più assolutamente sufficiente a reggere il peso dei tempi e la sua crisi provocò le grandi lacerazioni e le violente competizioni interne di Roma cui s'intrecciarono le complicazioni derivanti dalla sempre più pressante richiesta del riconoscimento dei pieni diritti di cittadinanza da parte delle città e delle comunità italiche «alleate». Le quali, di fronte alla tenace opposizione dell'oligarchia senatoria, non ebbero altra possibilità che la rivolta armata e la «secessione».

La «guerra degli alleati» (*bellum sociale*) scoppiò nel 90 a.C. ma ad essa non parteciparono le città etrusche dove le vecchie classi dirigenti avevano tutto l'interesse a conservare la situazione di privilegio politico ed economico che loro assicurava il sistema «federale». Tuttavia, contro di esse insorsero i partiti «democratici» d'opposizione che nel precipitare degli eventi nel resto d'Italia avevano ragione di sperare un loro prossimo successo. E ne nacquero agitazioni, a Volsini, a Chiusi, ad Arezzo, che provocarono l'intervento di truppe romane. A risolvere definitivamente il problema (mentre Roma era duramente impegnata contro gli insorti) sopravvennero, tra il 90 e l'89 a.C., due leggi emanate dal Senato romano: con la prima (*lex julia de civitate danda*) veniva concessa la cittadinanza a tutti gli alleati rimasti fedeli, con la seconda (*lex plautia papiria*) si estendeva la concessione a chiunque singolarmente ne avesse fatta formale richiesta.

Questi provvedimenti determinarono nelle città etrusche una vera e propria «rivoluzione», con il crollo dei regimi conservatori e l'avvento al potere dei partiti popolari i quali, mentre s'andava spegnendo la rivolta degli Italici, fecero causa comune con la fazione che a Roma, guidata da Mario, s'opponeva con un iniziale successo all'oligarchia senatoria. Sicché, quando questa riprese il sopravvento con il ritorno vittorioso del suo capo, Lucio Silla, dalla guerra in Oriente contro Mitridate (87 a.C.), la reazione del dittatore non tardò ad abbattersi anche sulle città etrusche. Arezzo, Fiesole e Volterra che si erano maggiormente esposte contro il suo partito a sostegno dei mariani furono assalite, occupate e saccheggiate; il loro territorio espropriato e assegnato a nutrite colonie di veterani dell'esercito sillano.

Un'effimera ripresa degli elementi «popolari» si ebbe alla morte di Silla (78 a.C.) e si manifestò, tra l'altro, a Fiesole con il massacro dei coloni sillani, ma ogni nuova velleità fu prontamente stroncata dai nuovi governanti di Roma.

I destini dell'Etruria s'avviavano ormai al loro compimento. Gli ultimi sussulti si ebbero nel mezzo secolo successivo, anche se essi sono piuttosto e ulteriormente da inquadrare nell'ambito delle violente contese politiche e militari della declinante repubblica romana. L'Etruria vi prese parte offrendo ancora una volta terreno propizio agli ultimi confusi e ormai inquinati tentativi dei movimenti «popolari». Così, quando Catilina concepì il suo disegno di insurrezione antisenatoria, tra il 63 e il 62 a.C., trovò i suoi parti-

L'Etruria nella ripartizione regionale augustea dell'Italia unificata.

giani e riuscì perfino ad arruolare truppe in Etruria, ad Arezzo e a Fiesole. Così infine, quando dopo la morte di Cesare, scoppiò la lotta tra Ottaviano e Antonio, il fratello di questi, Lucio, nel 41 a.C., si chiuse in Perugia la quale fu assediata dall'esercito di Ottaviano, conquistata e messa a ferro e fuoco. Tra le fiamme e il sangue di Perugia provocate da uno scontro che, tutto sommato, le era in gran parte estraneo, tramontava l'Etruria. E la fine, in «chiave romana», giungeva per esaurimento, dopo un lento secolare declino, attraverso evoluzioni e trasformazioni causate da eventi che tempi e circostanze resero ineluttabili.

La conclusione delle guerre civili e l'affermazione di Augusto dopo la battaglia di Azio del 31 a.C. contro Antonio e Cleopatra segnarono finalmente anche per l'Etruria, dissanguata e devastata da tante contese, il ritorno alla pace e all'ordine civile, il rifiorire delle città ormai «municipi» dell'Italia romana e della vita cittadina: perfino la rinascita di tradizioni dimenticate o interrotte. E, mentre la funzione storica dell'Etruria quale entità autonoma e distinta poteva dirsi terminata per sempre, la sua realtà culturale e geografica veniva consacrata – per la prima volta in senso unitario – nella Regione VII dell'Italia augustea cui toccò di perpetuare fino alla fine del mondo antico il nome glorioso dell'Etruria.

Le antiche divisioni tra gli Stati, rimaste al livello di confini municipali, furono praticamente annullate dall'unificazione regionale e dall'integrazione italiana nel cui ambito finì per compiersi il processo di «snazionalizzazione» già avviato con le ripetute e massicce intrusioni di coloni e accelerato dagli ultimi esodi delle famiglie aristocratiche verso Roma e gli scranni del Senato. Emblematico, in proposito, il caso di Arezzo – la città che dell'Etruria al declino fu certamente la più viva e importante – dove ai vecchi abitanti etruschi (definiti in latino *Arretini veteres*) si erano aggiunti i coloni sillani (*Arretini fidentiores*) e poi i veterani dedotti da Cesare (*Arretini iulienses*): tre comunità che convissero per qualche tempo separatamente per poi confondersi e fondersi definitivamente tra loro.

Con l'abbandono della lingua, ovunque soppiantata dal latino, il mondo spirituale e culturale degli antichi Etruschi si dissolve in quello della «nuova» Italia alla quale esso contribuisce a dar vita lasciandole in pegno la sua eredità.

PARTE TERZA

APPENDICI

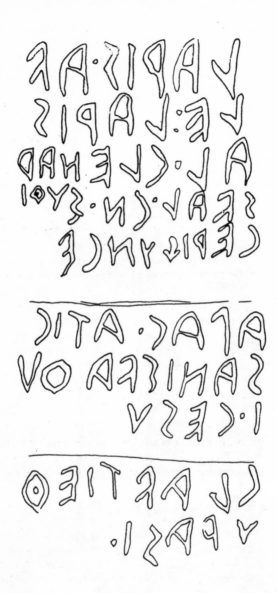

Facsimile di un'iscrizione funebre incisa su un pilastro della Tomba dei Clavtie a Cerveteri (secolo IV a.C.).

Epilogo

Alla fine di quello che abbiamo chiamato un discorso «panorami-co», necessariamente sintetico e condotto per grandi linee, parti-colarmente difficile e pieno d'insidie, come dichiarato all'inizio, può forse valere la pena di dedicare ancora qualche pagina, a guisa di «epilogo», ad alcune considerazioni che potremmo chiamare di carattere conclusivo se per conclusivo s'intenda qualcosa come «terminale» e non certo «definitivo». Ne guadagnerà ancora una volta, come speriamo, quel proposito di chiarezza che abbiamo po-sto alla base di tutta la nostra opera e il cui conseguimento ritenia-mo di poter ribadire come il nostro obiettivo.

Deve essere risultato sufficientemente evidente da tutto quello che s'è detto nelle pagine precedenti, come le nostre possibilità di conoscenza del mondo etrusco siano variamente legate a un com-plesso di fonti d'informazione che, seppure relativamente abbon-dante, si presenta quanto mai difforme, frammentario e disconti-nuo, spesso lacunoso, talvolta di non agevole interpretazione. Il che rende difficile e delicata, non di rado problematica e perfino «provvisoria», l'opera di ricostruzione condotta dagli studiosi con l'ausilio di ogni possibile mezzo d'indagine e sulla scorta primaria della documentazione archeologica. S'è d'altra parte osservato come su quest'opera di ricostruzione, e in generale sulla corretta interpretazione della civiltà etrusca, abbiano per giunta lungamen-te gravato due pregiudizi. Da un lato, la convinzione che essa sia stata tipica di un mondo «diverso» e appartato rispetto alle altre grandi aree culturali del mondo antico; dall'altro, la presunzione che le attribuiva, nei confronti delle civiltà contemporanee, e specialmente di quella greca, un valore piuttosto modesto e secon-dario. Ma s'è anche detto che le scoperte e gli studi più recenti (che hanno indotto a rivedere molte delle opinioni correnti anche tra gli studiosi) hanno fatto giustizia di tali pregiudizi. Gioverà quindi ribadire prima di tutto quello che è emerso dal mutato at-teggiamento con il quale ci si è finalmente posti nei confronti della civiltà etrusca.

È ben vero che essa si presenta, e con accenti a volte fortemente contraddittori, con certe sue caratteristiche proprie e certe sue pe-culiari costanti che ne fanno, sotto molti aspetti, un fenomeno in-confondibile e quindi «distinto» da tutti gli altri del mondo antico

Disegno di uno specchio di bronzo inciso con il genio Tagete (chiamato Pava Tarchies) *che insegna l'arte aruspicina a Tarconte* (Tarchunus) *alla presenza del dio Voltumna (*Veltune, *a destra), da Tuscania (inizi del secolo III a.C.). Firenze, Museo Archeologico.*

(il che dovrebbe essere persino ovvio ed è, comunque, storicamente spiegabile). Ed è pure vero che l'esperienza culturale degli Etruschi non può reggere il confronto, se di confronto si deve parlare, con quella dei Greci, sul piano dei valori assoluti e nell'ambito della storia dell'umanità. Ma è altrettanto vero che la civiltà etrusca è perfettamente inquadrabile e quindi spiegabile, e anche parzialmente ricostruibile, all'interno di quel più ampio complesso costituito dalle coeve grandi civiltà del Mediterraneo. E, in particola-

re, nell'ambito dell'orizzonte culturale dell'Italia «preromana».
Così come è pure vero che, qualunque sia stato il livello da essa
raggiunto, l'esperienza etrusca ha rappresentato un contributo non
trascurabile allo sviluppo culturale, politico ed economico dell'intero mondo occidentale. Mentre, per quanto riguarda l'Italia, va
ad essa riconosciuto un ruolo per un certo tempo addirittura determinante essendosi essa posta, specialmente nei periodi più antichi, come polo d'attrazione e faro d'irradiamento culturale e come
fattore di sollecitazione e di progresso civile nei confronti di molta
parte della Penisola.

A conferma di tutto ciò stanno proprio le vicende storiche dell'Etruria che ci illuminano a sufficienza, e ci spiegano, il processo di
sviluppo interno e le sue ripercussioni verso l'esterno. Quel processo può essere riassunto nel modo che segue.

Formatasi, all'alba dei tempi storici, nel cuore dell'Italia e fiorita,
nell'arco del primo millennio a.C., in concomitanza con quei grandi fenomeni che furono la nascita e lo sviluppo degli altri popoli e
delle altre civiltà italiche, l'avvento della colonizzazione greca e la
diffusione della cultura ellenica in Occidente, l'imposizione della
presenza cartaginese e l'espansione delle popolazioni celtiche e,
infine, l'affermazione di Roma con la progressiva unificazione italiana e la costituzione del grande Impero mediterraneo, la civiltà
etrusca non poté prescindere da tutti questi eventi (e dagli innumerevoli altri di minore portata ad essi connessi) e dalle conseguenze del loro succedersi, intersecarsi, sovrapporsi e mescolarsi.
Così, da un'origine in gran parte legata alle tradizioni della preistoria mediterranea e ai fenomeni della protostoria europea, essa
passò attraverso l'esperienza della fase «orientalizzante» fino ad
entrare a poco a poco, e soprattutto a partire dal periodo a cavallo
tra il VII e il VI secolo, nell'alveo della straordinaria vicenda della
civiltà greca. Sicché ad essa (e alla civiltà greco-orientale e ionica
in modo particolare) il «primato» dell'Etruria, durante l'età arcaica, fu, dal punto di vista culturale, largamente e profondamente
improntato. Il magistero greco fu allora tuttavia rivissuto con
spontanea e creativa partecipazione (nel campo dell'arte come in
quello delle istituzioni, negli aspetti del costume e della vita quotidiana come in quelli del pensiero e delle manifestazioni spirituali)
al punto che la civiltà etrusca raggiunse in questo momento la sua
massima espressione e che possiamo ora legittimamente parlare di
civiltà «ionico-etrusca» come di una variante originale del vasto
mondo circumellenico.

Successivamente, con il lento declino politico-economico, specialmente delle città centro-meridionali, l'esperienza culturale etrusca
andò incontro a una fase di ripiegamento su se stessa, di chiusura
e di attardamento. E questo anche come riflesso della momentanea «rottura» col mondo greco, causata, oltre che dalla situazione
generale, dall'incomprensione e dalla sostanziale estraneità e re-

frattarietà dello spirito etrusco al fenomeno «classico» che esplose in Grecia e particolarmente ad Atene. Mentre riaffiorarono, proprio per questo, le non del tutto sopite tendenze connaturate con gli elementi e con le tradizioni locali.

Ci fu poi la «ripresa» che, a partire dal iv secolo a.c. condusse a una nuova fioritura della civiltà etrusca ma che tuttavia si manifestò, di fronte ai rinnovati modelli greci classici ed ellenistici, come un fenomeno più vicino alla «sudditanza» che alla partecipazione, pur nella ricchezza e nella varietà delle acquisizioni, degli «eclettismi» e dei rimescolamenti.

Infine mentre andavano affermandosi e diffondendosi linee di sviluppo sempre più comuni a tutta l'Italia, venne l'integrazione nel mondo nuovo nato dall'espansione romana passando per la «rivoluzione culturale» del ii secolo a.C. ormai mediata e irradiata da Roma, con la quale si generalizzò l'apporto della civiltà ellenistica destinata a dare l'ultima impronta greca all'espressione etrusca ormai giunta al tramonto.

Al di là di queste che sono le grandi fasi e le linee maestre dello sviluppo storico, s'è visto come siano individuabili quelle che possono essere definite le caratteristiche di fondo e le principali «costanti» della civiltà etrusca. La quale, da questo punto di vista, ci si presenta con due tendenze qualificanti e capaci anche di chiarire quelle contraddizioni (delle quali s'è sopra fatto cenno) che, esse stesse, finiscono con l'imporsi all'attenzione come un elemento peculiare e distintivo.

Da una parte sta dunque lo spirito d'apertura e la grande capacità di accoglimento, di assimilazione e di adattamento dei più vari spunti che provengono dall'esterno e, com'è appena il caso di ripetere, massimamente dal mondo greco. Senza di che la civiltà etrusca non sarebbe certamente stata quello che in effetti fu e non avrebbe potuto avere quel ruolo che essa ebbe, di mediazione e di propulsione, nei confronti dell'incivilimento di altri popoli dell'Italia antica.

Dall'altra parte, si contrappone, irreversibile e persistente, il tenace conservatorismo e l'accentuato attaccamento a tradizioni ancestrali e a temi «primitivi» che con la loro sconcertante evidenza furono all'origine delle sensazioni di diversità che provarono gli antichi e sulle quali s'è tanto fantasticato da parte dei moderni.

Quelle che appaiono come le due componenti, forse, fondamentali della civiltà etrusca non si dividono tuttavia nettamente in campi diversi, caratterizzando, l'una, gli aspetti che si potrebbero supporre più facilmente suscettibili alle influenze esterne e all'acquisizione di novità, e, l'altra, le forme più propriamente riconoscibili come le meno esposte agli inquinamenti e alle suggestioni provenienti dal di fuori. Ed esse nemmeno contraddistinguono, in linea di massima, tempi successivi e periodi diversi e reciprocamente ben definiti. Viceversa, convivono e s'intrecciano fra loro, anche temporaneamente (pur se talvolta con diversa e distinta intensità e incidenza) in ogni espressione del vivere civile. In una maniera e attraverso manifestazioni che non sembrano essere state quasi mai di contrasto dialettico e tali comunque da provocare eccessivi turbamenti, scompensi e difficoltà sofferte (anche se evidenti), ma piuttosto di giustapposizione e magari di sovrapposizione, spesso soltanto sul piano esteriore e formale e che mostrano insieme, con notevole incoerenza, assuefazioni e innovazioni, adesioni e ripulse, partecipazione e passività.

Da ciò la stessa difficoltà e la contradditorietà delle nostre valutazioni e, quindi, la necessità di procedere con estrema cautela per giungere, o forse soltanto per avvicinarsi, ad una esatta comprensione la quale, in ogni caso, non potrà che essere sfumata, composita, articolata (certamente ben lontana dalle semplicistiche schematizzazioni dilettantistiche). Ma da ciò anche il fascino e l'attrazione, la curiosità e la passione che la civiltà etrusca ha sempre suscitato alimentando incomprensioni ed equivoci, fraintendimenti e luoghi comuni: dalle «storielle» e dalle malevole dicerie degli antichi autori greci ai «miti» e ai «misteri» tanto cari ai moderni.

Passando ora ad una valutazione ancora di carattere generale ma pure sostanziale e fondata più specificamente sui «contenuti», si può sottolineare come la civiltà etrusca sia stata caratterizzata in maniera predominante dal fenomeno urbano (un fenomeno che, del resto, è alle stesse origini della storia degli Etruschi, come si è avuto modo di vedere, e il cui affermarsi coincide con la formazione e l'affermazione del popolo etrusco). Si è trattato, cioè, di una «civiltà urbana», imperniata sulla città intesa nel senso della *polis* greca: la città-stato, che è prima di tutto e soprattutto struttura politica, sociale ed economica; concezione ideologica e programmazione pratica; modo di vivere e di operare insieme, secondo precise norme di comportamento dettate dalle esigenze comuni e imposte da un'autorità centrale. Ed è proprio in questa direzione che convergono fin dall'inizio e sono insieme operanti le tendenze che muovono dall'interno (già al tempo delle agglomerazioni di villaggi dell'età del ferro) e gli stimoli che vengono dall'esterno, i quali ultimi prenderanno il sopravvento con il modello offerto dalle città coloniali greche.

Nella dominante caratteristica urbana sta dunque la ragione prima dello sviluppo precoce della civiltà etrusca, delle sue potenzialità e delle sue possibilità d'affermazione; della «modernità» stessa di certe sue concezioni e realizzazioni, specialmente nella fase centrale della sua vicenda. Senza tuttavia che il sistema possa garantire, a lungo andare, la continuità e la sopravvivenza quando, proprio all'interno delle strutture cittadine, esauritasi la spinta propulsiva e la prosperità economica, e in concomitanza con fattori d'ordine esterno, diventa negativamente determinante l'incapacità di rinnovamento e il mancato adeguamento alle nuove esigenze (prima di tutto nell'organizzazione sociale) che si traducono nell'ostinata azione conservatrice delle classi dirigenti, favorita peraltro dall'interessato intervento di Roma, contro le aspirazioni e i tentativi delle classi subalterne. Così come altrettanto determinante si rivela l'esasperato particolarismo e il miope attaccamento alla sovranità cittadina che impedì alle città etrusche di unirsi, al momento opportuno, per affrontare situazioni ed emergenze senza precedenti ed estremamente pericolose quali (oltre le antiche e tradizionali rivalità con i Greci) gli attacchi di Siracusa o quelli dei Galli e dei Sanniti e il movimento espansionistico dei Romani.

A quest'aspetto indubbiamente negativo della civiltà etrusca non può non essere ricollegata la componente che risale alle concezioni religiose, parte essenziale di tutte le antiche civiltà ma in quella etrusca, come s'è visto, addirittura soverchiante. Le idee e le credenze della schiacciante superiorità e dell'onnipresenza delle divinità, nell'ambito di un rigido rapporto d'interdipendenza e di corrispondenza tra mondo celeste e mondo terrestre, e l'ossessionante necessità di conoscere, e quindi di ricercare, la volontà degli dèi per uniformarsi ad essa furono pesantemente condizionanti in ogni aspetto della vita degli Etruschi. E finirono per conferire ad essa, e a tutta la civiltà etrusca, insieme a una diffusa apparenza di esteriorità e di formalismo, quelle dosi di pessimismo, di fatalismo, di rassegnazione e, in definitiva, di supina accettazione degli eventi e di immobilismo che la bloccarono e la condussero alla consumazione e alla fine.

Non sembrerà dunque azzardato concludere che ci troviamo di fronte a una civiltà capace di arrivare, anche con slancio, con vitalità e forza creativa, fino ad un certo punto, ma assolutamente incapace di superarlo una volta raggiunto. E di qui il suo fatale e rapido esaurimento e l'inevitabile assorbimento da parte di un'altra civiltà: quella di Roma e della Italia romana. Alla quale la civiltà etrusca si consegnerà alla fine senza trasmettere, sul momento. particolari e specifiche eredità (donde anche l'idea errata di una sua fine violenta e di una sua totale cancellazione).

A parte le sopravvivenze locali a livello di consuetudini religiose e di usanze popolari, si può forse pensare, infatti, soltanto a qualche ulteriore «lascito» nel campo della religione per la quale era ancora in corso, all'atto della romanizzazione, il processo di elaborazione teorica e di codificazione interna della «dottrina». Ma si dovette trattare pressoché esclusivamente di pratiche divinatorie, di riti, di cerimonie e di feste (e quindi di aspetti puramente esteriori e formali), salvate o magari recuperate dalla politica conservatrice e restauratrice di Augusto: a cominciare da quelle relative alle pratiche dell'«espiazione secolare» che, ispirate alla concezione etrusca del destino, lo stesso Augusto pensò di porre alla base della rigenerazione spirituale dell'Italia e dell'Impero.

La vera eredità della civiltà etrusca era piuttosto consistita nell'apporto che essa aveva dato alla formazione e all'arricchimento di quella civiltà «nuova» dell'Italia romana dalla quale e nella quale essa stessa finì con l'essere assorbita. E il suo ruolo era stato vivo e operante nel periodo della sua grande fioritura, in età arcaica, quando la sua forza e il suo ascendente si erano tradotti nella trasmissione ai popoli dell'Italia centro-settentrionale (ivi compresi i Romani) di elementi del pensiero e delle pratiche religiose, del costume quotidiano e delle arti figurate, delle rappresentazioni sceniche e della musica, del lavoro organizzato e della tecnologia. Sicché si può affermare che l'impronta culturale lasciata dagli Etruschi andò di gran lunga oltre i limiti geografici e cronologici della loro vita nazionale così da sopravvivere alla loro stessa fine.

Ma, a proposito di eredità, si può andare anche oltre. Giacché la stessa «riscoperta» dell'Etruria in età moderna non è stata senza conseguenze in tal senso. Come è stato opportunamente rilevato, le testimonianze lasciate dagli Etruschi hanno certamente contribuito a suscitare nella cultura moderna nuovi «entusiasmi» e nuove ispirazioni, fin dai tempi dell'«etruscheria» settecentesca (e prima ancora, quando Michelangelo «ricopiava» la testa di Ade scoperta in una tomba e Benvenuto Cellini restaurava la statua bronzea della Chimera). Ma soprattutto durante il periodo della grande «avventura romantica» del secolo scorso quando, come scrive il Pallottino, mentre a Roma «si viveva ancora nel sogno classicheggiante di una antichità statuaria e paludata», dalle strabilianti scoperte del sottosuolo della Maremma laziale e toscana, tra le macchie selvagge e i dirupi delle colline, «colore, movimento, forme esotiche, aspetti di una realtà palpitante sorsero a contrapporsi al candore dei marmi, alla idealizzazione dei canoni accademici». Con tutto quello che ciò ebbe a significare (insieme ad altre stupefacenti e impensate scoperte di altre civiltà del tutto ignorate), nella trasformazione del gusto, del pensiero, della vita stessa della nostra umanità più recente, soprattutto nel mondo europeo e «occidentale».

Né si può dire che gli echi di quell'eredità abbiano cessato di farsi udire e di presentarsi ancora con un loro preciso significato ai nostri giorni; ora che la scienza etruscologica si inserisce, com'è ovvio, in quella «impresa scientifica» che è la ricerca archeologica volta in generale al progresso della conoscenza del passato e alla ricostruzione della storia che è alla base della nostra civiltà. Con aspetti, interessi e indirizzi di studio che la caratterizzano e la distinguono come una vera e propria nuova fase dell'ormai lunga vicenda dell'etruscologia.

Di questa vicenda – dai tempi della «preistoria» erudita che dal Rinascimento va fino alla fine del Settecento a quelli dell'attività scientifica del nostro secolo preparata dalla fase metodologicamente formativa dell'Ottocento – è possibile riconoscere, con uno sguardo retrospettivo, una sorta di linea di sviluppo, punteggiata e scandita da momenti di particolare fervore e intensità. Legati a periodi di più larga attività esplorativa e di fortunate scoperte o a significativi progressi degli orientamenti generali della scienza delle antichità e del metodo storico, questi momenti vanno dalle ricostruzioni entusiastiche e fantasiose dei primi eruditi ricercatori alle esagerazioni «nazionalistiche» dei dotti toscani del Settecento e alle avventure dei romantici cercatori di «tesori»; dagli affannosi tentativi di sciogliere l'«enigma» della lingua alle minuziose pubblicazioni di sillogi e di repertori delle scoperte, dall'impostazione critica del «problema» delle origini alle dispute sull'originalità dell'arte.

Oggi, messi forse momentaneamente da parte (anche se non dimenticati) tanti argomenti che avevano polarizzato l'attenzione degli studiosi fino a non molti anni fa – e mentre fortunatamente si susseguono, pur tra distruzioni e dispersioni, le scoperte archeologiche sempre meno casuali e frutto, invece, di ricerche e di scavi programmati, sistematici e pluriennali – nuove vie sembrano da percorrere e nuovi problemi da investigare e da approfondire. Con l'ausilio di quegli studi interdisciplinari che, superando i metodi e i risultati propri dell'archeologia, della linguistica, della storia dell'arte, della critica dei testi ecc., li raccordano e li integrano tutti in una visione storica globale.

L'interesse è dunque ora rivolto a tutto ciò che attiene a quelle che possono definirsi le caratteristiche «strutturali» della civiltà etrusca, i suoi modi di essere, di organizzarsi e di operare. In particolare, ci si sta dedicando ad indagare le condizioni ambientali e le capacità di adeguarsi ad esse e di trasformarle; le forme e l'evoluzione degli insediamenti; l'organizzazione del lavoro e le attività produttive, i fenomeni di circolazione dei manufatti, i mercati e le rotte commerciali; i processi di acculturazione e la diffusione delle ideologie, il ruolo dei ceti dirigenti e quello dei ceti subalterni, il significato simbolico dei messaggi figurati e degli usi funerari. Tutto naturalmente esaminato nella più corretta prospettiva diacronica, secondo lo scorrere del tempo e nelle diverse fasi di sviluppo.

Ne è già scaturita, e continua sempre più a rivelarsi e a definirsi, la visione di un mondo estremamente composito e articolato, variamente caratterizzato nelle dimensioni del tempo e dello spazio, aperto, dinamico e pienamente inserito nella realtà storica del più ampio mondo italico e mediterraneo. Ma ne sono anche nati altri quesiti, nuovi problemi, incertezze e zone d'ombra insospettate: un'affascinante e inesauribile serie di argomenti di studio e di ricerca per la conoscenza di una civiltà che è parte del nostro stesso passato e della nostra storia; del passato e della storia dell'uomo.

Gli ultimi quindici anni

Nel corso dell'ultimo quindicennio le nostre conoscenze sul mondo degli Etruschi non hanno subito, ovviamente, mutamenti «sconvolgenti». Hanno continuato bensì ad arricchirsi e certamente non sono mancate le novità, anche di notevole portata, conseguenti alle scoperte archeologiche: siano state, queste, di carattere occasionale e fortuito oppure, e più frequentemente, frutto di ricerche programmate e di regolari campagne di esplorazione e di scavo.

Non sono mancate nemmeno le acquisizioni derivanti da nuovi e più raffinati e approfonditi studi, in settori già indagati o in altri prima trascurati o comunque rimasti ai margini della ricerca.

È diminuito – forse – l'interesse del grande pubblico (solo in qualche caso ridestato dagli echi delle scoperte più importanti o più ampiamente e meglio divulgate) volto, sia pure episodicamente, verso altre civiltà del mondo antico, ma soprattutto, esauritosi o piuttosto giunto a saturazione con l'esplosione delle manifestazioni espositive (ed editoriali) che nel 1985 (e con diverse «code» anche nel quinquennio successivo) hanno dato vita, accompagnato e seguito il cosiddetto «anno degli Etruschi»: un evento di grande richiamo ma indubbiamente importante anche dal punto di vista scientifico.

Dedicato alla «presentazione» del mondo etrusco quale lo conosciamo ai nostri giorni, nel suo complesso e in alcuni degli aspetti più caratteristici o più approfonditamente indagati, specie negli ultimi tempi (compresi quelli attinenti alla storia degli studi e alla fortuna – o al mito – degli Etruschi), il «momento» espositivo, nella sua prima e principale fase s'è articolato in una mostra «centrale» e in una serie di mostre «satelliti» o «stellari».

La mostra «centrale» (a Firenze), intitolata alla *Civiltà degli Etruschi*, è stata una sorta di grande affresco, diviso in tre parti (prima della città – la civiltà urbana – l'età del declino), sull'insieme dell'esperienza storica degli Etruschi. Accanto ad essa (sempre a Firenze), una mostra sulla *Fortuna degli Etruschi* è stata dedicata ai riflessi e alle influenze esercitate dal mondo etrusco, via via riscoperto, sul mondo moderno; dalla cultura alle arti figurative e fino agli aspetti del «consumo dell'immagine» nei suoi diversi ambiti di circolazione, compreso quello commerciale.

Le mostre «satelliti», realizzate in sedi diverse, hanno avuto i seguenti temi settoriali: *Santuari d'Etruria* (Arezzo), sul mondo religioso e il «consumo» del sacro; *Case e palazzi d'Etruria* (Siena), sulle dimore «principesche» del periodo preurbano e il sistema socio-economico da esse dipendente; *L'Etruria mineraria* (Massa Marittima, Portoferraio e Populonia), sulla più importante delle risorse (i metalli) e una delle principali attività (la metallurgia) degli Etruschi e gli effetti conseguenti sul piano storico ed economico; *Artigianato artistico in Etruria* (Volterra e Chiusi), sulla produzione figurata in serie tra IV e I secolo a.C. nell'Etruria settentrionale; *La romanizzazione dell'Etruria: il territorio di Vulci* (Orbetello), sulla ristrutturazione e il diverso sfruttamento delle risorse del territorio vulcente nell'età della conquista romana. Infine, la mostra su *L'Accademia Etrusca* (Cortona), dedicata alla riscoperta degli Etruschi e in particolare alla «etruscheria» settecentesca, con tutte le implicazioni sul piano della cultura, dell'arte, del gusto e del collezionismo.

Alla serie delle mostre realizzate in Toscana ha fatto seguito, in diverse altre regioni e città interessate all'antica «presenza» degli Etruschi o al moderno interesse degli studi su di essi, un insieme di altre iniziative espositive che, di fronte alle sempre latenti «rivendicazioni» toscane, hanno avuto anche il merito di sottolineare la dimensione decisamente «interregionale» della civiltà etrusca. Tra le iniziative di maggior rilievo, quella di Perugia (peraltro anche cronologicamente concomitante con le mostre toscane) intitolata *Scrivere etrusco* e dedicata alla lingua e ai documenti della scrittura. Poi, quelle venute successivamente, di Mantova (1986) su *Gli Etruschi a nord del Po*, di Milano (1986) su *Gli Etruschi di Tarquinia*, di Viterbo (1986) su l'*Architettura etrusca nel Viterbese*, e infine quella di Roma (1990) su *La «grande Roma» dei Tarquini*.

È appena il caso di rilevare come l'allestimento di tante mostre abbia richiesto, ogni volta, un notevole impegno di riflessione, di «ripensamento», di rielaborazione e quindi di ricapitolazione e di sintetizzazione di un'imponente quantità di elementi (dati, nozioni, informazioni, ma anche idee, teorie, ipotesi) che ha condotto a un altrettanto notevole progresso di conoscenze. Inoltre, come i cataloghi redatti per ognuna delle mostre, con i saggi introduttivi o settoriali, i commenti, la bibliografia e le schede dei monumenti e degli oggetti (spesso «riesumati», studiati, disegnati e fotografati per la prima volta nella circostanza) costituiscano oggi un'impressionante «miniera» d'informazioni, organizzate e «sistemate» per gli studi futuri.

Quello espositivo è stato anche completamento – e in parte premessa e preparazione – di un altro avvenimento, di natura ancora più squisitamente ed esclusivamente scientifica: il secondo Congresso internazionale etrusco, tenutosi a Firenze nella primavera del 1985 a quasi sessant'anni di distanza dal primo, del 1928. Durato otto giorni, con la partecipazione di oltre mille studiosi provenienti da molti paesi europei ed extraeuropei, e articolato in varie sezioni che hanno affrontato separatamente – con 35 relazioni e 85 comunicazioni – problemi storici, archeologici, topografici, artistici, etnologici, economici, sociali, religiosi e linguistici, esso è stato, al tempo stesso, bilancio delle conoscenze e meditata riflessione su di esse, ma anche verifica, confronto e discussione; presentazione di scoperte e indicazione di prospettive; scambio di esperienze e impostazione metodologica per nuove ricerche: un colossale apporto di contributi d'ogni genere a disposizione di una scienza in continuo progredire. I tre poderosi volumi degli *Atti* (pubblicati nel 1989 da G. Bretschneider Editore in Roma), per complessive 1667 pagine, ne sono eloquente testimonianza oltre che preziosa e imprescindibile «riserva di memorizzazioni».

Anche sulla scorta di quanto evidenziato dalle mostre e dal congresso, si può dire che le novità negli studi di etruscologia di questi ultimi anni sono state rappresentate prima di tutto dalle scelte stesse dei temi e degli indirizzi della ricerca, sollecitate dalle scoperte e dai nuovi interessi, confortate e agevolate dall'affinamento metodologico, dall'adozione di nuove «tecniche», dall'allargamento degli orizzonti, dall'ausilio delle scienze esatte e dall'informatica. Le nuove acquisizioni e i progressi sono così venuti nei settori dell'economia e della società, della poleogenesi e dell'urbanistica, della produzione e del consumo, dell'ideologia funeraria e della religione. E si è andati pure verso la reinterpretazione della storiografia greca sugli Etruschi e la riconsiderazione dei metodi di valutazione delle ceramiche greche ritrovate in Etruria, l'approccio strutturalista alla grammatica e le ricerche di paleopatologia condotte sui resti ossei (ma anche di paleozoologia e di paleobotanica), lo studio dei commerci e delle rotte transmarine (attraverso l'analisi della diffusione delle anfore) e quello della composizione e delle trasformazioni della società (dai potentati aristocratici dell'età orientalizzante ai «conflitti di classe» dell'età ellenistica).
Per quel che riguarda le novità derivanti dalle scoperte archeologiche (e dalla loro interpretazione, magari anche soltanto preliminare) sarebbe impossibile sia pur accennare alle tante che si riferiscono a situazioni circoscritte o ad ambiti «locali» e particolari, per le quali piuttosto che di novità si deve parlare di aggiunte, di chiarimenti, di conferme. Vale invece la pena di soffermarsi su quelle – certamente meno numerose, ma tuttavia anche quantitativamente consistenti – di più largo interesse storico-culturale e tali da aprire nuove prospettive o perfino ulteriori problematiche.

Tra le novità più importanti sono forse quelle che hanno toccato la cosiddetta Etruria padana e, più precisamente, la presenza etrusca a sud e a nord del Po. Nella regione transappenninica dell'Emilia e Romagna e in quella deltizia del Polesine, le scoperte hanno rivelato un processo di urbanizzazione e di organizzazione in genere del territorio assai più esteso (e antico) di quanto non si conoscesse, e certamente ben oltre i centri finora «privilegiati» di Bologna (*Felsina*), di Spina e di Marzabotto.

La documentazione riguarda in particolare il Modenese che s'è rivelato, tra il vi e il v secolo a.C., meta di un'occupazione molto intensa e articolata in una fitta rete di insediamenti minori e di fattorie, con complesse e organiche opere idrauliche (captazione, regolamentazione e canalizzazione delle acque) che denunciano (accanto alle note attività commerciali) una forte e diffusa produttività agricola. Ciò che, da una parte, rende ragione degli altrimenti inspiegabili approvvigionamenti di grano fatti in grande dagli Ateniesi in quelle regioni tra v e iv secolo, e, dall'altra, conferma la tradizione antica che attribuiva agli Etruschi le prime opere di regolamentazione e di sorveglianza del corso dei fiumi padani e la conseguente trasformazione in campagna coltivata di un territorio prima in balìa delle acque.

Purtroppo continuano invece a mancare le evidenze archeologiche della fase etrusca di Modena (la città di *Mutna*, della quale le fonti storiche parlano come di una di quelle che costituivano la «dodecapoli» dell'Etruria padana), verosimilmente sepolte sotto il livello romano che è già di quattro/sette metri inferiore a quello attuale. Anche per questo è stata di straordinario interesse la scoperta, nella necropoli pertinente all'insediamento di Rubiera (tra la stessa Modena e Reggio Emilia, sulla riva sinistra del Secchia), di due cippi funerari con decorazione di tipo orientalizzante e due lunghe iscrizioni incise, una delle quali relativa ad un magistrato: databili attorno al 600 a.C., esse sono venute a confermare quelle che erano soltanto ipotesi circa una precoce presenza etrusca in Emilia anche in zone diverse dal Bolognese dove l'etruschità padana sembrava concentrata per il periodo più antico.

Ugualmente intensa, pur se un po' più recente (seconda metà del vi secolo a.C.), comincia a delinearsi anche la diffusione di insediamenti minori nel territorio deltizio del Polesine, specialmente lungo la linea della costa antica. Conseguenza dell'espansione commerciale degli Etruschi verso l'Adriatico settentrionale, quegli insediamenti appaiono caratterizzati (come hanno rivelato gli scavi di quello finora meglio indagato di San Basilio, ad Ariano Polesine) da una popolazione mista o, più esattamente, formati da una comunità «indigena» d'origine veneta e da un nucleo (sopraggiunto) di imprenditori, mercanti e artigiani etruschi. Dovettero essere tali centri ad esercitare un ruolo di primo piano sia nell'organizzazione del territorio sia nell'instaurazione e nell'intrattenimento di rapporti economici con quei mercanti greci che agli inizi del vi secolo a.C. avevano raggiunto il delta del Po fondandovi l'emporio di Adria per lo scambio dei loro prodotti (olio, vino, ceramiche)

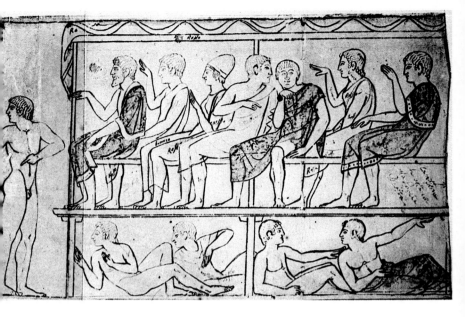

52. Tomba con spettatori (uomini e una donna tra essi). Disegno da una pittura parietale della Tomba delle Bighe, di Tarquinia. Verso il 490 a.C.

53. Coppie di uomini e donne in una scena conviviale. Particolare di una pittura parietale della Tomba dei Leopardi, di Tarquinia. Intorno al 470 a.C.

54-55. Iscrizioni etrusche da Roma. *A sinistra*: dall'Area Sacra di Sant'Omobono (fine del secolo VII a.C.); *a destra*: dal Campidoglio (secolo VI a.C.).

56. Urna cineraria con la figura del defunto dall'aspetto di «obeso», da Chiusi. Secolo II a.C.

57. Veduta di una porzione della necropoli «villanoviana» in località Quattro Fontanili a Veio.

58. *Sopra*: Urna cineraria in forma di capanna, secolo IX a.C., Tarquinia, Museo Nazionale.
59-60-61. *Accanto a sinistra*: spada di bronzo «ad antenne», secolo VIII a.C., Vetulonia; *a destra*: spada di bronzo con fodero e figurine applicate, da Vulci, secolo VIII a.C. *Sopra*, scarabei egizi (due col nome del faraone Ramses II montati su pendagli d'oro), da Bisenzio, secolo VII a.C.

62. Pisside con rappresentazione dipinta di uno scontro navale, da Cerveteri, prima metà del secolo VI a.C.

63. Monete d'argento di Siracusa, Messina, Leontini e Atene, dal santuario di Pyrgi. Secolo V a.C.

64. Volterra, porta delle mura urbane (cosiddetta «Porta dell'Arco»). Fine del secolo
III-II a.C.

65. Marzabotto: basamento di un grande altare (o di un piccolo tempio) nell'area sacra dell'acropoli. Fine del secolo VI a.C.

66. Pyrgi (Santa Severa): particolare delle strutture murarie di base del Tempio «A». Verso la metà del secolo V a.C.

67. Antefissa fittile con volto di Gorgone, dal santuario di Portonaccio a Veio. Fine del secolo VI a.C.

68. Modello ricostruttivo di un tempio etrusco arcaico (Musei della Facoltà di Lettere dell'Università di Roma La Sapienza).

69. Parte superiore di un cippo funerario a forma di casa con scena di matrimonio, da Chiusi. Inizio del secolo V a.C.

70. *Sopra*: Coppia di sposi
(*Velthur Velcha* e *Ravnthu
Aprthnai*) con musici. Particolare
di una pittura parietale nella
Tomba degli Scudi, di Tarquinia.
Seconda metà del secolo IV a.C.

71. Sandali snodati in legno e
lamina di bronzo, da Bisenzio.
Secolo VI a.C.

72. Fronte di urnetta cineraria con suonatore di flauto, da Perugia. Secoli II-I a.C.

73. Modello ridotto di fascio littorio in ferro, ricomposto con elementi trovati in una tomba di Vetulonia. 600 a.C. circa.

74. Rilievo con corteo al seguito di un magistrato sulla fronte di un'urna cineraria, da Volterra. Inizio del secolo II a.C.

75. Tavoletta d'avorio con alfabeto modello inciso, da Marsiliana d'Albegna. Verso la metà del secolo VII a.C.

76. Anforetta di bucchero con alfabeto modello inciso sul collo (e una breve iscrizione sul corpo), da Formello presso Veio. Seconda metà del secolo VII a.C.

77. *Sopra*: coppia di dadi in avorio con incisi i nomi dei primi sei numerali etruschi, da Tuscania.

78. *Accanto*: faccia principale di un cippo di delimitazione di proprietà terriera con iscrizione incisa, dal territorio di Perugia. Secolo II a.C.

79. Cippo di pietra con indicazione dei «confini dell'Etruria» (*tular rasnal*), da Cortona. Secolo II a.C.

80. Iscrizione funeraria bilingue, in latino e in etrusco, di un Aruspice *fulguriator*, da Pesaro. Secolo I a.C.

81. Statuina in bronzo di Minerva, da una località imprecisata. Inizio del secolo V a.C.

82. Statuina di bronzo del dio «bifronte» Culśanś, da Cortona. Secoli III-II a.C.

83-84. *A sinistra*: figurina fittile votiva, dal santuario di Campetti a Veio. Fine del secolo V a.C. *In basso*, frammento di ciotola con iscrizione dedicatoria a *Uni* (Giunone) dal santuario di Pyrgi. Fine del secolo VI-inizi del V a.C.

85. Maschera funeraria in lamina di bronzo, da Chiusi. Inizi del secolo VII a.C.

86. Gruppo bronzeo con Hermes che accompagna una defunta agli Inferi. Cimasa di un candelabro, da Spina. Fine del secolo V a.C.

87. Urna cineraria con scena del viaggio agli Inferi del defunto, da Volterra. Fine del secolo III a.C. Volterra, Museo Guarnacci.

88. *Sopra*: Cortona: mausoleo a pianta circolare (detto «Tanella di Pitagora»). Secolo II a.C.
89-90. *Nella pagina a fronte*: *in alto*, orecchino (o bracciale) d'oro a nastro lavorato a sbalzo e granulazione. Verso la metà del secolo VII a.C. *In basso*, capocchia di spillone d'oro lavorato a granulazione, da Vetulonia. Seconda metà del secolo VII a.C.

91. *Sopra*: brocca «italo-geometrica» con decorazione dipinta, da Tarquinia. Intorno alla metà del secolo VII a.C.

92. *Accanto*: olpe «a rotelle» etrusco-corinzia, con decorazione dipinta di stile orientalizzante, da Poggio Buco nella valle del Fiora. Seconda metà del secolo VII a.C.

93. Brocca di bucchero con decorazione plastica e stampigliata sul coperchio, da Orvieto. Fine del secolo VII-inizi del VI a.C.

94. Placchetta d'osso intagliata con scena conviviale, da Orvieto, 530-520 a.C. circa.

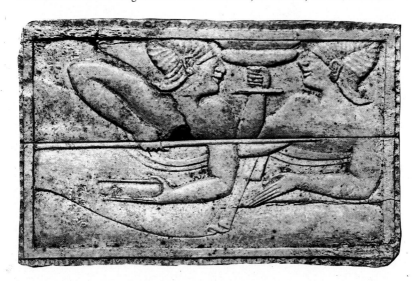

95-96. *A sinistra*: stele funeraria con figura di guerriero (*Avile Tite*) e iscrizione comme-morativa, da Volterra. Intorno alla metà del secolo VI a.C. *A destra*: stele funeraria con figura in rilievo della defunta, da Londa in Mugello. 520-510 a.C. circa.

97. Suonatore di doppio flauto. Particolare di una pittura parietale nella Tomba del Triclinio, di Tarquinia. 480-470 a.C.

98. Testa di una statua in terracotta del dio Hermes, dal santuario di Portonaccio a Veio. Verso il 500 a.C.

99. *Sopra*: acroterio angolare di
terracotta, da Cerveteri. Inizio del
secolo V a.C.
100. *A destra*: anfora etrusca a figure
nere di imitazione attica, da Bisenzio.
Verso la metà del secolo V a.C.

101. Particolare di un candelabro di bronzo, da Spina. Prima metà del secolo V a.C.

102. Cratere «a campana» di produzione etrusco-padana, da Spina. Fine del secolo IV a.C.

103. Cratere «a colonnette» dipinto a figure rosse, da Monteriggioni. Secolo III a.C.

104. Urna cineraria di terracotta col defunto rappresentato come Adone morente, da Tuscania. Seconda metà del secolo II a.C.

105. Capitello figurato, da Vulci. Prima metà del secolo II a.C.

106. Elmo etrusco a morione, da Talamone. Secolo III a.C.

107. Pyrgi (Santa Severa): particolare delle mura di cinta della colonia romana. Secolo III a.C.

108. Tarquinia: fontana marmorea del magistrato municipale Quinto Cossutio presso il tempio dell'«Ara della Regina». Età augustea.

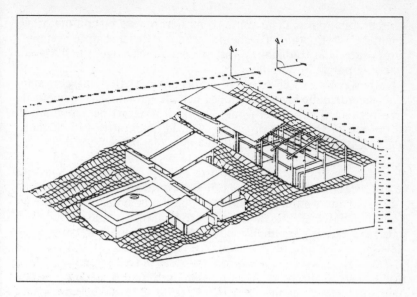

Ricostruzione ipotetica degli alzati nell'abitato di Monte Bibele (elaborazione di A. Gottarelli).

con quelli offerti in loco: l'ambra, i metalli grezzi, il sale minerale provenienti dalle regioni transalpine come il Norico, i manufatti della metallurgia etrusca provenienti da *Felsina* e dall'Etruria propria.

A proposito d'insediamenti e di comunità miste, un importante centro etrusco-celtico s'è ormai rivelato, nel cuore dell'Appennino Tosco-Emiliano quello che dal 1978 viene sistematicamente indagato, sia nell'abitato sia nella necropoli, a Monte Bibele in comune di Monterenzio (Bologna). L'età – naturalmente molto più recente – è quella che abbraccia i secoli IV e III a.C. e le scoperte riguardano eloquenti testimonianze di vita quotidiana e di ideologia funeraria (come nel caso dei corredi funebri di guerrieri, con armi celtiche e ricchi «servizi» da simposio, strumenti e attrezzi da palestra) che riconducono ad un panorama di cultura «urbana» di estremo interesse in un centro di montagna che appare però pienamente inserito in circuiti commerciali ad ampio raggio che dall'Etruria propria (Volterra, in particolare) arrivano fino all'area romana (come dimostrano le macine per cereali di pietra lavica laziale).

Sempre a proposito dell'Etruria padana, la scoperta senza alcun dubbio più importante è stata quella relativa alla presenza etrusca a nord del Po. Garantita dalla tradizione letteraria degli antichi, ricca di numerose, concordi e autorevoli voci (quali quelle, tra le altre, dei «transpadani» Virgilio, Livio e Plinio il Vecchio), e più d'una volta messa in dubbio o, quanto meno, ritenuta del tutto trascurabile, da qualche studioso moderno, essa è stata ora, final-mente, confermata dall'archeologia (come quasi sempre avviene a proposito della tradizione). Intanto per ciò che riguarda il Manto-vano; la patria di Virgilio!

Nel v secolo a.C. gli Etruschi erano dunque effettivamente stan-ziati su entrambe le sponde del Mincio, lungo una via commerciale che seguiva il corso del fiume e poi gli itinerari pedemontani in direzione di Brescia e di Como oltre le quali, attraverso il valico del San Bernardino, si raggiungevano le regioni celtiche della valle del Reno. Lo dimostrano le scoperte e gli scavi di due abitati, al Forcello (o, più esattamente, Corte Forcello) di Bagnolo San Vito e al Castellazzo della Garolda di Roncoferraro, presso Mantova.

L'insediamento del Forcello (del quale non si conoscono ancora le fasi iniziali che tuttavia dovrebbero risalire alla fine del secolo vi a.C.) era esteso per almeno sedici ettari e delimitato in parte da un terrapieno; all'interno di due aree rettangolari orientate a nord-est e a sud-ovest, aveva le abitazioni disposte in isolati regolari, con le fondazioni in pietre calcaree e sabbia e le pareti a tralicci di pali con intreccio di canne rivestito d'argilla indurita e leggermente cotta alla fiamma. Di particolare interesse, i resti di una costruzio-ne rettangolare, con tetto a doppio spiovente, che, per i reperti rinvenuti al suo interno, deve avere assolto a funzioni in parte di magazzino di derrate alimentari (grano e legumi, specialmente fave) e in parte di laboratorio artigianale per la tessitura. Abbon-dante il materiale recuperato: soprattutto ceramica locale, «etru-sco-padana» (alla quale appartiene il fondo di una ciotola con iscrizione graffita che ne dichiarava la proprietà di un certo *Marke Anthu*, il primo etrusco, del v secolo a.C., attestato con «nome e cognome» a nord del Po) e ceramica attica, preziosa per le infor-mazioni cronologiche: essa, infatti, datandosi fra il 475 e il 420 a.C., induce a ritenere con buone probabilità che l'insediamento fu almeno in parte abbandonato sul finire del secolo v, forse in segui-to a un'alluvione.

Il complesso dei reperti mostra che gli abitanti del Forcello, oltre ad esercitare l'attività commerciale, certamente primaria, lavora-vano l'argilla e il bronzo (fornaci per vasai e metallurgi) e pratica-vano l'allevamento del bestiame per la produzione di carne, lana, pelli, latte e suoi derivati. Particolarmente curato l'allevamento dei suini cui appartengono per il 60% i reperti ossei (circa 50.000) di animali, raccolti ed esaminati, mentre la scarsissima percentuale di ossi relativi agli arti inferiori non può che significare che le co-sce dei maiali non venivano consumate sul posto ma, debitamente lavorate, con salatura e affumicazione, erano destinate all'esporta-zione. A questa dovevano contribuire altre derrate alimentari, grassi, legname ecc. per servire a bilanciare le importazioni at-testate in grande quantità (e indice di notevole benessere): vi-no, olio, ceramiche, profumi e cosmetici dalla Grecia, continentale

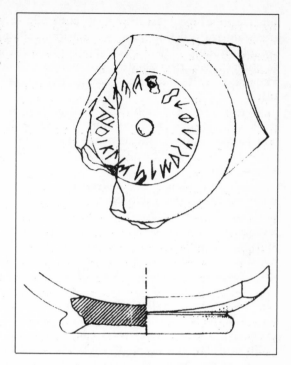

Piede di ciotola con inciso un «alfabetario» etrusco, proveniente dal Castellazzo della Garolda presso Mantova (secolo IV a.C.).

(Corinto, Atene) e insulare (Rodi, Samo, Chio, Taso), vasi di bronzo, candelabri e altre suppellettili e arredi metallici dall'Etruria tirrenica. Di particolare interesse i molti vasi greci restaurati con grappe metalliche che denunciano l'uso quotidiano di essi (alla stessa stregua di quanto avveniva in altri centri dell'Etruria padana) e indiziano un livello di vera e propria civiltà urbana.

Al Castellazzo della Garolda, l'insediamento, esteso sopra un dosso sulla riva sinistra del Mincio, era più piccolo (circa sei ettari) ma, a quanto risulta dagli scavi finora effettuati, in tutto simile a quello del Forcello. Di straordinario interesse il ritrovamento di una ciotola recante sul fondo, graffito, un «alfabetario», ossia un modello di alfabeto etrusco, di quelli in uso tra il IV e il III secolo a.C.: esemplare finora unico nell'Italia settentrionale.

Mentre al Forcello tutto dovette finire poco dopo gli inizi del IV secolo a.C. – e il ruolo svolto da quell'insediamento dovette allora essere assunto da Mantova (che Virgilio ricorda derivante il suo nome dalla dea etrusca *Manthu*) sorta in posizione naturalmente più forte e protetta dalle paludi e dai laghi – la presenza degli Etruschi al Castellazzo, come dimostra fra l'altro proprio l'alfabetario, dovette protrarsi fino a poco dopo la metà del III secolo a.C. (in significativa coincidenza col definitivo declino di Spina) quando la Pianura Padana era stata ormai tutta occupata dalle tribù dei Galli. Ciò significa che fino a quel momento gli stessi Etruschi continuarono ad esercitare un certo controllo sulla zona del Mincio, tra Mantova e il Po, e che le invasioni celtiche non sovvertirono completamente l'assetto del territorio e l'ambito produttivo della regione (presto ripristinato e potenziato – come in tutta la Pianura Padana – dai Romani, nel II secolo, per la sua straordinaria fertilità).

Del resto, proprio Mantova (favorita dallo stanziamento, nel territorio, dei Galli Cenomani, rimasti quasi sempre in buoni rapporti con Roma) andò incontro senza traumi alla romanizzazione, diventando, forse nell'89 a.C., colonia latina e quindi municipio dell'Italia romana.

Si può concludere osservando come, mettendo insieme i risultati delle esplorazioni e i dati emersi dagli scavi nei territori a sud e a nord del Po, se ne possa dedurre che l'inizio di quel fenomeno storico che, sfruttandone al meglio le notevoli potenzialità, ha trasformato, fino ai nostri giorni la Pianura Padana nel polo di maggiore produttività agricola dell'intera Italia, deve essere fatto risalire alla «colonizzazione» degli Etruschi.

Rimanendo nell'Italia settentrionale, è da dire che le scoperte e gli studi più recenti hanno portato a ulteriori precisazioni circa i rapporti tra il mondo etrusco e le regioni più interne della cosiddetta «cultura di Golasecca», a partire dall'VIII/VII secolo a.C. Fin da tale periodo, infatti, l'attività commerciale degli Etruschi, scavalcando gli Appennini e sfruttando le vie fluviali del Po e dei suoi affluenti, si rivolse largamente a quelle zone dalle quali poi, attraverso i valichi alpini, essa raggiunse le regioni celtiche d'Oltralpe trasmettendo alle loro popolazioni beni di prestigio e manufatti di lusso (dal vino ai «servizi» per il simposio, alle suppellettili e agli arredi di bronzo). Fondamentale il ruolo di tramite svolto da Bologna e, in età orientalizzante (prima metà del secolo VII a.C.) quello primario di Vetulonia dalla quale proviene la maggior parte degli oggetti importanti presenti nella stessa Bologna e ampiamente diffusi, da Este a Como, da Sesto Calende a Castelletto Ticino e fino in Slovenia. Tra il VII e il VI secolo a.C. s'affermano invece elementi provenienti dall'Etruria meridionale (come attestato, tra l'altro, dai più antichi documenti dell'alfabeto «leponzio») e, nel VI secolo, anche dall'Etruria interna, specialmente da *Volsinii*/Orvieto e da Vulci e poi da Chiusi e da Perugia alle quali si deve la creazione del «sistema» di empori nell'area del delta padano (del quale s'è già detto) e poi la «colonizzazione» a nord del Po (com'è significativamente adombrato nelle leggende delle origini di Mantova fondata da Ocno, figlio di Manto e del Tevere oppure figlio o fratello di Auleste, il fondatore di Perugia).

Ai margini settentrionali dell'Etruria propria, un'altra inattesa e importante novità ha avuto per oggetto Pisa per la quale, quando non era stata negata una fase storica precedente la colonia romana (creata nel 180 a.C. come base avanzata per le campagne contro i Liguri), sulla scorta di incerte tradizioni degli antichi, s'era lungamente discusso se essa fosse da considerare ligure o etrusca (o ligure-etrusca). Ora, invece, grazie alle scoperte effettuate in varie parti della città moderna che insiste su quella antica e dopo gli scavi condotti soprattutto nelle piazze dei Cavalieri e del Duomo, ad est della Torre pendente (dove una complessa rete di strutture che sembra estendersi sotto gran parte della piazza – con una eccezionale continuità di vita e particolare stabilità nell'assetto urbanistico – appare stratificata dall'età imperiale romana fino all'epoca etrusca, documentata, tra l'altro, da una notevole presenza di ceramiche attiche sia a figure rosse sia a figure nere) si può affermare che la prima organizzazione del centro urbano di Pisa avvenne tra la fine del secolo VI e gli inizi del V a.C. (quando fu pure «ristrutturato» un piccolo santuario suburbano, rimasto vitale fino alla fine del secolo IV). Ciò, in perfetta e significativa coincidenza con quella riorganizzazione delle rotte commerciali dell'Alto Tirreno, della quale sono testimonianza altri scali portuali, da Gravisca a Populonia a Genova (quest'ultima, grazie agli scavi condotti sul Colle di Castello, ormai definitivamente accertata di «fondazione» etrusca) che fu propria della fine del VI secolo a.C., mentre sull'opposto versante adriatico entrava in funzione l'emporio di Spina.

Il centro di Pisa poteva inoltre assolvere, per la sua posizione, anche a funzioni mediatrici tra le rotte marittime e gli itinerari commerciali dell'interno, verso la Lucchesia e la media valle dell'Arno e, tramite i valichi appenninici, verso l'Etruria padana.

In confronto a quanto avvenuto a Pisa e nell'area padana, assai minori sono state le «novità» riguardo all'Etruria «campana». È continuato soprattutto il dibattito su Capua etrusca e sulla sua storia urbana, a cominciare dalle origini per le quali si tratta sempre di mettere d'accordo le due versioni delle fonti antiche che riportano la fondazione della città all'800 a.C. circa (Velleio Patercolo) oppure al 471 a.C. circa (Catone) e la documentazione archeologica. Questa mostra, da una parte, un'ininterrotta continuità di vita, a partire proprio dal IX secolo a.C., attraverso le necropoli, e, dall'altra, pur nell'assenza di scoperte determinanti nell'abitato di Santa Maria Capua Vetere, una sicura presenza etrusca – inequivocabilmente documentata soprattutto dalle iscrizioni – nella prima metà del V secolo a.C. Sulla scorta di quanto è stato rilevato per Bologna, è assai probabile che a questo periodo risalga il vero e proprio impianto urbano unificato e pianificato rispetto alla pluralità di insediamenti in nuclei separati e distinti caratteristica del periodo precedente.

Di maggior rilievo – e con frutti più abbondanti – è stata la ripresa dell'esplorazione e la revisione dei materlai recuperati all'inizio del secolo, a Fratte di Salerno. Ne sono derivati nuovi dati per la conoscenza di quel fenomeno che, agli inizi del secolo VI a.C., condusse alla nascita dei centri etruschi della Campania tirrenica meridionale. L'insediamento di Fratte, sulla riva sinistra del fiume Irno, è documentato sia nell'area dell'abitato sia in quella della necropoli e i reperti archeologici (soprattutto i resti di edifici monumentali e la ricchezza dei corredi funebri) mostrano una fase di notevole fioritura tra il 525 e il 480 a.C. circa, corrispondente a quella che sembra una vera e propria strutturazione di tipo urbano del centro che sempre più verosimilmente gli studiosi tendono a identificare con la città di *Marcina* menzionata da Strabone. Di particolare interesse si sono rivelate le iscrizioni che attestano la contemporanea presenza di Etruschi, Greci e Osci, come documentato negli altri centri di fondazione etrusca – le dodici città delle quali parlano gli antichi – tra la penisola sorrentina e la foce del Sele.

Una fase di abbandono si registra nel centro di Fratte negli ultimi decenni del secolo V a.C. e solo nella seconda metà del IV si verifica una nuova occupazione del sito che si configura ormai come sannitica e dura fin verso la fine del secolo successivo quando l'abitato subisce una distruzione violenta e praticamente definitiva.

Tornando alle iscrizioni etrusche della Campania, la loro tipologia grafica, veiente-ceretana, indica ormai chiaramente la zona di provenienza dell'elemento etrusco di Capua, attraverso quell'itinerario interno delle valli del Sacco e del Liri che appare ora del tutto «rivalutato» rispetto ai dubbi del passato, anche grazie a diverse significative scoperte avvenute lungo di esso, da Anagni a Calvi Risorta (l'antica *Cales*).

Un'iscrizione pure assai interessante è quella scoperta a Pontecagnano, nell'altra zona etrusca della Campania, «colonizzata» via mare da elementi provenienti dalle città costiere dell'Etruria meridionale (Tarquinia, Vulci), come ancora una volta attestato dalla cospicua documentazione epigrafica. Incisa sul fondo d'una coppa databile intorno al 500 a.C., l'iscrizione di Pontecagnano reca il nome del possessore del vaso espresso con il gentilizio *amina* che è stato ricollegato alle notizie degli antichi circa un insediamento nella zona di Tessali-Aminei.

Un multiforme e vario complesso di nuove acquisizioni e di vere e proprie «scoperte» che, anche se non clamorose, hanno fatto comunque compiere, in generale, notevoli passi avanti al progresso delle nostre conoscenze sul mondo degli Etruschi è quello che, anche per comodità di esposizione, può essere fatto rientrare nei limiti geografici dell'Etruria «propria» che è del resto, e ovviamente, il referente primo e principale di quel mondo. È da qui che ha

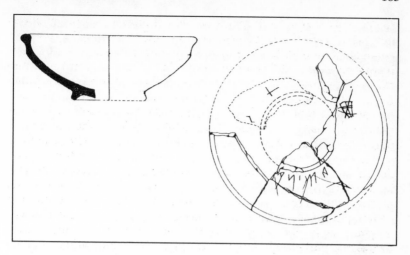

Coppa da Pontecagnano con iscrizione recante il nome del proprietario: «Amina» (500 a.C. ca.).

preso l'avvio gran parte degli studi che, a prescindere da situazioni particolari (come quelle dell'Etruria «padana»), con nuove approfondite indagini e anche sulla base di scoperte già effettuate e con ricerche e scavi appositamente programmati e condotti, possono essere complessivamente definiti «del territorio». Sotto tutti i punti di vista e con tutte le implicazioni, specialmente di natura economica e sociale; dal periodo delle origini a quello del declino e della romanizzazione.

Quasi soltanto a titolo d'esempio, si possono ricordare, tra i tanti risultati conseguiti, quelli, notevoli, di Populonia dove le ricerche, condotte contemporaneamente in più siti (necropoli, cinta muraria, acropoli) hanno rivelato le condizioni dello sviluppo socio-economico, dalla seconda metà del IV al II secolo a.C., con l'accertamento di una fase apogeica della lavorazione del ferro nel IV secolo, anche in significativa concomitanza con un particolare incremento demografico.

Speciale attenzione è stata rivolta al periodo del declino, alla luce della contrapposizione e poi della sovrapposizione di Roma, con i conseguenti effetti «destrutturanti» e i processi evolutivi d'ogni genere imposti alla società e all'economia dell'Etruria da un confronto non soltanto politico e militare, ma anche di mentalità e di modelli sociali e comportamentali. L'esame è stato condotto a largo raggio, dalla «colonizzazione» plebea effettuata da Roma nel territorio di Veio alla «reazione» messa in atto da Tarquinia che, nel IV secolo a.C., arriva alla creazione di un nuovo tipo di città-stato, con una nuova *nobilitas*, responsabile prima di sia pur lenti processi di rinnovamento e di promozione sociale verso forme di società integrata e poi di una finale riaffermazione di caratteristiche conservatrici, fino all'esaltazione in chiave antiromana, e come appoggio al proprio immobilismo, di un passato «archeologicamente» riconsiderato.

Per quel che concerne la «romanizzazione» vera e propria e la radicale trasformazione delle strutture organizzative e produttive, notevoli progressi sono venuti dalle ricerche compiute nell'alta valle dell'Albegna, a *Heba* e a *Saturnia* (anche in rapporto alla rinnovata viabilità e agli interventi di centuriazione) e dallo scavo sistematico della Villa di Settefinestre, nell'entroterra di Ansedonia. È stato soprattutto questo a chiarire il fenomeno più importante della «destrutturazione» e della «ristrutturazione» romana che fece capo alla «villa» come nuova cellula economico-sociale all'interno del sistema di produzione basato sul lavoro schiavile (con le sue implicazioni, anche al riguardo delle tensioni da esso create nel mondo ugualitario delle «colonie» e della connessa piccola proprietà contadina).

Una vera e propria «novità» – rispetto al poco che era stato fatto in passato, episodico, casuale, parziale, spesso inaffidabile, rimasto quasi sempre scientificamente inedito e comunque senza particolari conseguenze nel campo della conoscenza (tanto che di nessuna delle grandi città etrusche è possibile «ricostruire», sia pure a grandi linee, una planimetria urbana) – è stata rappresentata dall'inizio, o, sia pure, dalla ripresa – sistematica e sempre auspicata – delle esplorazioni e degli scavi nel sito di almeno due delle metropoli dell'Etruria meridionale: Tarquinia e Cerveteri (*Caere*), le cui aree urbane sono rimaste libere da superfetazioni moderne.

A Tarquinia, gli scavi (condotti, a partire dal 1982, dall'Università di Milano in collaborazione con la Soprintendenza archeologica) hanno interessato una zona «centrale» di oltre mille metri quadri, tra la Porta «Romanelli» e l'Ara della Regina, scelta sulla base delle risultanze di precedenti campagne di prospezioni geofisiche rimaste senza seguito. È stata individuata una particolare «area sacra» che per la sua continuità di vita, documentata per alcuni secoli, appare di notevole importanza all'interno dell'abitato. A parte infatti una sicura «occupazione» del luogo nella fase finale dell'età del bronzo, l'«area sacra» prese vita nella prima età del ferro, attorno ad una cavità naturale, dove sono stati ritrovati resti di sacrifici mentre a poca distanza, con particolari caratteristiche rituali, era stato inumato il corpo di un bambino. Nei primi decenni del secolo VII a.C. fu quindi costruito un edificio «monumentale», ancora con funzioni sacrali, successivamente recintato e dotato di una grande platea in lastre di tufo e di un canale comunicante con la cavità naturale. Davanti all'ingresso dell'edificio, sono stati ritrovati – interrati con evidente anche se non del tutto chiaro significato simbolico – una tromba cerimoniale di bronzo a forma di lituo e piegata in tre parti, una scure sacrificale con decorazione geometrica incisa e uno scudo circolare in lamina di bronzo sbalzata. Gli scavi, tuttora in corso, hanno poi rivelato che la zona fu ristrutturata nel corso del successivo secolo VI.

A Cerveteri – dov'è stata anche acquisita, nella necropoli del Sorbo, la prima testimonianza dell'occupazione del sito risalente al secolo XI a.C. – gli scavi intrapresi nel 1983 (sempre in collaborazione con la Soprintendenza Archeologica, dal Centro di studio – poi Istituto – per l'archeologia etrusco-italica del Consiglio Nazionale delle Ricerche) hanno interessato una zona centrale dell'area urbana dell'antica *Caere* (località Vigna Parrocchiale) compresa fra il teatro romano e un «quartiere manifatturiero» scoperto agli inizi del nostro secolo. Tuttora in corso, essi hanno toccato proprio il centro cittadino e quindi una «struttura» urbanistica fino ad ora del tutto ignorata nelle città etrusche. In particolare, essi hanno riportato alla luce i resti di due edifici, databili ai decenni iniziali del V secolo a.C., adiacenti a uno spazio aperto che doveva costituire una sorta di piazza pubblica, simile all'agorà delle città greche (e al foro romano). Uno dei due edifici, a pianta ellittica, gradinato e a cielo aperto, doveva essere destinato a cerimonie sacre o a pubbliche riunioni (del tipo e in analogia con quelle che a Roma si tenevano nel *Comitium*) ma forse anche a spettacoli e a giochi: una novità assoluta per una città etrusca! L'altro edificio era un grande tempio a tre celle (del tipo dei *capitolia* di Roma e di altre città del Lazio), significativamente orientato a nord, ossia nella direzione degli dèi della vendetta, forse in relazione ad un preesistente edificio del VI secolo a.C. (del quale sono stati pure ritrovati i resti) cui il tempio fu sovrapposto e che va identificato con una «reggia»: la residenza di una di quelle famiglie aristocratiche che nel periodo arcaico caratterizzarono l'«occupazione del territorio» prima del definitivo affermarsi delle città. La distruzione della «reggia», avvenuta tra il 500 e il 490 a.C. (nel «momento» in cui a Roma finiva la monarchia e iniziava il regime repubblicano) conferma il passaggio dei poteri dalle aristocrazie agrarie alle oligarchie imprenditoriali attraverso forme istituzionali che ricordano quelle delle «signorie» greche.

Presso la «reggia» sono stati anche trovati gli avanzi di «cantine» e depositi scavati nel tufo e di un complesso impianto per il drenaggio delle acque che dovevano confluire in una profonda «cisterna» di forma rettangolare. Questa era stata ricavata sfruttando una precedente cava di tufo (presso la quale è stata anche trovata una piccola necropoli con tombe a incinerazione entro pozzetti, del IX secolo a.C.) e, nel momento della ristrutturazione della zona, eliminata con una «colmata» databile al 420 a.C. circa. Tra la massa di terra e detriti della «colmata» è stata recuperata un'eccezionale documentazione di «vita quotidiana» del periodo arcaico: dalle terrecotte architettoniche agli scarti di officine di ceramisti e metallurgi; dai consueti strumenti per la tessitura (pesi da telaio, rocchetti, fusarole) alle anfore da trasporto, ai contenitori per derrate, ai fornelli, ai bracieri; dagli utensili al vasellame da cucina e da mensa, fino alle ceramiche d'importazione greca, soprattutto greco-orientale e attica, anche di maestri famosi degli inizi del v secolo a.C. quali, ad esempio, *Onesimos* e *Oltos*.

Particolare rilevanza acquistano questi trovamenti di ceramica greca giacché, essendo stati effettuati in una zona d'abitato (anziché in necropoli, come di solito), essi confermano quanto era logico e lecito pensare, anche se fino ad ora solo frammentariamente e insufficientemente documentato: cioè che vasi pregiati e costosi come quelli greci, prima di andare ad impreziosire i «corredi tombali» dei defunti, venivano comunemente usati, «goduti» e ostentati dai vivi nelle loro case. Quanto alle terrecotte architettoniche (comprese vere e proprie sculture a tutto tondo che dovevano decorare i tetti della «reggia») è stato possibile «ricostruire», per un arco di tempo compreso tra il 570 e il 500 a.C., la sequenza tipologica delle caratteristiche antefisse a testa femminile, eseguite a stampo su matrici di produzione locale ma ampiamente diffuse anche oltre i limiti del territorio ceretano, come, ad esempio, a Roma.

In un altro settore dell'area urbana di *Caere*, al limite meridionale del pianoro sul quale sorgeva la città e nei pressi di una delle porte urbiche, altri scavi hanno condotto alla scoperta di un'area sacra (già occupata da abitazioni testimoniate da resti databili tra l'VIII e il VII secolo a.C.) che alla fine del secolo VI fu caratterizzata dalla presenza di due templi affiancati (di tipo tuscanico, con cella e ali e un vestibolo con quattro colonne su due file) uno dei quali solo ipoteticamente attribuibile a Mercurio (l'etrusco *Turms*), l'altro quasi certamente dedicato a Ercole e «completato» da strutture collegate con l'acqua (cisterna, fontana).

Ancora nel campo dell'archeologia urbana, interessanti novità sono emerse anche dal proseguimento degli scavi di *Pyrgi* che ormai da una quarantina d'anni continuano ad essere una delle imprese di ricerca più importanti e feconde di tutta l'Etruria. Addossati al lato meridionale del muro di cinta del santuario di Leucotea, e per tutta la sua lunghezza di circa sessanta metri, a fianco del Tempio B, sono venuti alla luce i resti di un singolare edificio formato da diciassette piccole «celle» (che in origine dovevano essere venti), disposte in linea, affiancate, e precedute sulla «piazza» da una fila di piccoli altari quadrati. È stato proposto, con molta verosimiglianza, di interpretarlo come l'abitazione-sacrario delle «sacerdotesse» che, secondo quanto riferito dalle fonti antiche, esercitavano nel santuario la «prostituzione sacra», tipica del culto

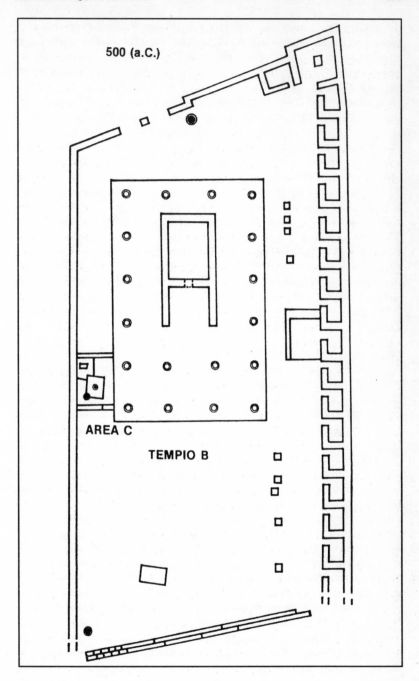

500 (a.C.)

AREA C

TEMPIO B

Planimetria del settore meridionale del santuario di Leucotea a Pyrgi (500 a.C.).

di Astarte (e di quelli assimilati) già documentato a *Pyrgi* dalle famose laminette d'oro inscritte (è probabile che a questa pratica si
riferissero le dicerie riecheggiate da Plauto che accusavano le ragazze etrusche di procurarsi la dote prostituendosi, *tusco more*,
cioè all'uso etrusco).

Ma le sorprese sono continuate. Infatti, fuori del recinto del santuario e quindi distinto da esso, sempre nel versante sud, sono stati
ritrovati i resti di un'altra area sacra (uno spiazzo fiancheggiato su
due lati da costruzioni con muretti in pietrame e copertura con
tetti di tegole, mentre un basamento quadrato è verosimilmente da
attribuire a un altare) rimasta attiva tra la prima metà del vi secolo
e la prima metà del iii a.C. Una gran quantità di reperti votivi atte-
sta un culto per due divinità, una maschile e una femminile, che
alcune iscrizioni, benché mutile, hanno permesso d'identificare
con *Śuri*, dio infero a carattere oracolare, in seguito assimilato ad
Apollo, e con *Cautha*, una dea già nota come «figlia del sole». La
scoperta di questo secondo santuario sembra aver fatto finalmente
luce sul racconto di Eliano che nel ii secolo a.C. scriveva del saccheggio dei Siracusani a *Pyrgi* e del trafugamento dell'altare d'argento di Apollo, ordinato da Dionigi dopo un empio brindisi rivolto al dio.

Restando nel campo dei santuari, si deve dire che esso è stato
oggetto, in generale, d'importanti ricerche e di un'approfondita
opera di «sistematizzazione» delle nostre conoscenze in merito.
Essendo stati già esaminati, soprattutto dopo lo scavo del centro
emporico di Gravisca, i santuari classificabili come «extraurbani»,
e mentre sono in corso approfondimenti su quelli «suburbani»,
spesso in relazione con aree sepolcrali (ad esempio con la ripresa
degli scavi nel santuario della necropoli della Cannicella, ad Orvieto, che hanno condotto, tra l'altro, al riconoscimento del tempio
forse di *Vei*, una specie di Persefone etrusca, e alla riesumazione di
un complesso sistema di vasche e di canalizzazioni da mettere in
relazione col rito funebre delle libagioni), una particolare attenzione è stata portata sui santuari «di campagna». Questi appaiono,
nell'Etruria meridionale, in speciale rapporto con la città e partecipano della doppia realtà (e delle problematiche) delle tendenze
accentratrici proprie di quella e dei «movimenti di dispersione»
delle iniziative religiose in funzione di esigenze sociali e politiche
che variano nel tempo; nell'Etruria settentrionale («in ritardo» rispetto a quella meridionale), si configurano invece piuttosto come
delle sopravvivenze di un'organizzazione territoriale per «pagi»,
settoriale e circoscritta, legata al prestigio e al ruolo di singole «famiglie» gentilizie.

Sempre per ciò che concerne i santuari, di straordinaria rilevanza
è stato l'aver potuto accertare che anche in Etruria furono costrui-

ti (o piuttosto ristrutturati), in età ellenistica, grandi complessi sacri, secondo quei criteri di monumentalità e di scenografica disposizione propri dell'epoca e da tempo ben noti nel Lazio (come nel caso, per tutti, del santuario della Fortuna a *Praeneste*). La conferma di ipotesi già avanzate in tal senso è venuta da Fiesole dove sono state riportate alla luce cospicue strutture murarie, a blocchi lapidei, pertinenti a un ampio recinto porticato con colonne, e a terrazze sovrapposte, dotato di un pozzo sacro verosimilmente votivo. Databile non oltre il II secolo a.C., il complesso (che appare rimaneggiato in età imperiale romana con costruzioni più modeste e di ancora ignota destinazione) è da mettere in relazione con i vicini resti di un grande edificio pubblico di analoghe caratteristiche costruttive ritrovato nel corso di scavi ottocenteschi.

Tornando alle città, qualche novità c'è stata anche a proposito dei centri minori, come nel caso di *Musarna*, non lontano da Viterbo e dunque in territorio tarquiniese. Le ricerche appena iniziate hanno tra l'altro riportato a giorno i resti di un edificio termale del II secolo a.C. – una scoperta del tutto eccezionale per l'epoca – con i tipici ambienti balneari e un pavimento a inserti musivi con iscrizione etrusca menzionante i nomi dei committenti.

Forse ancora più «nuova» e inedita è stata l'esplorazione di un centro «minerario» arcaico, presso il lago dell'Accesa, non lontano da Massa Marittima, in territorio controllato allora da Vetulonia. Gli scavi hanno riesumato un abitato, databile nel corso del VI secolo a.C., con diverse fasi costruttive, costituito da un certo numero di edifici rettangolari allungati e internamente suddivisi in più ambienti, disposti in modo tale da lasciare al centro dell'insediamento una zona libera evidentemente destinata a «spazio comune». Il problema è ora di capire se si tratta delle case dei minatori (e delle loro famiglie) o piuttosto (e forse preferibilmente) di quelle degli imprenditori o appaltatori che gestivano le attività minerarie in rapporto e in dipendenza delle famiglie aristocratiche della metropoli che su quelle attività esercitavano il loro controllo essendo esse alla base delle loro iniziative commerciali e quindi delle loro fortune.

Così s'entra in pieno nella problematica – di grande attualità e tuttora aperta e dibattuta – relativa alla vita e all'autonomia dei piccoli centri nei confronti della città e del «potere centrale» da esse rappresentato. Una problematica che, a sua volta, fa parte o si ricollega al grande discorso sulla nascita e l'affermazione delle città, anche in rapporto alle precedenti fasi dell'organizzazione preurbana. Per queste fasi, continua purtroppo a mancare la documentazione archeologica degli abitati d'età orientalizzante mentre emerge sempre più come struttura principale dell'organizzazione territoriale quella del «palazzo» (la cui documentazione s'è arricchita, oltreché dell'esempio già ricordato di Cerveteri, con una nuova scoperta, a Castelnuovo Berardenga, nel Senese). Anche se poi non si sa in quali rapporti le strutture palaziali fossero con gli abitati (all'interno dei quali è pure da ipotizzare un certo numero di case di *principes*, sorte in concomitanza con l'accelerazione del processo di differenziazione sociale negli agglomerati di villaggi villanoviani), dovettero essere quelle strutture a costituire il vero «centro» del potere, politico e religioso, economico e sociale. La formazione della città allora deve essere intesa come superamento di questa prima forma di «polarizzazione» organizzativa che, affermatasi nel corso del VII secolo a.c., declina, per scomparire abbastanza rapidamente, a partire dalla seconda metà del VI, quando le «nuove» forze collettive della vita politica, sociale, economica e religiosa prenderanno corpo nelle «nuove» strutture urbane.

Sempre a proposito degli insediamenti minori, un'altra primizia è stata quella dell'esplorazione di uno dei tipici centri fortificati d'altura dell'isola d'Elba, creati verosimilmente da Populonia, negli ultimi decenni del V secolo a.C., a difesa delle miniere di ferro e in vista dei principali approdi dell'isola. Gli scavi effettuati nella «fortezza» di Castiglione di San Martino, sopra la rada di Portoferraio, oltre allo zoccolo in pietre del muro di cinta, hanno rimesso in luce anche quelli di alcuni edifici all'interno dell'area fortificata che avevano poi gli elevati in mattoni crudi, come testimoniato dai sia pur scarsi avanzi.

L'alternarsi di fasi costruttive e di distruzione violenta e i reperti che scendono fin verso il II secolo a.C. attestano la vivacità e la continuità dei traffici e degli scambi commerciali dell'isola con tutto il bacino del Tirreno.

Passando ora a settori più circoscritti, tra le tante scoperte che a questi livelli si susseguono pressoché quotidianamente, apportando sempre contributi di rilievo, non foss'altro che per ribadire, confermare e ulteriormente confortare conoscenze già acquisite (come, tanto per citare uno degli ultimi esempi, nel caso delle strutture esterne di uno dei grandi tumuli sepolcrali di Cortona) o per aggiungere qualche altra «tessera» a un mosaico che senza posa (e forse senza fine), piano piano si ricompone (come a proposito del sacello d'età ellenistica, con terrecotte architettoniche del tipo di quelle del frontone di Talamone, rimesso in luce da una frana, a Chianciano Terme), non sono mancati i ritrovamenti cui è possibile riconoscere autentici requisiti di «novità».

Così, a Roselle, è stato rinvenuto il primo esempio di una casa etrusca con *impluvium*. Si tratta d'una abitazione, databile al VI secolo a.C., formata di due ambienti, abbastanza ampi, costruiti con muri a zoccolo di pietre ed elevato in mattoni crudi e coperti con tetto di tegole, dotata di quel tipico sistema «interno» di raccolta delle acque piovane provenienti dal tetto che fu elemento caratteristico dell'architettura domestica «italica» e che, in questo caso, è anche il più antico esempio in assoluto finora conosciuto.

Ancora per quel che riguarda la casa, di notevole interesse è stata la scoperta a Tuscania, nella necropoli di Pian delle Mole (dove c'era già stata una scoperta analoga), di una tomba «rupestre» della fine del VI secolo a.C. tagliata nella roccia a imitazione di una casa con tetto displuviato e dotata su uno dei lati lunghi di un portico a quattro colonne tra due ante, mentre i resti di statue a tuttotondo (leoni, sfingi ecc.) fanno pensare a una loro originaria collocazione, in fila, lungo il crinale del tetto.

Una singolare scoperta in museo (come se ne verificano, di tanto in tanto) è stata quella che ha permesso di recuperare un prezioso simulacro di divinità (e, insieme, il gruppo statuario del quale faceva parte, con una figura di offerente) databile tra il 600 e il 580 a.C. S'è trattato «soltanto» di sovrapporre – grazie a una brillante intuizione – due «pezzi» provenienti dalla Tomba d'Iside di Vulci e conservati al British Museum di Londra: il noto busto in lamina di bronzo di figura femminile e quella che veniva ritenuta una «colonnina» d'alabastro, da interpretare invece come la parte inferiore della piccola statua. Ad essa è stata poi accostata un'altra statua in gesso alabastrino (alla quale avrebbe anche appartenuto una pisside originariamente posta nella mano destra) a formare il gruppo assolutamente inedito e «nuovo».

Ancora a proposito di scoperte «particolari», merita di essere segnalata quella relativa a numerosi, pregevoli e rarissimi oggetti di legno, perfettamente conservati (grazie a speciali caratteristiche del terreno) pertinenti a corredi di tombe principesche d'età orientalizzante, di pieno VII secolo a.C., scavate nella necropoli di Verucchio, presso Rimini. Si tratta di vasi con coperchi, pissidi e cofanetti, utensili (un manico di ventaglio traforato, un fodero di coltello) e di elementi dell'arredo domestico quali tavolini, sgabelli e due «troni» a schienale ricurvo con poggiapiedi, decorati a intaglio e incisione con motivi geometrici e scene figurate.

Avrebbe potuto non essere una novità la scoperta di un'ennesima tomba dipinta a Tarquinia, anche se i numerosi ritrovamenti effettuati negli anni Cinquanta e Sessanta, grazie alle indagini compiute con strumenti elettromagnetici sembravano aver esaurito ogni ulteriore eventualità. Invece, la Tomba dei Demoni Azzurri, scoperta nel 1986 nella necropoli dei Monterozzi (a notevole profodità e ad unica grande camera di metri 6 per 6), se nello stile delle pitture rientra nella tradizione della pittura tarquiniese del tardo V secolo a.C. (sia pure con spunti innovatori riscontrabili negli arditi tentativi di scorcio, magari non del tutto riusciti), nel soggetto illustrato s'è rivelata del tutto eccezionale e di rilevante significato. Si tratta infatti del primo documento diretto, figurato, dell'introduzione in Etruria delle concezioni greche relative al mondo dell'oltretomba inteso come meta delle «anime» dei defunti e accessibile mediante un «viaggio agli Inferi». Mentre infatti una delle due grandi scene dipinte esibisce l'arrivo di un personaggio (che potrebbe essere il committente del sepolcro) su una biga, preceduto da musici e danzatori in un luogo all'aperto dove è apprestato un «banchetto», l'altra mostra la figura di una «matrona» (verosimilmente la defunta, moglie o congiunta del personaggio precedente) che, accompagnata da un ragazzo, è appena scesa dalla barca di Caronte e quindi arrivata all'Ade dove incontra probabilmente un'antenata alla presenza e con la partecipazione di vistosi demoni infernali.

Com'è stato giustamente osservato, questa attestazione di un cambiamento così radicale dell'ideologia funeraria, a Tarquinia si colloca in perfetto e puntuale parallelismo con l'evolversi del contesto sociale e politico in un quadro storico (quale è quello tra la fine del secolo v e gli inizi del iv a.C.) che vede la città in forte ripresa, capace d'imporre la sua egemonia sulla «Lega» e di contrapporsi a Roma come sua temibile antagonista.

Per concludere, nessuna novità «clamorosa» s'è avuta in questi ultimi anni nel campo della lingua (ed era del tutto improbabile che avvenisse, come, del resto, non è mai avvenuto). Non sono però mancate altre scoperte di documenti, cioè di iscrizioni (come quella, di venticinque parole, incisa su un peso di bilancia, in bronzo, votivo, ritrovata a Cerveteri, con una dedica a *Turms*, il Mercurio etrusco, a cura dei magistrati della città), e riletture e approfondimenti di quelli già noti mentre con particolare impegno ci si è rivolti allo studio del «fenomeno» della scrittura, soprattutto nel momento della sua iniziale diffusione e a partire dai modi dell'apprendimento dell'alfabeto greco.

Tra i nuovi documenti, vanno almeno menzionate, benché soltanto per il loro valore storico, oltre i testi dei già ricordati cippi di Rubiera, un'iscrizione di Bologna che permette di collocare alla fine del vii secolo a.C. le prime presenze di parlanti etrusco nel centro di *Felsina* (così come i testi di Rubiera attestano quella presenza, nel territorio tra Modena e Reggio, tra la fine del secolo vii e gli inizi del vi): un'iscrizione ritrovata a *Satricum* (la prima etrusca nel Lazio volsco), un'altra a Genova, menzionante una donna dal nome ligure (o celta) ma linguisticamente etruschizzata, e infine, un testo inciso su un cippo reggitripode ritrovato in Grecia nel santuario di Apollo a Delfi, databile agli inizi del v secolo a.C. e menzionante un dono votivo per una vittoria di non meglio specificati Etruschi sui Liparesi.

Quanto al riesame dei vecchi testi, nuova e particolare attenzione è stata portata alla Mummia di Zagabria, restaurata e fotografata ai raggi infrarossi. Ne sono risultati miglioramenti di lettura e vere e proprie correzioni e, soprattutto, la «restituzione» dell'aspetto materiale del «libro» (che doveva svolgersi su una lunghezza di m 3,40 per un'altezza di cm 35 e doveva venir chiuso «a fisarmonica», come mostrano alcune immagini su coperchi di sarcofagi pure recentemente interpretate come «libri lintei» ripiegati su se stessi piuttosto che come stoffe) e considerazioni riguardo l'«impaginazione» del testo. È stato inoltre possibile confermare che si tratta di un testo di tipo «calendariale», redatto nel III o II secolo a.C. ma ricopiato in età posteriore da uno scriba che certamente parlava ancora etrusco.

Ad analoghe conclusioni circa la trascrizione di testi più antichi – evidentemente tratti da archivi, di santuari o di famiglia, adattati a necessità e finalità contingenti, sono giunte, fra l'altro, le indagini approfondite condotte sugli altri due testi principali dell'etrusco: la Tegola di Capua (ormai esclusa dall'ambito funerario, come si riteneva, e riconosciuta quale «prontuario» di operazioni cultuali da compiere in determinati giorni e per differenti divinità) e il Cippo di Perugia.

Per quel che riguarda la scrittura, s'è giunti alla certezza della precocità della sua diffusione e a riconoscere modi e tempi di questa. In particolare, ci fu un momento iniziale (nel VII secolo a.C.) in cui essa venne adottata nella società dei «principi», quasi esclusivamente per segnalare sugli oggetti di pregio il possesso o il dono effettuato (donde il prestigio sociale conferito dalla proprietà di oggetti recanti iscrizioni o segni inscritti). Essa s'avviò poi a uscire dall'ambito privato per assumere caratteri pubblici, soprattutto nei santuari (dediche) e via via verso un uso sempre più generalizzato come strumento di comunicazione «ufficiale» (tabelle su monumenti, cippi di confine) e di nuovo privato (iscrizioni funebri).

Dal punto di vista più strettamente linguistico, da segnalare infine il nuovo approccio, secondo il metodo strutturalistico, allo studio della grammatica.

Prospetto cronologico

	IN ETRURIA	NEL RESTO D'ITALIA	
sec. X	fasi finali della civiltà del bronzo inizio delle differenziazioni «regionali»		
sec. IX	formazione delle «culture del ferro» regionali		
	inizio della cultura «villanoviana» e sua espansione in Emilia-Romagna e nel Salernitano – formazione delle comunità di villaggi		
sec. VIII		inizio della colonizzazione greca in Italia meridionale	
	primi scambi con il commercio marittimo mediterraneo – inizio della «talassocrazia» etrusca	stanziamento dei Greci a Ischia	775 ca.
		fondazione di Roma secondo la tradizione varroniana	753
		fondazione di Cuma	750 ca.
		inizio della colonizzazione greca in Sicilia	
		fondazione di Siracusa	730
	adozione dell'alfabeto greco e introduzione della scrittura in Etruria e nel Lazio		
	inizio della cultura «orientalizzante»		
		fondazione di Sibari, di Crotone e di Taranto	710 705 ca.
		colonie calcidesi a Reggio e in Sicilia	
		colonizzazione cartaginese in Sicilia occidentale e in Sardegna	

	IN ETRURIA	NEL RESTO D'ITALIA

sec. VII

fase protourbana dei centri
maggiori
prime iscrizioni ritrovate
a Tarquinia e a Cere

fondazione di Gela e di Lo-   700
cri Epizefiri   670

pieno sviluppo della civiltà «orientalizzante»

650 ca.

Demarato di Corinto si
stabilisce a Tarquinia
affermazione della civiltà
urbana
fioritura di Cere

culmine dell'espansione commerciale e territoriale degli
Etruschi
espansione etrusca nel Lazio

inizio della monarchia «e-   616
trusca» a Roma (Tarquinio
Prisco, fino al 578)

sec. VI

creazione del «fondaco» di
Gravisca

espansione etrusca in Emilia e in Campania
580 ca.   gli Etruschi sconfitti dai coloni greci nel mare di Lipari   580 ca.

fondazione di Agrigento
inizio del regno di Servio
Tullio a Roma (fino al 534)   578
i Greci di Focea fondano
Alalia in Corsica   565

540 ca.   coalizione etrusco-cartaginese contro i Focei: battaglia   540 ca.
del Mare Sardo
controllo etrusco della Corsica

inizio del regno di Tarqui-   534
nio il Superbo a Roma (fi-
no al 510)

fondazione di Marzabotto e di Spina
524   fallita spedizione degli Etruschi (con Umbri e Dauni)   524
contro Cuma
insediamenti etruschi oltre il Po (Mantova)

distruzione di Sibari ad   510
opera dei Crotoniati

fioritura di Capua etrusca

cacciata di Tarquinio il   509

IN ETRURIA	NEL RESTO D'ITALIA	
	Superbo e fine della monarchia «etrusca» a Roma	
Porsenna re di Chiusi a Roma		
	primo trattato tra Cartagine e Roma	508
504 ca.	gli Etruschi di Porsenna sconfitti ad Aricia da Aristodemo di Cuma e dai Latini gli Etruschi sconfitti dai Galli al Ticino - inizio delle invasioni celtiche in Italia fondazione dell'emporio etrusco di Genova	504 ca.
sec. v		
	Thefarie Velianas «re» su Cere	
	consoli di origine etrusca a Roma (fino al 486) vittoria dei Siracusani sui Cartaginesi a Himera in Sicilia	480
477	guerra tra Veio e Roma (strage dei Fabi al Cremera)	477
474	gli Etruschi sconfitti nelle acque di Cuma dai Siracusani fine della «talassocrazia» etrusca crisi economica dell'Etruria meridionale – sviluppo dell'Etruria interna e settentrionale e dell'Etruria padano-adriatica	474
454/53	incursioni della flotta siracusana nel Tirreno settentrionale	
	fondazione della colonia panellenica di Thurii ad opera di Atene «invasione» sannitica della Campania tentativo espansionistico di Atene in Italia	444
428	guerra tra Veio e Roma	428
426	Fidenae alleata di Veio conquistata dai Romani	426
423	i Sanniti s'impadroniscono di Capua etrusca fine del «dominio» etrusco in Campania	423
414/13	gli Etruschi (di Tarquinia?) partecipano all'assedio navale ateniese di Siracusa	414/13
	i Cartaginesi saccheggiano Selinunte e conquistano Agrigento	408/406
406	inizio (secondo la tradizione) dell'assedio di Veio da parte dei Romani	

	IN ETRURIA	NEL RESTO D'ITALIA	

sec. IV

396	Veio conquistata e distrutta dai Romani – il territorio veiente incorporato nello Stato romano Falisci e Capenati si sottomettono a Roma incursioni dei Galli nell'Italia centrale		396
		i Romani sconfitti dai Galli all'Allia – Roma occupata e saccheggiata	390 386 ca.
384	incursione della flotta siracusana nel Tirreno e saccheggio del santuario di Pyrgi		
		i Siracusani nell'Adriatico	
	ascesa di Tarquinia e sua egemonia sulla «lega» etrusca		
382 ca.	colo.nie romano-latine a Nepi e Sutri		382 ca.
		parificazione politica a Roma tra patrizi e plebei	366
358	Tarquinia (con Cere e Faleri) in guerra con Roma deposizione del re di Cere rivolta servile ad Arezzo domata dall'intervento di Tarquinia		358
353	pace separata tra Cere e Roma coloni ceriti e romani in Corsica		353
351	tregua quarantennale tra Roma e Tarquinia Marzabotto e Felsina occupate dai Galli spedizione dei Galli nell'Italia centrale		351
		secondo trattato tra Roma e Cartagine	348
		inizi del conflitto tra Roma e i Sanniti Capua e la Campania con Roma	343
		Roma vince Latini e Volsci scioglimento della Lega Latina	338
314	navi etrusche in Sicilia in aiuto di Agatocle di Siracusa contro i Cartaginesi		314
		costruzione della via Appia tra Roma e Capua	312
311	gli Etruschi in guerra contro Roma		311
310	i Romani penetrano nell'Etruria centrale e interna		

	IN ETRURIA	NEL RESTO D'ITALIA	
308		gli Etruschi costretti alla pace	308
		nuovo trattato romano-cartaginese (l'Italia a Roma, la Sicilia a Cartagine)	306
		i Romani invadono il Sannio	304
		fine della seconda guerra sannitica	
302	Roselle assediata e conquistata dai Romani intervento dei Romani ad Arezzo in appoggio alla famiglia dei Cilni rivolte servili a Volsini e a Roselle progressivo declino di Spina		

sec. III

	IN ETRURIA	NEL RESTO D'ITALIA	
296		Gli Etruschi nella coalizione «italica» contro Roma	296
		vittoria dei Romani a Sentino contro Sanniti e Galli	295
	vittorie romane contro gli Etruschi		
		penetrazione romana nel Piceno	
284	rivolta servile ad Arezzo		
283	gli Etruschi definitivamente sconfitti dai Romani al lago Vadimone, presso Orte		283
		guerra tra Roma e Taranto Pirro in Italia	281
280	Volsini e Vulci s'arrendono ai Romani Le città etrusche costrette ad entrare nell'alleanza con Roma: l'Etruria «federata» prefettura romana a Statonia		
		Pirro sconfitto dai Romani a Benevento	275
273	colonie di Roma a Cosa e a Pyrgi prefettura a Cere		
		Taranto si sottomette a Roma	272
265	rivolta servile a Volsini		

	IN ETRURIA	NEL RESTO D'ITALIA	
264	Volsini conquistata e distrutta dai Romani saccheggio del santuario «federale» di Voltumna colonie romane a Castrum Novum, Alsium e Fregenae fondazione della nuova Volsini sul lago di Bolsena	Guerra tra Roma e Cartagine	264
241	Faleri conquistata e distrutta dai Romani – trasferimento della città in altra sede	Fine della prima guerra punica La Sicilia provincia romana – i Romani in Sardegna e Corsica	241
	fondazione dell'emporio romano-etrusco di Luni costruzione della via Aurelia l'Etruria investita da un'incursione di Galli		
225	i Romani annientano i Galli a Talamone		
	costruzione della via Clodia spedizioni romane dalle basi etrusche contro i Galli		
		i Romani occupano Mediolanum	222
	costruzione della via Flaminia		
		Annibale in Italia: seconda guerra punica	218
217	Annibale in Etruria sconfigge i Romani al Trasimeno		217
		disfatta dei Romani a Canne	216
		i Romani conquistano Siracusa	212
209	presidi militari romani in Etruria		
205	le città etrusche contribuiscono alla spedizione di Scipione contro Cartagine		205
		fine della seconda guerra punica	201

sec. II

196	rivolta di schiavi in Etruria	
189	fondazione della colonia romana di Bononia	189
186	repressione del culto dionisiaco nell'Italia centrale	186
183-180	colonie romane a Saturnia, Gravisca e Pisa	

IN ETRURIA	NEL RESTO D'ITALIA

177   colonie romane a Luni e a
       Lucca
                 costruzione della via Cassia
       progressiva emancipazione
       di elementi servili nell'E-
       truria settentrionale

135   viaggio di Tiberio Gracco
       in Etruria

                          fallimento dei tentativi di   133
                          riforme sociali dei Gracchi   121

130   l'etrusco Marco Perperna eletto console a Roma   130

                          primo consolato di Mario   107

---

sec. I

91   «marcia su Roma» degli Etruschi contro le proposte di 91
             legge del tribuno della plebe M. Livio Duso
                          secessione degli alleati ita-
                          lici – guerra «degli alleati»

90   interventi militari romani a   90
       Fiesole, Arezzo, Chiusi e
       Volsini

90/89   Gli Etruschi (e gli Italici a sud del Po) ricevono la cit- 90/89
       tadinanza romana – le città etrusche diventano «munici-
                          pi» dell'Italia romana

87   le città etrusche parteggia-   l'Italia «padana» organiz-   87
       no per Mario   zata in provincia (Gallia Ci-
       repressioni di Silla contro   salpina)
       Fiesole, Arezzo e Volterra   concessione del «diritto la-
       – deduzione di colonie di   tino» alle comunità della
       veterani sillani   Cisalpina

78   effimeri tentativi di rivolta
       «popolare» a Fiesole e in
       altre città etrusche

63   Catilina si rifugia in Etruria   63
       e arruola truppe ad Arezzo
       e a Fiesole

49/48   gli Etruschi neutrali nella   49/48
                                       guerra tra Cesare e Pom-
                                       peo
                                       concessione della cittadi-
                                       nanza romana ai Transpa-
                                       dani

                                       uccisione di Cesare   44

40   Perugia, occupata dai se-
       guaci di Antonio, conqui-

IN ETRURIA	NEL RESTO D'ITALIA
stata e saccheggiata dall'esercito di Ottaviano le città etrusche si schierano con Ottaviano	
	Ottaviano sconfigge ad Azio Antonio e Cleopatra 31
	Ottaviano diventa Augusto 27 l'etrusco Mecenate tra i consiglieri di Augusto
7 l'Italia unificata da Roma viene suddivisa in undici regioni: l'Etruria diventa la Regione VII dell'Italia romana 7	

Dizionario

Avvertenza: nella scelta dei termini è stato seguito un criterio che, al di là di quello che si potrebbe specificamente definire un «vocabolario etrusco» (cioè strettamente ed esclusivamente attinente alla terminologia del mondo degli Etruschi), tiene conto delle varie possibilità che a un lettore si presentano d'incontrarsi con parole non sempre immediatamente e facilmente accessibili. Anche nella lettura di altri testi (soprattutto di argomento più particolare e settoriale) o di tabelle esplicative, di didascalie ecc. di zone archeologiche e di scavo, di musei e mostre.

Sono stati pertanto compresi nel dizionario vocaboli greci e latini (o, più propriamente, riferibili al mondo greco e romano) e termini convenzionali, propri del più ampio campo dell'archeologia «classica» e delle antichità «mediterranee», che tuttavia vengono normalmente e largamente usati anche nella letteratura, scientifica e divulgativa, che riguarda il mondo etrusco. E inoltre molti altri, soprattutto concernenti l'architettura, le arti e le tecniche di lavorazione, che pur essendo spesso di uso comune, valeva la pena di chiarire nel loro esatto significato o nell'accezione più pertinente.

ABACO   elemento architettonico in forma di tavoletta quadrata posto sopra il capitello e sul quale poggia l'architrave.

ACÀNTO   pianta con caratteristiche e grandi foglie accartocciate riprodotta come elemento ornamentale tipico del capitello corinzio (e di quello composito).

ACHELOO   divinità fluviale raffigurata con il volto di un vecchio barbato e munito di corna taurine.

ACROPOLI   parte alta della città, fortificata e sede di templi e santuari di particolare importanza e significato (v. Arce).

ACROTERIO   elemento decorativo del tetto di un edificio posto a coronamento del vertice e degli angoli del frontone e anche lungo la linea di colmo degli spioventi.

AFFRESCO   pittura murale eseguita su un sottilissimo strato d'intonaco ancora fresco in modo che i colori penetrandovi ne diventino parte integrante.

AGÈMINA   lavoro ornamentale di incastro di fili o laminette d'oro e d'argento battute a freddo entro sottili solchi incavati nel ferro o nel bronzo.

AGGERE   cumulo di terra, pietre, tronchi elevato per difendere (o per assediare) una posizione, un recinto, una muraglia.

AGGETTO   elemento architettonico sporgente dal muro di un edificio.

AGORÀ   piazza principale e centrale della città greca, luogo di convegno di mercato e di riunioni politiche (v. Foro).

AITA (EITA)   trascrizione etrusca del nome del dio greco Ades.

ALÀBASTRON   piccolo vaso allungato per contenere unguenti e oli profumati.

ALÀRE   arnese da caminetto generalmente di ferro usato in coppia per tenere sollevate le legna sul fuoco.

ALTORILIEVO   scultura molto aggettante dal tondo su cui si appoggia e tendente al tutto tondo con notevoli effetti plastici e chiaroscurali.

AMÀZZONE   donna guerriera della mitologia greca.

AMAZZONOMACHIA   combattimento tra Amazzoni e Greci (o altri guerrieri).

ANFORA   grande vaso di forma allungata e panciuta e collo stretto con due anse, o manici, alla sommità.

ANFORISCO   piccolo vaso piriforme a collo alto con due anse verticali e corpo desinente a punta.

ANTA   elemento architettonico posto alla terminazione di un muro a guisa di pilastro.

ANTEFISSA   elemento decorativo, plastico e dipinto, del tetto posto alla terminazione dei filari delle regole curve.

ANTEPAGMENTUM   lastra ornamentale di terracotta con motivi plastici e dipinti posta lungo la facciavista delle travi esterne o alla testata delle grandi travi longitudinali del tetto.

ANTÌCA (pars)   la metà anteriore del tempio (rispetto all'asse trasversale dell'edificio) generalmente occupata dal pronao.

ANTIS (tempio in)   edificio templare con i muri laterali della cella prolungati ad anta in facciata tra i quali si collocano generalmente due colonne.

APOTROPAICO   capace di tenere lontano o di annullare il male o un'influenza magica maligna.

APPENNINICA (civiltà)   cultura (e fase) dell'età del bronzo (secoli XIV-XI a.C.) dell'Italia peninsulare.

APULU O APLU   trascrizione etrusca del greco Apollon (Apollo).

ARA   altare di pietra o marmo destinato ad accogliere il fuoco sacro e le offerte nei sacrifici alla divinità.

ARCAICO   appartenente alla fase primitiva di un processo culturale o artistico. Periodo della civiltà greca compreso tra la metà del secolo VII e la fine del VI a.C. e della civiltà etrusco-italica corrispondente ai secoli VI e V a.C.

ARCAISTICO   indirizzo artistico improntato alla ripetizione di formule e canoni stilistici propri del periodo arcaico.

ARCE   roccaforte corrispondente alla parte più elevata della città (v. Acropoli).

ARCHETIPO   originale, modello (letteralmente: immagine iniziale) di un'opera d'arte.

ARCHITRAVE   elemento architettonico orizzontale di collegamento tra pilastri, colonne e stipiti con funzioni di scarico del peso delle strutture sovrastanti analoghe a quelle dell'arco.

ARCHIVOLTO   motivo decorativo che gira sulla curva dell'arco e ne evidenzia il valore architettonico.

ARCO   struttura architettonica curva di forma varia collegante due sostegni (muri, colonne, pilastri) con funzioni di scarico delle strutture sovrastanti.

ARDIGLIONE   puntale della fibula.

ARMILLA   bracciale usato come ornamento. Struttura architettonica di un arco formato da cunei (o conci) radiali.

ARTUMES   trascrizione etrusca del greco Artemis (Artemide).

ARULA   piccolo modello di altare, per lo più in terracotta, di destinazione votiva.

ARUSPICE   sacerdote addetto al riconoscimento e all'interpretazione dei segni divini attraverso l'arte dell'aruspicina.

ARUSPICINA   dottrina (e pratica) dell'arte di riconoscere e interpretare i segni divini attraverso l'esame delle viscere (e in particolare il fegato) degli animali sacrificati.

ARYBALLOS   piccolo vaso panciuto usato per contenere unguenti e oli profumati.

ASKÒS·   vaso foggiato, anche soltanto parzialmente in forma di animale o a testa umana o in altre forme singolari e adatto a versare liquidi.

ASTRÀGALO   piccolo osso del tarso di capre o montoni in forma cuboide, usato come dado per il gioco e riprodotto anche in argilla. Modanatura architettonica a sezione curvilinea formata da piccoli elementi sferici intercalati da dischi.

ATESTINA (civiltà)   cultura protostorica caratteristica dell'area veneta.

ATRIO   grande ambiente della casa etrusco-italica (spesso aperto al centro del soffitto) attorno al quale si disponevano ambienti di soggiorno e di riposo.

ATTICO   muro posto alla sommità di un edificio sopra la cornice per nascondere il tetto o anche, quando questo manchi, come semplice coronamento in funzione ornamentale. Vaso di fabbrica ateniese di epoche diverse, generalmente con decorazione dipinta.

ATTINGITOIO   utensile a forma concava e con lungo manico usato per attingere un liquido da un recipiente profondo (v. Simpulo).

AUGURALE   relativo all'arte della divinazione conseguita attraverso l'osservazione del volo degli uccelli.

AUGURATORIO   luogo dal quale gli Auguri osservavano il volo degli uccelli per trarne gli auspici.

AUGURE   sacerdote addetto all'interpretazione, a fini divinatori, del volo degli uccelli.

AULETA   suonatore di doppio flauto (o *aulòs*).

AULÒS   strumento musicale a fiato formato di due canne di diversa lunghezza munite di fori e riunite in un unico bocchino provvisto di una linguetta (=doppio flauto).

AUSPICIO   presagio del volere divino conseguito con le arti della divinazione.

AVERNO   mondo dell'oltretomba destinato ad accogliere le «anime» dei defunti.

BACCELLATURA   motivo decorativo formato di elementi verticali convessi (baccelli) più o meno allungati sulla superficie di una lastra o su una modanatura architettonica.

BÀLTEO   cintura posta obliquamente sul petto di una persona, alla quale spesso è appesa la spada.

BASAMENTO   parte inferiore di un edificio monumentale con funzione portante.

BASE   parte inferiore di appoggio a una struttura architettonica (colonna, pilastro) o a una statua o altro oggetto.

BASSORILIEVO   scultura a rilievo poco aggettante dal fondo con effetti piuttosto pittorici che plastici.

BECCO DI CIVETTA   modanatura che si presenta in profilo formata da due curve, una convessa e una concava, intersecantisi a spigolo vivo.

BICONICO   vaso d'impasto, liscio o decorato con motivi geometrici incisi, formato da due mezzi «coni» contrapposti per la parte più larga (tipico come cinerario della cultura «villanoviana»).

BIGA   carro leggero a due ruote, da guerra, da parata o da corsa, tirato da una coppia di cavalli.

BIPENNE   ascia a doppia lama spesso considerata attributo e simbolo di divinità, capi, magistrati.

BOMBYLION   piccolo vaso panciuto con grande labbro a disco usato per contenere profumi e unguenti.

BUCCHERO   ceramica fatta al tornio, di colore uniformemente nero all'interno e all'esterno e lucidata in superficie prodotta in Etruria tra la metà circa del secolo VII e gli inizi del V a.C.

BUCRANIO   motivo ornamentale a forma di teschio di bue talvolta adorno di nastri, foglie, fiori e spesso alternato a festoni.

BULINO   utensile per incidere a mano metalli dolci (rame, argento ecc.).

BULLA   custodia o astuccio di sottile lamina di bronzo o d'oro, di forma rotonda o lenticolare, portato appeso al collo e spesso contenente amuleti.

BUSTROFÈDICO   andamento della scrittura in cui si succedono linee che vanno alternativamente da sinistra a destra e da destra a sinistra.

CADITOIA   apertura o chiusino per l'accesso dall'alto in tombe ipogee (dette «tombe a caditoia»).

CÀLAMO   bastoncino di canna o di metallo appuntito a una estremità con un taglio obliquo usato come penna da scrivere.

CÀLCEO   calzatura a stivaletto e punta eventualmente ricurva.

CALCO   impronta di scultura, rilievo o iscrizione ottenuta meccanicamente con materiali diversi (cera, argilla, gesso, plastico) applicati sull'originale.

CAMMEO   pietra dura con figurazione intagliata a rilievo (o, meno spesso, a tutto tondo).

CANE CORRENTE   motivo ornamentale formato da una serie di elementi a forma di riccio o di esse inclinata (detto anche «corridietro»).

CÀNONE   insieme di rapporti tra i diversi elementi di una scultura o di una architettura indispensabili per ottenere l'armonia delle forme.

CANÒPO   vaso cinerario panciuto con coperchio in forma di testa umana e manici talvolta in forma di braccia (caratteristico della civiltà arcaica chiusina).

CAPITELLO   elemento terminale della colonna (pilastro o lesena) variamente foggiato e decorato, sul quale poggia l'architrave (o l'arco).

CAPPUCCINA   tomba formata da tegole disposte in coppie contrapposte e inclinate a forma di capanna.

CAPRIATA   struttura portante del tetto formata da una successione di travi posti a triangolo molto aperto.

CARIATIDE   statua femminile usata in luogo di colonne o pilastri per sostegno di membrature architettoniche.

CARONTE   demone del mondo infernale greco adottato anche dagli Etruschi col nome di *Charun*.

CARTIGLIO   motivo decorativo dipinto, scolpito o inciso come un rotolo di carta stilizzato e contenente un'iscrizione.

CARTONE   disegno preparatorio o modello grafico di un'opera pittorica o musiva.

CASSETTONE   scomparto incavato, quadrato o poligonale, variamente decorato ricavato in serie come motivo decorativo nelle volte e nei soffitti.

CASTELLIERE   villaggio pre/protostorico fortificato con una o più cerchie di mura di pietre a secco.

CASTRUM   accampamento (e anche colonia militare) dei Romani.

CAVETTO   modanatura architettonica aggettante con profilo concavo.

CELLA   ambiente del tempio destinato ad accogliere l'immagine di culto della divinità. Camera funeraria della tomba.

CENTAURO   mostro della mitologia greca dapprima con corpo umano e parte posteriore di cavallo, poi con corpo di cavallo e busto di uomo.

CENTAUROMACHIA   mitica lotta tra i Centauri e i Lapiti della Tessaglia.

CENTURIAZIONE   suddivisione dei terreni dell'agro pubblico romano in quadrati di cento parcelle di due iugeri ciascuna.

CERAMOGRAFO   artigiano decoratore di vasi.

CERBERO   cane mostruoso a tre teste della mitologia greca immaginato come guardiano dell'Averno.

CESELLATURA   tecnica di lavorazione di oggetti e opere d'arte in metallo con l'uso di uno speciale strumento (cesello) per incidere e rilevare.

CETRA   strumento musicale a corde con cassa armonica di varia forma e due bracci uniti in alto da un'asticella.

CHARUN v. Caronte

CHELÈBE v. Kelebe

CHIAVE (d'arco o di volta)   concio posto al sommo dell'arco o della volta che ne risultano chiusi per contrasto.

CHITÒNE   tunica greca di origine orientale, senza maniche, talvolta aperta sul fianco (ch. dorico).

CIMÀSA   cornice o modanatura architettonica aggettante di un edificio.

CINERARIO   vaso o urna per raccogliere le ceneri del defunto.

CIPPO   tronco di colonna o di pilastro (o più semplicemente blocco di pietra squadrato) usato come segno funerario, onorario, confinario o stradale spesso munito di elementi decorativi e iscrizioni.

CISTA   recipiente metallico cilindrico o in forma di cofanetto decorato con elementi a sbalzo, applicati o graffiti.

CITAREDO   suonatore di cetra.

CLÀMIDE   mantello greco corto e leggero usato soprattutto dai militari e dai viaggiatori.

CLASSICISMO   indirizzo artistico improntato al riecheggiamento di formule e canoni propri del periodo classico.

CLASSICO   generalmente, appartenente alla civiltà e al mondo greco-romano. Periodo della civiltà greca corrispondente ai secoli v e iv a.C.

CLIPEO   scudo metallico a disco usato anche come ex voto da appendere nei santuari e divenuto motivo ornamentale.

CODOLO   parte di arma o strumento da innestare nel manico o nell'impugnatura.

COLLARINO   membratura anulare al termine di colonne o pilastri che fa da passaggio tra il fusto e il capitello.

COLOMBARIO   sepolcro di tipo collettivo con serie di nicchie alle pareti per l'alloggiamento delle urne contenenti le ceneri dei defunti.

COLONNA   elemento architettonico di sostegno caratterizzato dalla forma cilindrica e costituito di una parte inferiore (base), di una mediana (fusto) e di una superiore (capitello).

CÒLUMEN   trave orizzontale sul culmine del tetto alla congiunzione dei due spioventi (anche: colmareccio, colmo).

COMPLUVIO   apertura nel tetto dell'atrio della casa italico-romana dalla quale, con la luce, entrava l'acqua piovana per andare a raccogliersi, in basso, nell'impluvio.

COMPOSITO   ordine architettonico (e soprattutto capitello) risultante dalla fusione degli elementi tipici degli ordini ionico e corinzio.

CONCIO   blocco di pietra squadrato e lavorato, impiegato per la costruzione di muri e archi.

CONTRAFFORTE   sperone sporgente dal vivo di un muro per sostenerlo contro la spinta di una volta, cupola o altro elemento architettonico.

COPPO   tegola semicilindrica posta a cavallo di due tegole piane per coprirne e proteggerne le giunture.

CORINZIO   ordine architettonico caratterizzato dal capitello con foglie d'acanto e piccole volute angolari.

CORNICE   elemento terminale aggettante di un'opera architettonica composto di modanature parallele e variamente sagomate.

CORNICIONE cornice monumentale di coronamento di grandi edifici.

COROPLÀSTA modellatore di statue, lastre o altri elementi decorativi in creta.

COROPLÀSTICA arte e tecnica della lavorazione della creta (e, anche, l'insieme dei prodotti di terracotta).

CÒTTABO v. Kòttabos

CRATERE grande recipiente sferico per mescolare il vino con l'acqua (a seconda della forma e soprattutto del tipo e della posizione delle anse se ne distinguono quattro tipi principali: a colonnette, a campana, a calice, a volute).

CROCIERA copertura a volta di grandi ambienti risultante dall'incrocio di due volte a botte.

CRÒTALO strumento musicale a percussione formato di due valve (di legno, avorio, argilla, metallo) unite da una cinghia e battute l'una contro l'altra.

CTONIO appartenente al mondo sotterraneo (specialmente nel caso di divinità).

CUNICOLO passaggio sotterraneo scavato nella roccia.

CUPOLA struttura architettonica di forma semisferica o a sezione conica generalmente impostata su un «tamburo» per la copertura di ambienti a pianta circolare o anche quadrata (mediante elementi di raccordo o «pennacchi»).

DECUMANO strada con andamento est-ovest nell'accampamento militare e nella città romana.

DENTELLO elemento di decorazione architettonica a forma di cubo disposto orizzontalmente in fila con altri per lo più nella sottocornice della trabeazione.

DINOS grande vaso globulare con larga bocca, ampio corpo, base arrotondata e privo di anse.

DIPHROS sgabello pieghevole.

DISCIPLINA (etrusca) complesso delle dottrine e delle norme che presiedevano e regolavano il mondo della religiosità etrusca.

DITTICO coppia di tavolette di legno (o d'avorio) unite insieme con cerniere e spalmate di cera sulle facce interne per scriververi con lo stilo.

DOLIO grande vaso da magazzino per liquidi e derrate alimentari con corpo globulare, ampia imboccatura e larga base (v. *Pithos*).

DOLMEN monumento sepolcrale preistorico costituito da pietre infitte verticalmente nel terreno e sormontate da altre orizzontali.

DORICO ordine architettonico caratterizzato dal capitello con echino e abaco e dalla colonna senza base, scanalata e leggermente rastremata verso l'alto.

DROMOS corridoio più o meno lungo generalmente scavato nella roccia per accedere alle tombe ipogee.

ECHINO elemento architettonico di forma circolare e profilo curvilineo posto tra l'abaco e la colonna.

ECISTA fondatore di una città.

EDÌCOLA piccolo edificio sacro generalmente dall'aspetto di un tempio.

ÈGIDA scudo di Giove e di Minerva ricoperto di pelle e con al centro la testa di Gorgone.

ELÈTTRO lega di oro e argento.

ELLENISTICO periodo della civiltà e dell'arte greca (e, di riflesso, anche italica) compreso tra i secoli III e I a.C.

ÈMBRICE tegola per la copertura del tetto.

EMPÒRIO insediamento marittimo a fini commerciali.

ENEOLÌTICO periodo della preistoria, di transizione tra l'età della pietra e l'età dei metalli, durante il quale continua l'uso di fabbricare oggetti con la pietra ma si comincia a fabbricarne anche con il bronzo.

EOLICO   capitello formato da due lunghe volute laterali generalmente partenti da un «cuscinetto» di foglie lanceolate.

EPATOSCOPIA   osservazione del fegato degli animali sacrificati (specialmente pecore) a fini divinatori (= aruspicina).

EPÌGRAFE   iscrizione incisa o scolpita su pietra, metallo o altro materiale duro.

EPIGRAFIA   scienza che studia le epigrafi.

EPÌSEMA   motivo decorativo della parte esterna dello scudo.

EPISTÌLIO   parte della trabeazione o architrave di un edificio poggiata direttamente sulle colonne.

EPONIMO   personaggio che dà il proprio nome a un popolo, una città, una famiglia e magistrato con il cui nome si designava l'anno della sua carica.

ESÈRGO   spazio inferiore nelle monete e nelle medaglie occupato da una scritta o «legenda». Per analogia, spazio inferiore negli specchi di bronzo per lo più occupato da motivi decorativi.

ESTISPÌCIO   esame degli intestini degli animali sacrificati per conoscere il volere degli dèi (= aruspicina).

ESTRADOSSO   superficie esterna dell'arco e della volta.

ETÀ DEL BRONZO   periodo della preistoria finale caratterizzato dalla produzione di strumenti e utensili di bronzo (lega di rame e stagno).

ETÀ DEL FERRO   periodo della protostoria che succede all'età del bronzo caratterizzato dall'uso corrente del ferro.

ETÈRA   cortigiana, anche di alto rango, nella società greca.

ETRUSCO-CORINZIA   ceramica di produzione etrusca imitante la ceramica fabbricata a Corinto e largamente esportata nel mondo mediterraneo.

FÀLERA   disco di metallo lavorato per ornare le bardature dei cavalli e medaglione di metallo lavorato attribuito come ricompensa ai soldati e ai corpi militari.

FALSA CUPOLA   copertura di un edificio a pianta centrale formata da filari anulari di pietre progressivamente aggettanti verso l'interno e coronati da un'unica pietra o lastra di chiusura.

FALSA VOLTA   copertura di un edificio a pianta rettangolare formata da filari di pietre progressivamente aggettanti verso l'interno e coronati da un filare terminale mediano di chiusura.

FARÈTRA   custodia per le frecce, di legno o metallo, portata appesa alla spalla.

FASCIO   attributo di re e magistrati, simbolo del potere supremo, costituito da un gruppo di verghe di legno e da una scure tenute insieme da corregge.

FASTIGIO   elemento decorativo alla sommità di un edificio o di una parte terminale di esso.

FAVISSA   fossa (o anche ambiente sotterraneo) presso i templi e nei santuari usata come deposito per gli oggetti votivi.

FESTONE   serto di rami, fiori e frutta legato da nastri per ornare gli altari durante le cerimonie (usato anche largamente come motivo decorativo in pittura e scultura).

FIBULA   spilla «di sicurezza» di bronzo o d'argento, oro e ferro, di varia foggia, formata dalla spilla propriamente detta (o ardiglione), dall'arco e dalla staffa.

FILIGRANA   tecnica dell'arte orafa consistente nell'intreccio a giorno, o anche applicato su lamina, di fili d'oro o d'argento.

FITOMÒRFO   motivo in forma di elemento vegetale.

FÌTTILE   fatto di argilla plasmata e cotta al forno (= di terracotta).

FLABELLO   elemento d'apparato in forma di ventaglio (di foglie, penne, lamina metallica) montato su una lunga asta.

FOCULO   focolare mobile di argilla o metallo.

FÒRNICE   lo spazio aperto di un arco o di una porta monumentale.

FREGIO   fascia orizzontale della trabeazione posta tra l'architrave e la cornice (decorata con triglifi e metope nell'ordine dorico, con figure nello ionico, per lo più liscia nel corinzio).

FRONTONE   coronamento architettonico di un edificio coperto con tetto a doppio spiovente e a forma di triangolo.

FUSAIOLA O FUSAROLA   elemento tronco-conico o globulare di terracotta inserito nel fuso da filare per appesantirlo (usato anche come capocchia di spillone). Modanatura architettonica a sezione semicircolare intagliata con fusi, dischi, perle ecc.

FUSIONE   procedimento metallurgico consistente nel colare (o «gettare») il metallo liquido in una forma o stampo.

GEOMETRICA (arte)   l'arte greca del periodo compreso tra i secoli x e viii a.C.

GEROGLÌFICI   segni della scrittura pittografica degli Egizi.

GHEISON   cornice aggettante soprattutto nel frontone degli edifici classici.

GINECÈO   quartiere appartato della casa greca riservato alle donne.

GIRÀLE   elemento decorativo a motivi vegetali in forma di volute.

GLÌTTICA   tecnica dell'incisione su pietre dure.

GOLA   modanatura architettonica con profilo a forma di esse e la parte concava sopra quella convessa (g. diritta) o viceversa (g. rovescia).

GÒRGONE   mostro mitologico femminile con serpenti sulla testa e aspetto terrificante.

GORGONÈION   elemento o motivo decorativo e apotropaico con il volto della Gorgone.

GRAFFITO   incisione sottile (disegno, iscrizione) su una superficie dura generalmente metallica.

GRANULAZIONE   tecnica dell'arte orafa consistente nell'applicazione di file di minutissimi granelli d'oro su figurine o lamine pure d'oro.

GRIFO O GRIFONE   animale fantastico per lo più con testa e ali di uccello rapace e corpo di felino.

GROMA   strumento per la misurazione e la ripartizione del terreno.

GUSCIO   modanatura architettonica con profilo corrispondente a un quarto di cerchio.

GUTTUS   piccolo vaso di varia forma, ma generalmente circolare, con grande manico e collo stretto usato per versare liquidi e profumi goccia a goccia.

HATHÓRICO   tipo di capitello (o motivo decorativo) ornato con la rappresentazione della testa della dea egizia Hathor.

HERCLE   trascrizione etrusca del greco Herakles (Ercole).

HERÒON   tempietto o sacello, anche funerario consacrato a un eroe.

HIMÀTION   mantello greco, solitamente di lana, indossato sopra il chitone e drappeggiato attorno alla persona.

HÓLKION   grande vaso di forma simile al cratere.

HÒLMOS   grande sostegno per vasi in forma di catino e senza piede. Anche mortaio e vaso potorio in forma di corno.

HYDRÌA   grande vaso per acqua con corpo svasato, collo più o meno alto e stretto, piede ampio e basso e tre anse, due orizzontali sul corpo e una verticale sul collo.

IMMORSATURA   sistema di collegamento tra le diverse parti di un'opera muraria.

IMPASTO ceramica modellata a mano (senza uso del tornio) e cotta a fuoco libero.

IMPLUVIO bacino, basso e quadrangolare, inserito nel pavimento della casa ad atrio, destinato a raccogliere l'acqua proveniente dall'apertura del tetto (o compluvio) e a convogliarla in una cisterna sottostante.

IMPOSTA (piano di) piano orizzontale da cui prende inizio la curvatura di un arco o di una volta.

INCINERAZIONE rito e pratica funeraria consistente nella bruciatura completa del cadavere e nella successiva raccolta delle ceneri in un'apposita urna.

INFUNDÌBOLO utensile, per lo più di metallo, a forma di coppa emisferica munita di tanti forellini e con lungo manico, usato come passino.

INGUBBIATURA velo di argilla liquida e molto depurata steso sulla superficie dei vasi prima della cottura per levigarne le irregolarità.

INSULA costruzione (o complesso di costruzioni) isolata sui quattro lati.

INTERCOLÙMNIO spazio compreso tra due colonne, generalmente scandito da misure canoniche calcolate sulla base del diametro inferiore delle colonne stesse.

INTRADOSSO superficie interna dell'arco e della volta.

INUMAZIONE pratica funeraria consistente nel seppellimento del cadavere in una tomba a fossa scavata nel terreno.

IONICO ordine architettonico caratterizzato dal capitello con collarino, fascia di ovuli e cuscino a grandi volute laterali, dalla colonna con base formata da cuscinetti o tori e gole o scanalature orizzontali e da una ricca trabeazione formata da epistilio, dentelli e «gheison».

IPETRÀLE edificio scoperto nella parte centrale.

IPOGEO generalmente: sotterraneo. Ambiente scavato sottoterra per lo più destinato a uso tombale.

IPPOCAMPO animale fantastico in forma di cavallo con la parte posteriore terminante in una lunga coda di pesce.

ISÓDOMO muro costruito con filari regolari di conci tutti uguali tra loro e con le giunture alternate tra filare e filare.

ITALICA (arte) complesso delle manifestazioni artistiche indigene della penisola italiana (e, con accezione più ristretta, della parte centro meridionale «umbro-sabellica») compresa tra l'inizio dell'età del ferro (IX-VIII secolo a.C.) e il I secolo a.C.

ITALIÒTA greco della Magna Grecia.

KÀLATHOS cesto di vimini trasferito in architettura come copricapo delle cariatidi e usato in funzione di capitello.

KÀLPIS grande vaso per acqua molto simile all'hydria.

KALYPTÉR tegola semicilindrica usata come coprigiunto delle tegole piane (v. Coppo).

KÀNTHAROS vaso per bere in forma di coppa con alto piede e due grandi anse verticali esorbitanti dall'orlo.

KELÈBE grande vaso con corpo espanso, ampia imboccatura e anse verticali a colonnette (detto perciò anche «cratere a colonnette»).

KÈRNOS vaso di forma varia e complessa generalmente risultante dalla giustapposizione di tanti piccoli vasetti riuniti in cerchio.

KLINE piccolo letto per mangiare sdraiati, spesso riccamente lavorato e ornato.

KOMOS corteo (specialmente in onore di Dioniso), solitamente sfrenato e scomposto, di bevitori di vino.

KORE statua di giovinetta, vestita e stante, caratteristica dell'arte greca arcaica (corrispondente al maschile «kouros»).

KÒTTABOS gioco (e attrezzo per esso) consistente nello sputare a distanza un sorso di vino su un piattello metallico mobile e sostenuto da un'asta in modo da farlo ricadere su sottostanti dischi pure metallici e mobili.

KOTYLE   tazza larga e profonda con basso piede e due piccole anse orizzontali all'altezza dell'orlo, simile allo «skyphos».

KOUROS   statua di giovane uomo, nudo e stante, caratteristica dell'arte greca arcaica.

KYATHOS   vaso a forma di coppa con alta ansa verticale, per attingere liquidi e in particolare il vino dai crateri e per versarlo nei vasi da bere.

KYLIX   vaso da bere in forma di coppa bassa e ampia su alto piede cilindrico e con due anse orizzontali sotto l'orlo.

KYMA O KYMÀTION   modanatura architettonica formata da una serie di ovuli (k. ionico) o di foglie cuoriformi (k. lesbio) alternati a punte o punte di freccia.

LAPICÌDA   artigiano addetto all'incisione di iscrizioni su pietra o marmo.

LASA   divinità minore femminile del mondo afrodisiaco e funerario etrusco, rappresentata alata, generalmente nuda o seminuda, spesso con singoli nomi di specificazione.

LEBÈTE   calderone generalmente di bronzo, con base arrotondata e senza piede (e perciò poggiato su un supporto).

LEKÀNE   vaso in forma di «zuppiera» con due anse orizzontali e grande coperchio con presa centrale a pomo.

LÉKYTHOS   vaso per versare, di forma allungata, piede a disco o ad anello, alto collo con bocca a campana e un'ansa verticale.

LESÈNA   membratura o risalto di un muro in forma di pilastro leggermente sporgente con funzione decorativa.

LISTELLO   modanatura sottile, piana e aggettante, usata come rifinitura di elementi architettonici (colonne, triglifi ecc.).

LITUO   bastone con l'estremità superiore ricurva attributo di capi e sacerdoti. Tromba di forma simile al bastone dello stesso nome.

LUNETTA   spazio di muro, generalmente incassato, compreso tra l'architrave e un arco che lo sormonta.

MARU O MARNIU O MARUNUCH   titolo di magistratura etrusca (d'origine umbra) forse corrispondente al latino *Quaestor*.

MASCHERONE   motivo ornamentale in forma di volto umano dall'aspetto spesso grottesco.

MAUSOLEO   edificio sepolcrale di proporzioni monumentali.

MEANDRO   motivo ornamentale (= greca) costituito da una o più linee piegate ad angolo retto e idealmente inscritte in uno spazio quadrangolare.

MEDAGLIONE   disco metallico decorato in rilievo con un ritratto o una scena figurata.

MEDUSA   una delle Gorgoni, la cui immagine, e specialmente il volto, fu largamente usata come motivo decorativo.

MEGALOGRAFIA   composizione pittorica parietale di grandi proporzioni.

MENADE   donna seguace di Dioniso (o Bacco) sovente in coppia con Satiri e Sileni.

MENERVA O MENRVA   equivalente etrusco della latina Minerva (identificata con la greca Athena).

MENÌSCO   oggetto metallico in forma di tridente, falce lunare o semplice punta, collocato sulla sommità di antefisse, acroteri e statue per impedire agli uccelli di posarvisi sopra e di imbrattarli.

MENSOLA   elemento architettonico sporgente da un muro in funzione di sostegno di travi, cornici, balconi o altro.

MERLO   elemento di coronamento di opere di fortificazione (mura, torri ecc.) disposto in serie e a intervalli regolari.

MÈTOPA   lastra quadrangolare di terracotta, pietra o marmo, dipinta o scolpita con rosoni, bucrani o figure, collocata fra i triglifi nel fregio dorico.

MISTERI   cerimonie e riti di culto segreti riservati agli iniziati di particolari religioni d'origine orientale.

MITRIA   copricapo d'origine orientale, sinonimo di tiara.

MÒDULO   unità di misura che proporziona le diverse parti di un'opera (disegno, statua, edificio) tratta da un elemento dell'opera stessa. Diametro della colonna preso alla base.

MONÒCROMO   pittura in chiaroscuro a un solo colore.

MONOLÌTO   pietra, colonna, statua di un unico pezzo.

MUNDUS   fossa rituale concepita come via di comunicazione tra il mondo terrestre e quello sotterraneo.

MUTULO   elemento architettonico ornamentale dell'ordine dorico a guisa di mensola posto a intervalli regolari sotto il gheison. Comunemente anche grande trave longitudinale sporgente in facciata nell'intelaiatura lignea del tetto.

NAISKOS   edificio templare di piccole dimensioni, edicola.

NAOS   cella del tempio greco e, più genericamente, tempio nel suo insieme.

NAVATA   sezione longitudinale dell'interno di un edificio compresa tra due file parallele di colonne o pilastri.

NECROPOLI   area sepolcrale, o cimitero, di grande estensione.

NEOLITICA   civiltà preistorica del periodo dell'uso della pietra levigata corrispondente all'inizio della vita sedentaria, dell'agricoltura e dell'allevamento del bestiame e all'uso della ceramica.

NERVATURA   costolatura che segue gli spigoli della volta.

NETHUNS   equivalente etrusco del latino Neptunus (identificato con il greco Poseidon).

NIELLO   tecnica decorativa dell'arte orafa simile all'agemina.

NIKE   personificazione della vittoria rappresentata come una fanciulla alata con in mano attributi vari (corona, palma, trofeo, insegna militare ecc.).

NORTHIA   dea etrusca probabilmente del fato.

OIKOS   sinonimo, in greco, di casa; poi anche singolo ambiente destinato ad abitazione.

OINOCHÒE   vaso per versare il vino in forma di brocca con piede basso corpo alto e arrotondato, collo distinto, bocca rotonda o trilobata e ansa soprelevata.

OLLA   grande vaso di terracotta o metallo con corpo espanso senza piede, con o senza anse, usato come recipiente di cucina (e spesso anche come urna cineraria).

OLPE   vaso per versare molto simile alla oinochòe ma generalmente più snello e con il collo non distinto dal corpo.

OPPIDUM   villaggio fortificato o, più generalmente, luogo circondato da mura di difesa.

ORDINE   coerente applicazione in architettura di regole o canoni stilistici che fissano le forme caratteristiche, il rapporto e le proporzioni degli elementi. Gli ordini principali sono il dorico, caratterizzato dalla colonna tozza e scanalata priva di base e con capitello formato da echino a bacile e abaco e dalla trabeazione col fregio a triglifi e metope; lo ionico, caratterizzato dalla colonna alta e slanciata, con base variamente articolata e capitello a volute e trabeazione con fregio figurato continuo; il corinzio, distinto dallo ionico soprattutto per il capitello a foglie di acanto, il composito, risultato della fusione dello ionico e del corinzio.

ORIENTALIZZANTE   periodo corrispondente in linea di massima al secolo VII a.C. contraddistinto da un preponderante influsso dell'arte e della civiltà delle regioni del bacino orientale del Mediterraneo e dell'Asia anteriore.

ORTÒSTATO   lastrone rettangolare di pietra usato per costruire lo zoccolo o il primo filare di un muro a blocchi.

OSCILLUM   disco di pietra, marmo, metallo, terracotta, con motivi figurati e ornamentali da appendere con significato magico e rituale e poi soltanto decorativo.

OSSUARIO   vaso (o urna) destinato a contenere i resti (piccole ossa, ceneri) del rogo funebre.

OSTRAKON   coccio di vaso (soprattutto del fondo) usato come materiale scrittorio.

OVOLO   motivo decorativo delle modanature architettoniche in forma di uovo entro un alveo o guscio, ripetuto in serie, alternato con un motivo a freccia o a foglia.

PALAFITTA   sistema di pali infissi in terreni lacustri o paludosi come fondamento per capanne o altre costruzioni.

PALMETTA   motivo ornamentale costituito da foglie di palma disposte a ventaglio attorno a un «bottone» o a un archetto di base.

PAPIRO   materiale scrittorio ricavato dal fusto della pianta omonima tagliato in sottilissime strisce unite fra loro e in due strati sovrapposti, uno verticale e uno orizzontale.

PARASTA v. Lesena

PARÈDRA   divinità minore che si accompagna in coppia con un'altra principale.

PASSO   misura lineare e itineraria equivalente a due piedi e mezzo nel mondo greco e a cinque nel mondo romano.

PÀTERA   coppa generalmente metallica, molto bassa, spesso con un risalto o «bottone» al centro (p. umbilicata) priva di piede e di anse, usata per versare l'acqua delle lustrazioni (e divenuta anche motivo ornamentale in pittura e scultura).

PEDUCCIO   pietra o mensola in forma di capitello pensile incastrata nel muro a sostegno di un arco o di una volta.

PÈGASO   cavallo alato, nato dal sangue della Medusa uccisa da Perseo, molto diffuso come motivo iconografico di repertorio.

PELÌKE   vaso simile all'anfora ma più tozzo, con corpo espanso, grande piede ad anello e due anse all'estremità superiore del corpo.

PELTA   piccolo scudo in forma di mezzaluna, di legno o vimini ricoperto di cuoio, caratteristico delle Amazzoni e di guerrieri orientali (soprattutto Persiani).

PENNACCHIO   elemento architettonico in forma di triangolo sferico con funzioni di raccordo tra la cupola e le pareti a pianta quadrata del vano sottostante.

PEPLO   veste femminile greca, generalmente di lana, fissata alle spalle e su un fianco con fibule e allacciata alla vita con una cintura.

PERGAMENA   sottile membrana usata come materiale scrittorio ricavata dalla pelle di animali e appositamente conciata.

PERIBOLO   recinto sacro attorno a un tempio e a un santuario.

PERÌPTERO   tempio (o altro edificio) circondato da una fila di colonne su tutti i lati.

PERÌSTASI   colonnato dell'edificio periptero.

PERISTILIO   corte interna di un edificio circondata da un portico a colonne.

PÈTASO   cappello a piccola e bassa calotta e larga tesa tenuto fermo da un sottogola e un sottonuca.

PHERSU   personaggio etrusco mascherato e con alto berretto a punta raffigurato mentre aizza un cane tenuto con un lungo guinzaglio contro un uomo con la testa avvolta in un sacco e armato di clava.

PHUPHLUNS   dio etrusco identificato con il greco Dionysos ed equivalente a Bacco latino.

PIATTABANDA   elemento costruttivo di pietra o di mattoni posto a ventaglio (equivalente a un arco piatto con l'archivolto ridotto ad architrave) in funzione di collegamento di muri, colonne, pilastri.

PIEDE   misura lineare del mondo greco e italico variante da regione a regione con multipli e sottomultipli.

PIEDRITTO   sostegno verticale su cui si imposta un arco o una volta.

PILASTRO   elemento architettonico di sostegno a base quadrilatera, poligonale o composita, con o senza base e capitello.

PILEO   copricapo di panno o di pelle di forma generalmente conica.

PÌNAX (plur. = pìnakes)   tavoletta di legno o di terracotta, dipinta o decorata a rilievo, generalmente usata come ex voto. Anche piatto circolare senza piede decorato internamente.

PISSIDE   recipiente solitamente cilindrico e variamente sagomato e ornato di legno, metallo, terracotta ecc. munito di coperchio con manico o presa, destinato a contenere piccoli oggetti soprattutto da toeletta.

PITHOS   grande vaso di forma sferoidale destinato alla conservazione di liquidi (vino, olio) e derrate alimentari (cereali ecc.).

PLINTO   basamento o zoccolo quadrangolare di colonne e statue.

POCULO   piccolo bicchiere cilindrico senza anse e con basso piede.

PODIO   basamento di pietra del tempio o di altro grande edificio.

POLIGONALE (opera)   tecnica costruttiva di muri formati da grandi massi irregolari di pietra posti in opera senza uso di leganti.

POLIS   parola greca per indicare la città-stato.

POSTÌCA (pars)   la metà posteriore del tempio (rispetto all'asse trasversale dell'edificio) occupata dalla cella.

PRÒNAO   atrio, per lo più con portico a colonne, antistante la cella del tempio.

PROPILÈO   ingresso monumentale di un edificio, un recinto, una piazza, con portico a colonne.

PRÓSTILO   tempio o edificio in genere con una fila di colonne sulla fronte.

PROTOCORINZIA   ceramica del periodo orientalizzante fabbricata a Corinto dalla seconda metà del sec. VIII alla fine del VII a.C., con vasi di dimensioni molto piccole decorati con motivi dipinti miniaturistici.

PRÓTOME   elemento decorativo in forma di testa umana o animale.

PSEUDOCUPOLA v. Falsa cupola

PSEUDOVOLTA v. Falsa volta

PUNTALE   estremità della spada (e del relativo fodero) e della lancia.

PURTH O PURTHEN O EPRTHNE   titolo di magistratura etrusca (secondo alcuni indicante la massima carica cittadina).

PUTEÀLE   parapetto o vera di un pozzo, in pietra o marmo, solitamente di un solo pezzo decorato a rilievo.

QUADRATA (opera)   tecnica costruttiva di muri formati di filari regolari di blocchi parallelepipedi di pietra tutti uguali tra loro.

QUADRIGA   carro a due ruote da competizione o da parata tirato da quattro cavalli.

QUINQUEREME   nave a cinque ordini di remi.

RAMPANTE   arco policentrico posto all'esterno di un muro come contrafforte. Cornice obliqua del frontone.

RASENNA O RASNA   nome che gli Etruschi davano a se stessi, secondo Dionigi
di Alicarnasso.

RASTREMATO   caratterizzato dalla rastremazione.

RASTREMAZIONE   riduzione graduale, generalmente dal basso verso l'alto,
del diametro della colonna o, meno spesso, del pilastro.

RHYTON   vaso per bere in forma di corno d'animale spesso con piede e pla-
smato nella parte inferiore per lo più a testa di animale o di Satiro.

ROCCHIO   blocco cilindrico di pietra o marmo che insieme ad altri forma il
fusto della colonna non monolitica (anche: tamburo).

ROSETTA   elemento ornamentale plastico o dipinto in forma di fiore con la
corona dei petali aperta.

SACELLO   edificio sacro di piccole dimensioni.

SANTUARIO   area sacra delimitata da un recinto e comprendente uno o più
templi, altari, monumenti votivi e altri edifici legati al culto.

SATIRO   essere mitologico con corpo umano e orecchie, coda e zampe capri-
ne.

SBALZO   tecnica di lavorazione del metallo consistente nel martellare una
sottile lamina dal rovescio in modo da far risaltare il disegno in rilievo al
dritto.

SCANALATURA   intaglio solitamente longitudinale sul fusto della colonna.

SCARABEO   piccolo oggetto del mondo egizio (ma largamente diffuso anche
fuori d'Egitto) rappresentante l'insetto omonimo, ritenuto sacro, scolpito su
pietre semipreziose e dotato di iscrizioni o figurazioni nella parte posteriore,
usato come castone d'anello o elemento di collana.

SCHINIERE   gambale di cuoio o metallo posto a protezione della gamba.

SELLA   sedia con gambe incrociate e pieghevoli priva di spalliera e di brac-
cioli.

SEMA   cippo di varia forma (sferica, conica, ovoide, piriforme ecc.) posto
come segnale al di sopra della tomba.

SETHLANS   dio etrusco identificato con il greco Ephaistós ed equivalente a
Vulcano latino.

SEZIONE   disegno di un edificio tagliato secondo la linea della lunghezza (s.
longitudinale) o della larghezza (s. trasversale).

SFINGE   essere mostruoso con corpo di leone e volto umano nel mondo egizio; con corpo di leone, volto e petto di donna nel mondo greco-romano.

SFRAGISTICA   scienza che ha per oggetto lo studio dei sigilli.

SIGILLO   oggetto di varia materia (legno, terracotta, pietra dura e preziosa,
oro ecc.) e forme diverse (a timbro, a cilindro, a bottone, ovale ecc.), spesso
incastonato in un anello, variamente decorato con motivi vegetali, geometrici e con scritte e ritratti, usato per bollare lettere e documenti.

SILENO   essere mitologico con corpo umano e orecchie, zampe e coda equini.

SIMA   fascia di coronamento del frontone e dei lati del tetto formata da lastre di terracotta, decorate a rilievo e dipinte, poste in aggetto sui travi sopra
la cornice o «gheison».

SÌMPULO   mestolo di metallo usato per attingere il vino dal cratere.

SINÒPIA   disegno preparatorio dell'affresco tracciato sull'intonaco prima della stesura del colore.

SIRENA   essere mitologico con corpo dalla parte superiore di donna e dalla
inferiore di uccello (e, in un secondo tempo, di pesce).

SISTRO   strumento musicale di origine egizia formato di una lama metallica a
ferro di cavallo, con manico attraversato da verghette orizzontali mobili pure
metalliche.

SITULA secchiello metallico (ma anche di legno, avorio ecc.) di forma cilindrica o troncoconica con una o due anse ad anello mobili sulla sommità dell'orlo.

SKYPHOS vaso in forma di tazza alta e larga con due piccole anse orizzontali in corrispondenza dell'orlo.

SOSTRUZIONE opera muraria che serve di sostegno e rinforzo a un terrazzamento o a un edificio di notevoli proporzioni.

SOTTARCO faccia inferiore dell'arco (v. Intradosso).

SPHYRÉLATON tecnica di lavorazione del metallo a piccoli pezzi di lamine martellate e unite insieme con chiodini.

STÀMMOS vaso dal corpo tozzo ed espanso, collo breve e due piccole anse orizzontali sulle spalle.

STAMPIGLIA tecnica della produzione ceramica consistente nella impressione sull'argilla cruda dei vasi di elementi decorativi o figurati attraverso punzoni incisi in negativo.

STELE lastra di pietra o marmo posta in senso verticale variamente sagomata e spesso rastremata verso l'alto e decorata con rilievi, anche dipinti (geometrici, vegetali) o con scene figurate, munita spesso di iscrizioni, generalmente usata come segnacolo di tombe.

STILO arnese per scrivere sulla cera in forma di asticella appuntita a un'estremità e piatta dall'altra per cancellare.

STIPE complesso di oggetti votivi depositati in fosse entro il recinto di un santuario.

STIPITE elemento verticale che delimita su due lati porte e finestre sostenendone l'architrave.

STROMBATURA taglio obliquo delle pareti di spalla di porte e finestre delle quali allarga il vano.

STUCCO impasto di gesso, colla e acqua usato fresco per decorazioni, rilievi, statue ecc.

SUPERI dèi del cielo contrapposti agli dèi della terra e degli inferi.

SVÀSTICA simbolo solare di origine iranica formato da una croce a bracci uguali e ciascuno terminante con un prolungamento ad angolo retto, molto usato come elemento decorativo.

TAGETE personaggio semidivino della mitologia etrusca (figlio di Giove e di Genio) ispiratore della dottrina dell'aruspicina.

TAMBURO elemento del fusto della colonna quando questa non è monolitica (=rocchio). Struttura architettonica di forma cilindrica (o poligonale) su cui si imposta la cupola.

TEBENNA sopravveste ordinaria del costume maschile etrusco (equivalente alla toga romana ma di dimensione più ridotta).

TELAMONE statua maschile equivalente alla Cariatide.

TÈMENOS recinto delimitante un'area sacra.

TEMPIO edificio concepito come dimora della divinità e destinato al culto pubblico costituito nei suoi elementi essenziali di una cella e di un pronao antistante ad essa.

TEMPLUM partizione della volta celeste presso gli Etruschi (o di un terreno o di un oggetto simbolicamente e magicamente corrispondente ad essa) sulla base di una preventiva orientazione e in funzione dell'assunzione degli auspici.

TENIA benda di stoffa cinta attorno alla testa come segno di consacrazione, vittoria ecc. In architettura, listello che separa l'architrave dal fregio.

TERIOMÒRFO in forma di animale.

TERRACOTTA argilla depurata, lavorata e plasmata e quindi cotta al forno.

TESTUDINATO tetto a quattro spioventi (detto anche «padiglione»).

TETRASTILO   tempio o edificio in genere con una fila di quattro colonne sulla fronte.

THESAURÒS   piccolo edificio sacro in forma di tempio nei santuari greci per il deposito degli arredi di culto e degli ex voto.

THÌASOS   corteo di Satiri e Menadi al seguito di Dioniso.

THOLOS   tomba circolare con le pareti rastremate verso l'alto e coperta da una pseudocupola. Edificio templare a pianta circolare circondata da un portico a colonne.

THYMIATÈRION   recipiente per bruciare incenso (= incensiere) con o senza coperchio, su piedini o su un sostegno in forma di colonnina o di figurina, talvolta con catenelle per il trasporto.

TIBÌCINE   suonatore di doppio flauto (in lat. = tibia) corrispondente al greco Auleta.

TIMPANO   spazio triangolare compreso entro le cornici del frontone. Strumento musicale (= tamburello) formato di una pelle tesa su un cerchio di legno o di metallo.

TINIA   dio etrusco identificato con il greco Zeus ed equivalente a Giove latino.

TINTINNÀBULO   campanello di varia forma e di diverso uso.

TIRRENO O TYRSENÓS   figlio del re di Lidia, *Atys*, che secondo il racconto di Erodoto avrebbe guidato la migrazione in Italia dei Tirreni Etruschi (*Tyrrenói* o *Tyrsenói*).

TIRSO   bastone di Dioniso coronato di pampini e foglie d'edera riunite in forma di pigna.

TONDINO   piccola modanatura architettonica a sezione semicircolare convessa.

TORÉUTICA   arte e tecnica di lavorare il metallo in incavo e a rilievo, a sbalzo, a cesello, a bulino.

TORO   grossa modanatura architettonica a sezione semicircolare convessa (soprattutto caratteristica della base della colonna).

TÒRQUE   collana circolare rigida solitamente formata di fili metallici (oro, argento, bronzo) attorcigliati a spirale e interrotta alle due estremità.

TRABEAZIONE   complesso di elementi architettonici comprendente l'architrave, il fregio e la cornice con elementi minori intermedi.

TRÀPEZA   tavolo (o anche banco, bancone) di legno o marmo con elementi decorativi intagliati e a rilievo.

TRIGLIFO   elemento decorativo proprio dell'ordine dorico costituito da una lastra con tre intagli o scanalature verticali e posto in opera alternato con la metopa.

TRILÌTE   struttura architettonica elementare formata da due pietre verticali portanti e da una terza posta orizzontale sopra di esse.

TRÌPODE   bacino emisferico solitamente metallico con supporto costituito di tre gambe attaccate all'altezza delle spalle.

TRIRÈME   nave a tre ordini di remi.

TRITONE   essere mitologico marino con corpo umano desinente in coda di pesce o di serpente.

TUBA   strumento musicale a fiato con lunga canna e parte terminale imbutiforme.

TUBÌCINE O TIBÌCINE   suonatore di tuba.

TUCHULCHA   demone maschile del mondo infernale etrusco rappresentato alato e con le carni di colore livido, naso adunco e becco di rapace e serpentelli tra i capelli, armato di un grosso «martello».

TUMULO   monticello di terra innalzato al di sopra di tombe a fossa o a camera ipogea generalmente sostenuto da un basamento circolare di pietre o blocchi.

TUNICA   veste romana equivalente a una «camicia» con o senza maniche cucita sulle spalle e sui fianchi, lunga fino al ginocchio per gli uomini e fino ai piedi per le donne.

TURAN   dea etrusca identificata con la greca Aphrodite ed equivalente a Venere latina.

TURMS   dio etrusco identificato con il greco Hermes ed equivalente a Mercurio latino.

TUSCANICO   ordine architettonico attribuito agli Etruschi e caratterizzato dalla colonna omonima, liscia e lievemente rastremata verso l'alto, con base circolare e capitello in forma di cuscino bombato. Tipo di atrio della casa italico-romana privo di colonne.

TUTTOTONDO   termine tecnico che indica una scultura completamente libera nello spazio (in contrapposizione al rilievo in cui la scultura è legata a un piano di fondo).

TÙTULUS   copricapo di stoffa in forma di calotta conica.

UMBONE   elemento centrale dello scudo e della patera rilevato e variamente decorato.

UNGUENTARIO   genericamente, piccolo vaso di ceramica o vetro per contenere unguenti.

UNI   dea etrusca identificata con la greca Hera· ed equivalente a Giunione latina.

URNA   vaso o cofanetto di metallo, pietra, marmo, terracotta, destinato a contenere le ceneri del defunto.

USIL   divinità solare etrusca corrispondente al greco Aelios e al latino Sol.

VALLO   palizzata di difesa spesso costruita in rinforzo dell'aggere all'esterno di questo.

VANTH   demone femminile etrusco del fato rappresentato alato e con in mano il «rotolo» del destino.

VEGOIA   personaggio semidivino (o «ninfa») della mitologia etrusca, ispiratrice della scienza della «limitazione» o suddivisione dei campi e della dottrina dei fulmini.

VERTUMNUS v. Voltumna

VICUS   borgo rurale dipendente giuridicamente da una città, quartiere urbano e strada principale di esso.

VILLANOVIANA (civiltà)   cultura della prima età del ferro italiana (secoli IX-VIII a.C.) caratterizzata dal rito funebre dell'incinerazione e dall'ossuario biconico.

VOLTUMNA O VELTUNA O VELTHA, in lat. VERTUMNUS   dio «nazionale» degli Etruschi particolarmente venerato nel santuario «federale» del Fanum Voltumnae, presso Volsini.

VOLUMEN   libro formato da strisce di papiro, pergamena o tela avvolte attorno a un'asticella o a un cilindro di legno.

VOLUTA   motivo ornamentale a spirale tipico del capitello ionico.

ZEPPA   pezzo di pietra usato per colmare un piccolo vuoto tra due blocchi.

ZILATH O ZILACH   titolo di magistratura etrusca (forse la suprema) corrispondente al latino *Praetor*.

ZIRO   grande orcio di terracotta per la conservazione delle derrate e dei liquidi.

ZOCCOLO   parte inferiore di un muro o di una parete spesso rivestita con lastre di pietra o marmo per ornamento e protezione (v. anche Plinto).

ZOÒFORO   fregio o fascia decorativa in genere con rappresentazione di esseri viventi (uomini e animali) e, in particolare, fregio dell'ordine ionico posto tra l'architrave e la cornice.

Nota bibliografica

Coloro che desiderano allargare proficuamente, e seriamente, il campo delle loro letture sugli Etruschi, ed eventualmente approfondire le loro conoscenze in settori particolari, hanno a disposizione una serie di libri di autori italiani (o, se stranieri, tradotti in italiano) che possono soddisfare quasi ogni esigenza. Alcuni di questi libri sono di recente pubblicazione, altri sono riproposti in nuove edizioni: molti si trovano tuttora in libreria, gli altri sono facilmente reperibili in biblioteche anche non eccessivamente specializzate. Oltre ad essi (e, naturalmente, mettendo da parte relazioni, saggi scientifici e lavori troppo specialistici e particolari che, del resto, si troveranno ampiamente citati in bibliografia nelle opere qui sotto elencate) è prudente e consigliabile, in linea di massima, lasciar perdere. È appena il caso di ricordare che forse in pochi altri campi come in quello che riguarda gli Etruschi l'editoria ha sfornato, e purtroppo continua a proporre, anche ricorrendo a inopportune traduzioni, libri di «fantascienza» pieni di dilettantistici vaneggiamenti.

OPERE GENERALI

Tra le opere di carattere generale, destinate a un pubblico non necessariamente di iniziati, che con diverso peso ed estensione, con angolazioni differenti e accentuazioni su questo o quell'aspetto, e magari con qualche sfumata divergenza d'opinione, trattano del mondo degli Etruschi nel suo complesso, il primo posto tocca all'ormai classico volume (capostipite di tutta la letteratura contemporanea del settore) di MASSIMO PALLOTTINO, *Etruscologia* (Milano, Hoepli) pubblicato per la prima volta nel 1942 e giunto nel 1984 alla settima edizione. Ad esso sono da affiancare, nell'ordine cronologico della loro ultima edizione, i volumi di LUISA BANTI, *Il Mondo degli Etruschi*, Roma, Biblioteca di Storia patria, 1969[2]; JACQUES HEURGON, *Vita quotidiana degli Etruschi*, Milano, Il Saggiatore, 1972[3]; HOWARD H. SCULLARD, *Le città etrusche e Roma*, Milano, Il Polifilo, 1977[2]; OTTO-WILHELM VON VACANO, *Gli Etruschi nel mondo antico*, Bologna, Cappelli, 1977; MAURO CRISTOFANI, *Etruschi. Cultura e società*, Novara, De Agostini, 1978; FRANCO FALCHETTI, *La civiltà etrusca*, Milano, 1980; MICHAEL GRANT, *Le città e i metalli. Società e cultura degli Etruschi*, Firenze, Sansoni, 1982; ELLEN MACNAMARA, *Vita quotidiana degli Etruschi*, Roma, «L'Erma» di Bretschneider, 1982; MAURO CRISTOFANI, *Gli Etruschi del mare*, Milano, Longanesi, 1983; AA.VV., *Gli Etruschi. Una nuova immagine*, Firenze, Giunti-Martello, 1984; GIANCARLO BUZZI, *Guida alla civiltà etrusca*, Milano, Mondadori, 1984; AA.VV., *Rasenna. Storia e civiltà degli Etruschi*, Milano, Scheiwiller, 1986; ROMOLO A. STACCIOLI, *Storia e civiltà degli Etruschi*, Roma, Newton Compton, 1991[3].

Sempre di carattere generale ma non in volume a sé stante, è il saggio di GUIDO A. MANSUELLI, *La civiltà urbana degli Etruschi* (pubblicato nel III volume della collana «Popoli e civiltà dell'Italia antica», Roma, Biblioteca di Storia patria, 1974, alle pp. 205-323). Si possono inoltre aggiungere, per una rapida consultazione le voci «Etruschi» della *Enciclopedia Italiana* e delle sue «Appendici» e, per una consultazione generale, il *Dizionario della civiltà etrusca* (a cura di M. CRISTOFANI), Firenze, Giunti-Martello, 1985.

ARTE

Passando dalle opere generali a quelle che limitano la trattazione a grandi temi settoriali, per quanto riguarda l'arte (argomento tra i più frequenti in opere monografiche, trattato anche nel più vasto contesto dell'arte «italica»), i volumi da tenere presenti sono: GUIDO A. MANSUELLI, *Etruria*, Milano, Il Saggiatore, 1963; MASSIMO PALLOTTINO, *Civiltà artistica etrusco-italica*, Firenze, Sansoni, 1971^2 (ristampa 1985); RANUCCIO BIANCHI BANDINELLI - ANTONIO GIULIANO, *Etruschi e Italici prima del dominio di Roma*, Milano, Feltrinelli, 1973 (anche ediz. economica, Milano, Rizzoli, 1976); RANUCCIO BIANCHI BANDINELLI - MARIO TORELLI, *L'arte della civiltà classica*, vol. II: *Etruria. Roma*, Torino, UTET, 1976; ROMOLO A. STACCIOLI, *Come riconoscere l'arte etrusca*, Milano, Rizzoli, 1978 (prescindendo dalle didascalie alle illustrazioni che non sono dell'autore e nonostante qualche arbitrario rimaneggiamento dell'editore); MAURO CRISTOFANI, *Arte etrusca. Produzione e consumo*, Torino, Einaudi, 1978 (ristampa 1985); MAJA SPRENGER - GILDA BARTOLONI, *Etruschi. L'arte*, Milano, Jaca Book, 1981; RANUCCIO BIANCHI BANDINELLI, *L'arte etrusca*, Roma, Editori Riuniti, 1982; MARIO TORELLI, *L'arte degli Etruschi*, Roma-Bari, Laterza, 1985. Per la pittura, in particolare: *Catalogo ragionato della pittura etrusca* (a cura di S. STEINGRÄBER), Milano, 1985.

Si possono aggiungere: le voci «Etrusco-italici centri e tradizioni» (di M. PALLOTTINO) della *Enciclopedia universale dell'arte* (vol. V, 1962, pp. 133-180) e «Etrusca arte» (di R. BIANCHI BANDINELLI) dell'*Enciclopedia dell'arte antica* (vol. III, 1961, pp. 476-503), oltre a tutte le voci specifiche (di autori, opere, scuole, periodi artistici ecc.) contenute nell'una e nell'altra Enciclopedia, e specialmente nella seconda.

LINGUA

Per quel che concerne la lingua (il tema maggiormente esposto ai continui «maltrattamenti» dei dilettanti), oltre ai capitoli che all'argomento sono espressamente dedicati nella già citata *Etruscologia* di M. PALLOTTINO e ai saggi di MAURO CRISTOFANI, *L'alfabeto etrusco*, e di MASSIMO PALLOTTINO, *La lingua degli Etruschi*, nel VI volume della già citata collana «Popoli e civiltà dell'Italia antica» (1978), rispettivamente alle pp. 401-428 e 429-468; sono da segnalare: ROMOLO A. STACCIOLI, *Il mistero della lingua etrusca*, Roma, Newton Compton, 1979^2; GIULIANO BONFANTE - LARISSA BONFANTE, *Lingua e cultura degli Etruschi*, Roma, Editori Riuniti, 1985; ALESSANDRO MORANDI, *Nuovi lineamenti di lingua etrusca*, Roma, Erre Emme Edizioni, 1991; MAURO CRISTOFANI, *Introduzione allo studio dell'etrusco*, Firenze, Olschki, 1991.

RELIGIONE

Per la religione mancano volumi monografici ma si può consultare l'ampia sintesi di GIULIO Q. GIGLIOLI (con nota d'aggiornamento di G. CAMPOREALE), *La religione degli Etruschi*, in *Storia delle religioni*, Torino, 1971^6, vol. II, p. 539 e sgg. Inoltre, a proposito della divinazione, il volume di RAIMOND BLOCH, *Prodigi e divinazione nel mondo antico. Greci, Etruschi e Romani,* Roma, Newton Compton, 1977.

STORIA SOCIETÀ E ISTITUZIONI

Per la storia c'è l'unico volume monografico dedicato all'argomento: MARIO TORELLI, *Storia degli Etruschi,* Roma-Bari, Laterza, 1985[2]. Per quanto riguarda la società e le istituzioni ci sono un saggio di MAURO CRISTOFANI, *Società e istituzioni nell'Italia preromana,* nel vol. VII della collana «Popoli e civiltà dell'Italia antica» (1978), alle pp. 51-112, e il volume di MARIO TORELLI, *La società etrusca,* Firenze, Nuova Italia Scientifica, 1987.

ARGOMENTI VARI

Temi vari e aspetti molto particolari, spesso di grande interesse, sono trattati nei volumi: CARL E. ÖSTENBERG, *Le case etrusche di Acquarossa,* Roma, Multigrafica Editrice, 1975; MAURO CRISTOFANI, *Città e campagna nell'Etruria settentrionale,* Arezzo, 1976; ELENA COLONNA DI PAOLO, *Le necropoli rupestri del Viterbese,* Novara, De Agostini, 1978 (e, nella stessa serie, i titoli *Cerveteri, Tarquinia* e *Vulci* di MARIO MORETTI); *L'oro degli Etruschi,* a cura di M. CRISTOFANI e M. MARTELLI, Novara, De Agostini, 1983; *Il bronzo degli Etruschi* (a cura di M. CRISTOFANI), Novara, De Agostini, 1985; *Le donne in Etruria* (a cura di A. RALLO), Roma, «L'Erma» di Bretschneider, 1989; LUCIANO STERPELLONE, *La medicina etrusca,* Roma, Giba-Geigy Edizioni, 1990; FIORENZO CATALLI, *Monete etrusche,* Roma, Libreria dello Stato, 1990.

REPERTORI E GUIDE

Un ampio panorama delle consistenze archeologiche dell'Etruria, suddivise per località (e utili anche come introduzione a visite e a sopralluoghi) è presentato nei due volumi: *Le città etrusche,* di F. BOITANI, M. CATALDI, M. PASQUINUCCI (con introduzione generale di M. TORELLI), Milano, Mondadori, 1979[2] e di STEPHAN STEINGRÄBER, *Città e necropoli dell'Etruria,* Roma, Newton Compton, 1983, mentre più dichiaratamente «turistico» è il volumetto di A. CIATTINI, V. MELANI, F. NICOSIA, *Itinerari etruschi,* Pistoia, 1971. Ma, nel campo delle «guide» vere e proprie – oltre ai volumi ben noti della collana «Guida d'Italia» pubblicata dal Touring Club Italiano con frequenti edizioni aggiornate (tra i quali, in particolare, quelli dedicati a: *Lazio, Roma e dintorni, Toscana, Firenze e dintorni, Umbria*) – sono da menzionare i volumi: *Etruria,* di MARIO TORELLI, nella collana «Guide archeologiche Laterza», Bari, 1980 (da integrare, per quanto riguarda Perugia e Orvieto, col volume dedicato, nella stessa collana, a *Umbria e Marche*); *Lazio settentrionale* di ROMOLO A. STACCIOLI, nella collana «Itinerari archeologici», n. 11, Roma, Newton Compton, 1983; *Guida ai luoghi etruschi,* Novara, De Agostini, 1993.

A conclusione di questa nota, vale la pena di ricordare – per l'ampiezza e la completezza degli argomenti trattati (anche nell'intento di fornire il «punto» delle nostre conoscenze in materia) – i *Cataloghi* delle «mostre etrusche» del 1985 (e degli anni immediatamente seguenti) intitolati con la stessa denominazione delle mostre, citati in questo volume all'inizio del capitolo di aggiornamento *Gli ultimi quindici anni.*

Località con musei, monumenti e zone archeologiche d'interesse etrusco *

ACCESA(lago dell') v. Massa Marittima
ACQUAROSSA v. Viterbo
ADRIA (Rovigo)   Museo Archeologico.
ALLUMIERE (Roma)   Museo Civico. Resti di abitato «protovillanoviano», in loc. *Monte Rovello*.
AREZZO   Museo Archeologico. Resti della mura urbane.
ARTIMINO v. Carmignano
ASCIANO (Siena)   Museo Etrusco.
BAGNOLO SAN VITO (Mantova)   scavi di un abitato in loc. *Corte Forcella*.
BARBARANO ROMANO (Viterbo)   Antiquarium Comunale. Necropoli rupestre, in loc. *San Giuliano*; tombe monumentali, in loc. *Valle Cappellana*.
BETTONA (Perugia)   lapidario nel palazzo del Podestà.
BLERA (Viterbo)   necropoli rupestre, in locc. *Pian del Vescovo* e *Pian Gagliardo*. Nei pressi: zona archeologica di *Grotta Porcina*; resti di abitato e di necropoli in loc. *San Giovenale*, vicino Civitella Cesi.
BOLOGNA   Museo Civico Archeologico.
BOLSENA (Viterbo)   Museo Civico. Resti delle mura urbane e di santuari nelle locc. *Poggio Casetta* e *Pozzarello*; scavi della città etrusco-romana, in loc. *Poggio Moscini*.
CAMPIGLIA MARITTIMA (Livorno)   resti di forni di fusione, in loc. *Fucinaia*.
CANALE MONTERANO (Roma)   necropoli, in loc. *Monterano*.
CAPUA (Caserta)   Museo Provinciale Campano.
CARMIGNANO (Firenze)   nella frazione di *Artimino* (km 7): Museo archeologico comunale, necropoli; nella frazione di *Comeana* (km 5): tombe a tumulo.
CASALECCHIO DI RENO (Bologna)   scavi di un abitato.
CASTEL D'ASSO v. Viterbo
CASTEL FOCOGNANO (Arezzo)   nella frazione di *Pieve a Sòcana* (km 4,5): resti di un tempio.
CASTELLINA IN CHIANTI (Siena)   tomba a tumulo, in loc. *Montecalvario*.
CASTELNUOVO BERARDENGA (Siena)   scavi di un abitato in loc. *Piano Tondo* e di una necropoli in loc. *Poggione*.
CASTIGLIONCELLO v. Rosignano
CASTIGLIONE DELLA PESCAIA (Grosseto)   nella frazione di *Vetulonia* (km 23): Antiquarium; resti delle mura urbane, scavi dell'abitato e grandi tombe a tumulo.
CASTRO v. Ischia di Castro
CECINA (Livorno)   Museo Civico.
CERVETERI (Roma)   Museo Nazionale Cerite. Zona archeologica della ne-

---

* Sono elencate, con il nome comunemente ricorrente, le più importanti e più facilmente accessibili secondo i Comuni di pertinenza, tra parentesi la provincia.

cropoli, in loc. *Banditaccia*; tombe monumentali, in locc. *Sorbo, Ripe Sant'Angelo* e *Monte Abatone*. Nei pressi: zona archeologica di *Montetosto*.

CHIANCIANO (Siena) Museo del Palazzo Arcipretale.

CHIUSI (Siena) Museo Archeologico Nazionale. Resti delle mura urbane; tombe (anche dipinte) nei dintorni.

CITTÀ DELLA PIEVE (Perugia) Museo Comunale.

CIVITAVECCHIA (Roma) Museo Archeologico Nazionale. Nei pressi: necropoli, in loc. *La Scaglia*; scavi di un santuario, in loc. *Punta della Vipera*.

COLLE VAL D'ELSA (Siena) Museo Archeologico.

COMEANA v. Carmignano

CORTONA (Arezzo) Museo dell'Accademia Etrusca. Resti delle mura urbane; tombe monumentali, nelle locc. *Camucia, Sodo* e *Cinque Vie*.

FERRARA Museo Archeologico Nazionale (di Spina).

FIESOLE (Firenze) zona archeologica con annesso museo.

FIRENZE Museo Archeologico Nazionale.

GENOVA scavi sul Colle di Castello.

GHIACCIO FORTE v. Scansano

GRAVISCA v. Tarquinia

GROSSETO Museo Archeologico della Maremma. Nei pressi (km 12), scavi della citta di *Rusellae*.

GROTTA PORCINA v. Blera

ISCHIA DI CASTRO (Viterbo) Antiquarium Comunale. Nei pressi: necropoli e resti di un abitato nel sito della distrutta *Castro*.

ISOLA FARNESE v. Roma (Veio)

LIVORNO Museo Civico.

LUNI SUL MIGNONE v. Monte Romano

MAGLIANO (Grosseto) nei pressi: necropoli di *Heba*.

MANCIANO (Grosseto) Museo di preistoria e protostoria della valle del fiume Fiora. Nella frazione di *Marsiliana d'Albegna* (km 20): necropoli; nella frazione di *Saturnia* (km 13): Antiquarium, resti di mura urbane e necropoli nei dintorni.

MARCIANA (Isola d'Elba, Livorno) Antiquarium Comunale.

MARSILIANA D'ALBEGNA v. Manciano

MARZABOTTO (Bologna) scavi di una città con annesso Antiquarium.

MASSA MARITTIMA (Grosseto) Museo Civico Archeologico. Scavi di un villaggio minerario in loc. *Macchia del Monte* (lago dell'Accesa).

MILANO Civico Museo Archeologico.

MODENA Museo Civico.

MONTAGNOLA v. Sesto Fiorentino

MONTALCINO (Siena) Museo Archeologico.

MONTALTO DI CASTRO (Viterbo) a km 12: scavi della città di *Vulci*; Museo Nazionale Vulcente, in loc. *Ponte dell'Abbadia* e necropoli nei dintorni.

MONTELUPO FIORENTINO (Firenze) Museo Archeologico (e delle ceramiche).

MONTEPULCIANO (Siena) collezione di Palazzo Tarugi; urne di Palazzo Bucelli.

MONTERANO v. Canale Monterano

MONTE ROMANO (Viterbo) nei pressi: resti dell'abitato e delle necropoli di *Luni sul Mignone*.

MONTE ROVELLO v. Allumiere

MONTE TOSTO v. Cerveteri

MURLO (Siena) Antiquarium e scavi di un insediamento, in loc. *Poggio Civitate*.

NAPOLI Museo Archeologico Nazionale.

NORCHIA v. Vetralla

ORBETELLO (Grosseto)   Antiquarium Civico. Resti delle mura urbane. Nella frazione di *Talamone*: resti di un tempio, in loc. *Talamonaccio*.

ORVIETO (Terni)   Museo Civico «C. Faina»; Museo Archeologico Nazionale (in allestim.). Resti di un tempio e di mura urbane; grande necropoli monumentale, in loc. *Crocefisso del Tufo*.

PADULA (Salerno)   Museo Archeologico della Lucania occidentale.

PALERMO   Museo Archeologico Nazionale (Collezione Casuccini).

PERUGIA   Museo Archeologico Nazionale. Tratti delle mura urbane e Porte (Porta Marzia, Arco di Augusto); nella frazione *Ponte San Giovanni*: Ipogeo dei Volumni, in loc. *Palazzone*; ipogeo, in loc. *San Manno*.

PESARO   Museo Archeologico Oliveriano.

PIACENZA   Museo Civico.

PIEVE A SÒCANA v. Castel Focognano

PIOMBINO (Livorno)   nella frazione di *Populonia* (km 14): Antiquarium, resti delle mura urbane, scavi dell'abitato; grande necropoli, in loc. *Porto Baratti*.

PITIGLIANO (Grosseto)   Museo Civico archeologico. Resti di mura urbane e di tombe. Nei pressi: necropoli, in loc. *Poggio Buco*.

POGGIO BUCO v. Pitigliano

PONTECAGNANO (Salerno)   Museo Archeologico.

POPULONIA v. Piombino

PORTOFERRAIO (Elba, Livorno)   Museo Archeologico.

PYRGI v. Santa Marinella (Santa Severa)

QUINTO FIORENTINO v. Sesto Fiorentino

REGGIO EMILIA   Musei Civici.

ROMA   Museo Nazionale Etrusco (di Villa Giulia); Museo Gregoriano Etrusco (Musei Vaticani); Museo dei Conservatori; Museo Preistorico «L. Pigorini»; Museo Barracco; Museo di Etruscologia dell'Università La Sapienza. Presso la frazione di *Isola Farnese* (km 19): resti della città di *Veio* (abitato e necropoli) e scavi del santuario di Portonaccio.

RONCOFERRARO (Mantova)   scavi di un abitato in loc. *Castellazzo della Garolda*.

ROSELLE v. Grosseto

ROSIGNANO (Livorno)   nella frazione di *Rosignano Marittimo*: Museo Archeologico; nella frazione di *Castiglioncello* (km 7): Museo Archeologico.

SALERNO   Museo Archeologico Provinciale.

SAN GIMIGNANO (Siena)   Museo Civico.

SAN GIOVENALE v. Blera

SAN GIULIANO v. Barbarano Romano

SANTA MARINELLA (Roma)   nella frazione di *Santa Severa* (Castello): scavi del santuario di *Pyrgi* con annesso Antiquarium.

SATURNIA v. Manciano

SCANSANO (Grosseto)   scavi di un abitato, in loc. *Ghiaccio Forte* (km 14).

SESTO FIORENTINO (Firenze)   nella frazione di *Quinto*: Tombe a tumulo, nelle locc. *Montagnola* e *la Mula*.

SIENA   Museo Archeologico Nazionale.

SORANO (Grosseto)   nella frazione di *Sovana* (km 8); resti di mura urbane e necropoli rupestre nei dintorni.

SOVANA v. Sorano

TALAMONE v. Orbetello

TARQUINIA (Viterbo)   Museo Nazionale Tarquiniese. Resti della città, in loc. *La Civita*; grande necropoli con tombe dipinte nella zona dei *Monterozzi*. Nella frazione di *Porto Clementino* (km 6): scavi dell'abitato e del santuario di *Graviscae*.

TODI (Perugia)   Museo Civico.
TOLFA (Roma)   Museo Civico Archeologico. Resti di un santuario, in loc. *Grasceta dei Cavallari*; necropoli nelle locc. *Pian Conserva, Pian dei Santi* e *Grottini di Rota*.
TREVIGNANO (Roma)   Antiquarium Comunale.
TUSCANIA (Viterbo)   Museo Archeologico Nazionale. Necropoli, nelle locc. *Peschiera, Castelluzza* e *Madonna dell'Olivo*.
VEIO v. Roma (Isola Farnese)
VERONA   Museo Maffeiano; Museo Archeologico.
VERUCCHIO (Rimini)   Museo Civico Archeologico.
VETRALLA (Viterbo)   nei pressi: grande necropoli rupestre di *Norchia*.
VETULONIA v. Castiglione della Pescaia
VIAREGGIO (Lucca)   Museo preistorico e Archeologico.
VITERBO   Museo Civico. Nelle vicinanze: necropoli rupestre di *Castel d'Asso* e scavi dell'abitato di *Acquarossa*.
VOLSINII v. Orvieto
VOLTERRA (Pisa)   Museo Etrusco «Guarnacci». Resti delle mura urbane e Porte (Porta all'Arco), scavi dell'acropoli; tombe nei dintorni.
VULCI v. Montalto di Castro

ALL'ESTERO

ALERIA (Corsica)   Museo Archeologico. Scavi della necropoli.
BERLINO   Staatliche Museen Charlottenburg; Antikenabteilung; Pergamon-museum.
BOSTON   Museum of Fine Arts.
BRUXELLES   Musée Royal d'Art et d'Histoire.
COPENAGHEN   Ny Carlsberg Glyptotek; Nationalmuseet.
KARLSRUHE   Badisches Landesmuseum.
LEIDA   Rijksmuseum.
LONDRA   British Museum.
MARSIGLIA   Musée d'Archeologie (Borély).
MONACO DI BAVIERA   Staatliche Antikensammlungen.
NEW YORK   Metropolitan Museum.
PARIGI   Museo del Louvre.
SAN PIETROBURGO   Museo dell'Ermitage.
STOCCOLMA   Historiska Museet (Medelhavmuseet).
VIENNA   Kunsthistorisches Museum.
ZURIGO   Museo Archeologico dell'Università.

Indice dei nomi e dei luoghi

Indice

Misteri della Storia, sezione dei Paperbacks
Pubblicazione settimanale, 6 giugno 2001
Direttore responsabile: G.A. Cibotto
Registrazione del Tribunale di Roma n. 16024 del 27 agosto 1975
Fotocomposizione: Centro Fotocomposizione s.n.c., Città di Castello (PG)
Stampato per conto della Newton & Compton editori s.r.l., Roma
presso la Legatoria del Sud s.r.l., Ariccia (Roma)

Misteri della storia

Volumi pubblicati

I volti della storia

I Big Newton

Volumi pubblicati

23. EMMA BRUNNER-TRAUT (a cura di), *Favole, miti e leggende dell'antico Egitto*

24. MICHAEL MIERSCH, *La bizzarra vita sessuale degli animali*

25. TERSILLA GATTO CHANU, *Miti e leggende della creazione e delle origini*

26. CLAUDIO CORVINO - ERBERTO PETOIA, *Storia e leggende di Babbo Natale e della Befana*

27. JOHANNES HERTEL (a cura di), *Miti, fiabe e leggende dell'India*

28. BRAM STOKER, RAMSEY CAMPBELL, KIM NEWMAN e altri, *Il grande libro di Dracula*

29. GLORIA PERSICO - DONATELLA SEGATI, *Il giardino segreto della sessualità infantile*

30. MOHANDAS KARAMCHAND GANDHI, *La resistenza non violenta*

31. FRANCO CUOMO, *Il romanzo di Carlo Magno, imperatore d'Europa*. Vol. V, *a Città di Dio*

32. MARCELLO VANNUCCI, *Storia di Firenze*

33. HENRY JAMES, WILKIE COLLINS, VERNON LEE e altri, *Storie di spettri*

34. ANGELOMICHELE DE SPIRITO - IRENEO BELLOTTA (a cura di), *Antropologia e storia delle religioni. Saggi in onore di Alfonso M. di Nola*

35. SUE JENNER, *Il segreto della famiglia felice*

36. POLLY YOUNG - EISENDRATH, *Le donne e il desiderio*

37. MARCELLO VANNUCCI, *I Medici. Una famiglia al potere*

38. TERSILLA GATTO CHANU, *I miti dei Greci e dei Romani*

39. JEAN PIAGET, *Cos'è la psicologia*

40. MICHAEL GRANT, *Gli imperatori romani. Storia e segreti*

41. STEPHEN KING, ANNE RICE, RAY BRADBURY e altri, *La maledizione del vampiro*

42. ERNESTO CHE GUEVARA, *Il sogno rivoluzionario (Ideario, Diario della rivoluzione cubana, Questa grande umanità)*

43. EDUARDO GIANNETTI, *Le bugie con cui viviamo. L'arte di autoingannarsi*

44. JACOB e WILHELM GRIMM, *Tutte le fiabe*

45. MAURICE J. ELIAS, STEVEN E. TOBIAS, BRIAN S. FRIEDLANDER, *L'arte di educare con intelligenza emotiva*

46. GUY CLAXTON, *Non si finisce mai di imparare*

47. LAURENCE BOBIS, *Elogio del gatto*

48. ARTHUR MACHEN, JANE YOLEN, HOWARD PYLE, JOHN STEINBECK, PETER TIMLETT e altri, *Miti e leggende di Re Artù, dei Cavalieri della Tavola Rotonda e del Santo Graal*

49. TERSILLA GATTO CHANU, *Streghe. Storie e segreti*

50. STEPHEN KING, H.P. LOVECRAFT, ROBERT BLOCH e altri, *L'orrore di Chtulhu*

51. WILLY LINDWER, *Gli ultimi sette mesi di Anna Frank*